D1304522

Über dieses Buch

Die drei grundlegenden ›Abhandlungen zur Sexualtheorie‹ und die verwandten Schriften, die in diesem Band mit aufgenommen wurden, bilden den Zugang zum eigentlichen und innersten Kern der Freudschen Lehre. Sie sind der Ansatz, von dem aus Sigmund Freud seine umfassende psychoanalytische Deutung menschlicher, gesellschaftlicher und kultureller Phänomene leistete. Die seinerzeit als skandalös empfundene Aufhebung der Grenzen zwischen Normalem und Perversem, zwischen der Sexualität des Erwachsenen und der ›Unschuld‹ des Kindes, gehört heute zur Grundvoraussetzung psychologischer Erkenntnis. Diese Umwertung der Sexualität hat ein neues Bild vom Menschen geschaffen.

Der Autor

Sigmund Freud, am 6. Mai 1856 in Freiberg (Mähren) geboren; er widmete sich nach dem Medizinstudium der Erforschung seelisch bedingter Erkrankungen, zuerst besonders der Hysterien. Im Verlaufe seiner Studien entwickelte er das Verfahren der Psychoanalyse. Über das praktische Ziel der Therapie von Neurosen hinaus führten die Erkenntnisse der analytischen Methode zu einer entscheidend vertieften Psychologie. Zur Diskussion der kulturellen und gesellschaftlichen Fragen unserer Zeit hat Freud in seinen Arbeiten überraschende Gesichtspunkte beigetragen. Freud, seit 1902 Titular-Professor in Wien, wurde nie auf einen Lehrstuhl an eine Universität berufen; er erhielt 1930 den Goethepreis. Im Jahre 1938 emigrierte er nach London, wo er 1939 starb.

Von Sigmund Freud erschienen folgende Fischer Taschenbücher: ›Studien über Hysterie‹ (zusammen mit Josef Breuer) (Bd. 6001); ›Darstellungen der Psychoanalyse‹ (Bd. 6016); ›Abriß der Psychoanalyse / Das Unbehagen in der Kultur‹ (Bd. 6043); ›Totem und Tabu‹ (Bd. 6053); ›Massenpsychologie und Ich-Analyse‹ (Bd. 6054); ›Über Träume und Traumdeutung‹ (Bd. 6073); ›Zur Psychopathologie des Alltagslebens‹ (Bd. 6079); ›Der Witz und seine Beziehungen zum Unbewußten‹ (Bd. 6083); ›»Selbstdarstellung«. Schriften zur Geschichte der Psychoanalyse‹ (Bd. 6096); ›Der Wahn und die Träume in W. Jensens »Gradiva« mit dem Text der Erzählung von Wilhelm Jensen‹ (Bd. 6172); ›Der Mann Moses und die monotheistische Religion‹ (Bd. 6300); ›Die Traumdeutung‹ (Bd. 6344); ›Vorlesungen zur Einführung in die Psychoanalyse‹ (Bd. 6348).

Eine umfassende Darstellung findet sich in Marthe Robert, ›Die Revolution der Psychoanalyse. Leben und Wirken von Sigmund Freud‹ (Bd. 6057). Eine Einführung in die Terminologie und Theoriebildung von Freud bietet Humberto Nagera (Hg.), ›Psychoanalytische Grundbegriffe‹ (Bd. 6331); ›Neue Folge der Vorlesungen zur Einführung in die Psychoanalyse‹ (Bd. 6390); ›Das Ich und das Es und andere metapsychologische Schriften‹ (Bd. 6394).

SIGMUND FREUD

Drei Abhandlungen zur Sexualtheorie und verwandte Schriften

Auswahl und Nachwort von
Alexander Mitscherlich

FISCHER TASCHENBUCH VERLAG

Fischer Taschenbuch Verlag
288.–297. Tausend   Oktober 1977
298.–305. Tausend   Juli 1979

Fischer Taschenbuch Verlag GmbH, Frankfurt am Main
Umschlagentwurf: Jan Buchholz/Reni Hinsch
Lizenzausgabe des S. Fischer Verlages GmbH, Frankfurt am Main
Gesamtherstellung: Hanseatische Druckanstalt GmbH, Hamburg
Printed in Germany
480-ISBN-3-596-26044-2

INHALT

DREI ABHANDLUNGEN ZUR SEXUALTHEORIE

(1904—1905)

Vorwort zur dritten Auflage

Nachdem ich durch ein Jahrzehnt Aufnahme und Wirkung dieses Buches beobachtet, möchte ich dessen dritte Auflage mit einigen Vorbemerkungen versehen, die gegen Mißverständnisse und unerfüllbare Ansprüche an dasselbe gerichtet sind. Es sei also vor allem betont, daß die Darstellung hierin durchweg von der alltäglichen ärztlichen Erfahrung ausgeht, welche durch die Ergebnisse der psychoanalytischen Untersuchung vertieft und wissenschaftlich bedeutsam gemacht werden soll. Die drei ›Abhandlungen zur Sexualtheorie‹ können nichts anderes enthalten, als was die Psychoanalyse anzunehmen nötigt oder zu bestätigen gestattet. Es ist darum ausgeschlossen, daß sie sich jemals zu einer ›Sexualtheorie‹ erweitern ließen, und begreiflich, daß sie zu manchen wichtigen Problemen des Sexuallebens überhaupt nicht Stellung nehmen. Man wolle aber darum nicht glauben, daß diese übergangenen Kapitel des großen Themas dem Autor unbekannt geblieben sind oder von ihm als nebensächlich vernachlässigt wurden.

Die Abhängigkeit dieser Schrift von den psychoanalytischen Erfahrungen, die zu ihrer Abfassung angeregt haben, zeigt sich aber nicht nur in der Auswahl, sondern auch in der Anordnung des Stoffes. Überall wird ein gewisser Instanzenzug eingehalten, werden die akzidentellen Momente vorangestellt, die dispositionellen im Hintergrunde gelassen und wird die ontogenetische Entwicklung vor der phylogenetischen berücksichtigt. Das Akzidentelle spielt nämlich die Hauptrolle in der Analyse, es wird durch sie fast restlos bewältigt; das Dispositionelle kommt erst hinter ihm zum Vorschein als etwas, was durch das Erleben geweckt wird, dessen Würdigung aber weit über das Arbeitsgebiet der Psychoanalyse hinausführt.

Ein ähnliches Verhältnis beherrscht die Relation zwischen Onto- und Phylogenese. Die Ontogenese kann als eine Wiederholung der Phylogenese angesehen werden, soweit diese nicht durch ein rezenteres Erleben abgeändert wird. Die phylogenetische Anlage macht sich hinter dem ontogenetischen Vorgang bemerkbar. Im Grunde aber ist die Disposition eben der Niederschlag eines früheren Erlebens der Art, zu welchem das neuere Erleben des Einzelwesens als Summe der akzidentellen Momente hinzukommt.

Neben der durchgängigen Abhängigkeit von der psychoanalytischen Forschung muß ich die vorsätzliche Unabhängigkeit von der biologischen Forschung als Charakter dieser meiner Arbeit hervorheben. Ich habe es sorgfältig vermieden, wissenschaftliche Erwartungen aus der allgemeinen Sexualbiologie oder aus der spezieller Tierarten in das Studium einzutragen, welches uns an der Sexualfunktion des Menschen durch die Technik der Psychoanalyse ermöglicht wird. Mein Ziel war allerdings zu erkunden, wieviel zur Biologie des menschlichen Sexuallebens mit den Mitteln der psychologischen Erforschung zu erraten ist; ich durfte auf Anschlüsse und Übereinstimmungen hinweisen, die sich bei dieser Untersuchung ergaben, aber ich brauchte mich nicht beirren zu lassen, wenn die psychoanalytische Methode in manchen wichtigen Punkten zu Ansichten und Ergebnissen führte, die von den bloß biologisch gestützten erheblich abwichen.

Ich habe in dieser dritten Auflage reichliche Einschaltungen vorgenommen, aber darauf verzichtet, dieselben wie in der vorigen Auflage durch besondere Zeichen kenntlich zu machen. — Die wissenschaftliche Arbeit auf unserem Gebiete hat gegenwärtig ihre Fortschritte verlangsamt, doch waren gewisse Ergänzungen dieser Schrift unentbehrlich, wenn sie mit der neueren psychoanalytischen Literatur in Fühlung bleiben sollte.

Wien, im Oktober 1914

Vorwort zur vierten Auflage

Nachdem die Fluten der Kriegszeit sich verzogen haben, darf man mit Befriedigung feststellen, daß das Interesse für die psychoanalytische Forschung in der großen Welt ungeschädigt geblieben ist. Doch haben nicht alle Teile der Lehre das gleiche Schicksal erfahren. Die rein psychologischen Aufstellungen und Ermittlungen der Psychoanalyse über das Unbewußte, die Verdrängung, den Konflikt, der zur Krankheit führt, den Krankheitsgewinn, die Mechanismen der Symptombildung u. a. erfreuen sich wachsender Anerkennung und finden selbst bei prinzipiellen Gegnern Beachtung. Das an die Biologie angrenzende Stück der Lehre, dessen Grundlage in dieser kleinen Schrift gegeben wird, ruft noch immer unverminderten Widerspruch hervor und hat selbst Personen, die sich eine Zeitlang intensiv mit der Psychoanalyse beschäftigt hatten, zum Abfall von ihr und zu neuen Auffassungen bewogen, durch welche die Rolle des sexuellen Moments für das normale und krankhafte Seelenleben wieder eingeschränkt werden sollte.

Ich kann mich trotzdem nicht zur Annahme entschließen, daß dieser Teil der psychoanalytischen Lehre sich von der zu erratenden Wirklichkeit viel weiter entfernen könnte als der andere. Erinnerung und immer wieder von neuem wiederholte Prüfung sagen mir, daß er aus ebenso sorgfältiger und erwartungsloser Beobachtung hervorgegangen ist, und die Erklärung jener Dissoziation in der öffentlichen Anerkennung bereitet keine Schwierigkeiten. Erstens können nur solche Forscher die hier beschriebenen Anfänge des menschlichen Sexuallebens bestätigen, die Geduld und technisches Geschick genug besitzen, um die Analyse bis in die ersten Kindheitsjahre des Patienten vorzutragen. Es fehlt häufig auch an der Möglichkeit hiezu, da das ärztliche Handeln eine scheinbar raschere Erledigung des Krankheitsfalles verlangt. Andere aber als Ärzte, welche die Psychoanalyse üben, haben überhaupt keinen Zugang zu diesem Gebiet und keine Möglichkeit, sich ein Urteil zu bilden, das der Beeinflussung durch ihre eigenen Abneigungen und Vorurteile entzogen wäre. Verstünden es die Menschen, aus der direkten Beobachtung der Kinder zu lernen, so hätten diese drei Abhandlungen überhaupt ungeschrieben bleiben können.

Dann aber muß man sich daran erinnern, daß einiges vom Inhalt dieser Schrift, die Betonung der Bedeutung des Sexuallebens für alle menschlichen Leistungen und die hier versuchte Erweiterung des Begriffes der Sexualität, von jeher die stärksten Motive für den Widerstand gegen die Psychoanalyse abgegeben hat. In dem Bedürfnis nach volltönenden Schlagworten ist man so weit gegangen, von dem ›Pansexualismus‹ der Psychoanalyse zu reden und ihr den unsinnigen Vorwurf zu machen, sie erkläre ›alles‹ aus der Sexualität. Man könnte sich darüber verwundern, wenn man imstande wäre, an die verwirrende und vergeßlich machende Wirkung affektiver Momente selbst zu vergessen. Denn der Philosoph Arthur *Schopenhauer* hat bereits vor geraumer Zeit den Menschen vorgehalten, in welchem Maß ihr Tun und Trachten durch sexuelle Strebungen — im gewohnten Sinne des Wortes — bestimmt wird, und eine Welt von Lesern sollte doch unfähig gewesen sein, sich eine so packende Mahnung so völlig aus dem Sinne zu schlagen! Was aber die ›Ausdehnung‹ des Begriffes der

Sexualität betrifft, die durch die Analyse von Kindern und von sogenannten Perversen notwendig wird, so mögen alle, die von ihrem höheren Standpunkt verächtlich auf die Psychoanalyse herabschauen, sich erinnern lassen, wie nahe die erweiterte Sexualität der Psychoanalyse mit dem *Eros* des göttlichen Plato zusammentrifft. (*S. Nachmansohn*, Freuds Libidotheorie verglichen mit der Eroslehre Platos, Intern. Zeitschr. f. Psychoanalyse, III., 1915.)

Wien, im Mai 1920

DIE SEXUELLEN ABIRRUNGEN

Die Tatsache geschlechtlicher Bedürfnisse bei Mensch und Tier drückt man in der Biologie durch die Annahme eines ›Geschlechtstriebes‹ aus. Man folgt dabei der Analogie mit dem Trieb nach Nahrungsaufnahme, dem Hunger. Eine dem Worte ›Hunger‹ entsprechende Bezeichnung fehlt der Volkssprache; die Wissenschaft gebraucht als solche ›Libido‹.*

Die populäre Meinung macht sich ganz bestimmte Vorstellungen von der Natur und den Eigenschaften dieses Geschlechtstriebes. Er soll der Kindheit fehlen, sich um die Zeit und im Zusammenhang mit dem Reifungsvorgang der Pubertät einstellen, sich in den Erscheinungen unwiderstehlicher Anziehung äußern, die das eine Geschlecht auf das andere ausübt, und sein Ziel soll die geschlechtliche Vereinigung sein oder wenigstens solche Handlungen, welche auf dem Wege zu dieser liegen.

Wir haben aber allen Grund, in diesen Angaben ein sehr ungetreues Abbild der Wirklichkeit zu erblicken; faßt man sie schärfer ins Auge, so erweisen sie sich überreich an Irrtümern, Ungenauigkeiten und Voreiligkeiten.

Führen wir zwei Termini ein: heißen wir die Person, von welcher die geschlechtliche Anziehung ausgeht, das *Sexualobjekt*, die Handlung, nach welcher der Trieb drängt, das *Sexualziel*, so weist uns die wissenschaftlich gesichtete Erfahrung zahlreiche Abweichungen in bezug auf beide, Sexualobjekt und Sexualziel, nach, deren Verhältnis zur angenommenen Norm eingehende Untersuchung fordert.

1. Abweichungen in bezug auf das Sexualobjekt

Der populären Theorie des Geschlechtstriebes entspricht am schönsten die poetische Fabel von der Teilung des Menschen in zwei Hälften — Mann und Weib —, die sich in der Liebe wieder zu vereinigen streben. Es wirkt darum wie eine große Überraschung zu

---

* Das einzig angemessene Wort der deutschen Sprache ›Lust‹ ist leider vieldeutig und benennt ebensowohl die Empfindung des Bedürfnisses als die der Befriedigung.

hören, daß es Männer gibt, für die nicht das Weib, sondern der Mann, Weiber, für die nicht der Mann, sondern das Weib das Sexualobjekt darstellt. Man heißt solche Personen Konträrsexuale oder besser Invertierte, die Tatsache die der *Inversion*. Die Zahl solcher Personen ist sehr erheblich, wiewohl deren sichere Ermittlung Schwierigkeiten unterliegt.[2]

A) Die Inversion

VERHALTEN DER INVERTIERTEN. Die betreffenden Personen verhalten sich nach verschiedenen Richtungen ganz verschieden.

a) Sie sind *absolut* invertiert, das heißt, ihr Sexualobjekt kann nur gleichgeschlechtlich sein, während das gegensätzliche Geschlecht für sie niemals Gegenstand der geschlechtlichen Sehnsucht ist, sondern sie kühl läßt oder selbst sexuelle Abneigung bei ihnen hervorruft. Als Männer sind sie dann durch Abneigung unfähig, den normalen Geschlechtsakt auszuführen oder vermissen bei dessen Ausführung jeden Genuß.

b) Sie sind *amphigen invertiert* (psychosexuell-hermaphroditisch), das heißt, ihr Sexualobjekt kann ebensowohl dem gleichen wie dem anderen Geschlecht angehören; der Inversion fehlt also der Charakter der Ausschließlichkeit.

c) Sie sind *okkasionell* invertiert, daß heißt, unter gewissen äußeren Bedingungen, von denen die Unzugänglichkeit des normalen Sexualobjektes und die Nachahmung obenan stehen, können sie eine Person des gleichen Geschlechtes zum Sexualobjekt nehmen und im Sexualakt mit ihr Befriedigung empfinden.

Die Invertierten zeigen ferner ein mannigfaches Verhalten in ihrem Urteil über die Besonderheit ihres Geschlechtstriebes. Die einen nehmen die Inversion als selbstverständlich hin, wie der Normale die Richtung seiner Libido, und vertreten mit Schärfe deren Gleichberechtigung mit der normalen. Andere aber lehnen sich gegen die Tatsache ihrer Inversion auf und empfinden dieselbe als krankhaften Zwang.*

Weitere Variationen betreffen die zeitlichen Verhältnisse. Die Eigentümlichkeit der Inversion datiert bei dem Individuum ent-

---

* Ein solches Sträuben gegen den Zwang der Inversion könnte die Bedingung der Beeinflußbarkeit durch Suggestivbehandlung oder Psychoanalyse abgeben.

weder von jeher, soweit seine Erinnerung zurückreicht, oder dieselbe hat sich ihm erst zu einer bestimmten Zeit vor oder nach der Pubertät bemerkbar gemacht.* Der Charakter bleibt entweder durchs ganze Leben erhalten oder tritt zeitweise zurück oder stellt eine Episode auf dem Wege zur normalen Entwicklung dar; ja er kann sich erst spät im Leben nach Ablauf einer langen Periode normaler Sexualtätigkeit äußern. Auch ein periodisches Schwanken zwischen dem normalen und dem invertierten Sexualobjekt ist beobachtet worden. Besonders interessant sind Fälle, in denen sich die Libido im Sinne der Inversion ändert, nachdem eine peinliche Erfahrung mit dem normalen Sexualobjekt gemacht worden ist.

Diese verschiedenen Reihen von Variationen bestehen im allgemeinen unabhängig nebeneinander. Von der extremsten Form kann man etwa regelmäßig annehmen, daß die Inversion seit sehr früher Zeit bestanden hat, und daß die Person sich mit ihrer Eigentümlichkeit einig fühlt.

Viele Autoren würden sich weigern, die hier aufgezählten Fälle zu einer Einheit zusammenzufassen, und ziehen es vor, die Unterschiede anstatt der Gemeinsamen dieser Gruppe zu betonen, was mit der von ihnen beliebten Beurteilung der Inversion zusammenhängt. Allein so berechtigt Sonderungen sein mögen, so ist doch nicht zu verkennen, daß alle Zwischenstufen reichlich aufzufinden sind, so daß die Reihenbildung sich gleichsam von selbst aufdrängt.

AUFFASSUNG DER INVERSION. Die erste Würdigung der Inversion bestand in der Auffassung, sie sei ein angeborenes Zeichen nervöser Degeneration, und war im Einklange mit der Tatsache, daß die ärztlichen Beobachter zuerst bei Nervenkranken oder Personen, die solchen Eindruck machten, auf sie gestoßen waren. In dieser Charakteristik sind zwei Angaben enthalten, die unabhängig voneinander beurteilt werden sollen: das Angeborensein und die Degeneration.

* Es ist von mehreren Seiten mit Recht betont worden, daß die autobiographischen Angaben der Invertierten über das zeitliche Auftreten der Inversionsneigung unzuverlässig sind, da dieselben die Beweise für ihr heterosexuelles Empfinden aus ihrem Gedächtnis verdrängt haben könnten. — Die Psychoanalyse hat diesen Verdacht für die ihr zugänglich gewordenen Fälle von Inversion bestätigt und deren Anamnese durch die Ausfüllung der Kindheitsamnesie in entscheidender Weise verändert.

DEGENERATION. Die Degeneration unterliegt den Einwänden, die sich gegen die wahllose Verwendung des Wortes überhaupt erheben. Es ist doch Sitte geworden, jede Art von Krankheitsäußerung, die nicht gerade traumatischen oder infektiösen Ursprungs ist, der Degeneration zuzurechnen. Die *Magnan*sche Einteilung der Degenerierten hat es selbst ermöglicht, daß die vorzüglichste Allgemeingestaltung der Nervenleistung die Anwendbarkeit des Begriffes Degeneration nicht auszuschließen braucht. Unter solchen Umständen darf man fragen, welchen Nutzen und welchen neuen Inhalt das Urteil ›Degeneration‹ überhaupt noch besitzt. Es scheint zweckmäßiger, von Degeneration nicht zu sprechen:

1. wo nicht mehrere schwere Abweichungen von der Norm zusammentreffen;

2. wo nicht Leistungs- und Existenzfähigkeit im allgemeinen schwer geschädigt erscheinen.*

Daß die Invertierten nicht Degenerierte in diesem berechtigten Sinne sind, geht aus mehreren Tatsachen hervor:

1. Man findet die Inversion bei Personen, die keine sonstigen schweren Abweichungen von der Norm zeigen;

2. desgleichen bei Personen, deren Leistungsfähigkeit nicht gestört ist, ja, die sich durch besonders hohe intellektuelle Entwicklung und ethische Kultur auszeichnen.**

3. Wenn man von den Patienten seiner ärztlichen Erfahrung absieht und einen weiteren Gesichtskreis zu umfassen strebt, stößt man nach zwei Richtungen auf Tatsachen, welche die Inversion als Degenerationszeichen aufzufassen verbieten.

a) Man muß Wert darauf legen, daß die Inversion eine häufige Erscheinung, fast eine mit wichtigen Funktionen betraute Institution bei den alten Völkern auf der Höhe ihrer Kultur war;

---

* Mit welchen Vorbehalten die Diagnose auf Degeneration zu stellen ist und welch geringe praktische Bedeutung ihr zukommt, kann man aus den Ausführungen von *Moebius* (Über Entartung. Grenzfragen des Nerven- und Seelenlebens. Nr. III, 1900) entnehmen: »Überblickt man nun das weite Gebiet der Entartung, auf das hier einige Schlaglichter geworfen worden sind, so sieht man ohneweiters ein, daß es sehr geringen Wert hat, Entartung überhaupt zu diagnostizieren.«

** Es muß den Wortführern des ›Uranismus‹ zugestanden werden, daß einige der hervorragendsten Männer, von denen wir überhaupt Kunde haben, Invertierte, vielleicht sogar absolut Invertierte waren.

b) man findet sie ungemein verbreitet bei vielen wilden und primitiven Völkern, während man den Begriff der Degeneration auf die hohe Zivilisation zu beschränken gewohnt ist *(I. Bloch)*; selbst unter den zivilisierten Völkern Europas haben Klima und Rasse auf die Verbreitung und die Beurteilung der Inversion den mächtigsten Einfluß.*

ANGEBORENSEIN. Das Angeborensein ist, wie begreiflich, nur für die erste, extremste Klasse der Invertierten behauptet worden, und zwar auf Grund der Versicherung dieser Personen, daß sich bei ihnen zu keiner Zeit des Lebens eine andere Richtung des Sexualtriebes gezeigt habe. Schon das Vorkommen der beiden anderen Klassen, speziell der dritten, ist schwer mit der Auffassung eines angeborenen Charakters zu vereinen. Daher die Neigung der Vertreter dieser Ansicht, die Gruppe der absolut Invertierten von allen anderen abzulösen, was den Verzicht auf eine allgemein gültige Auffassung der Inversion zur Folge hat. Die Inversion wäre demnach in einer Reihe von Fällen ein angeborener Charakter; in anderen könnte sie auf andere Art entstanden sein.

Den Gegensatz zu dieser Auffassung bildet die andere, daß die Inversion ein *erworbener* Charakter des Geschlechtstriebes sei. Sie stützt sich darauf, daß

1. bei vielen (auch absolut) Invertierten ein frühzeitig im Leben einwirkender sexueller Eindruck nachweisbar ist, als dessen fortdauernde Folge sich die homosexuelle Neigung darstellt,

2. daß bei vielen anderen sich die äußeren begünstigenden und hemmenden Einflüsse des Lebens aufzeigen lassen, die zu einer früheren oder späteren Zeit zur Fixierung der Inversion geführt haben (ausschließlicher Verkehr mit dem gleichen Geschlecht, Gemeinschaft im Kriege, Detention in Gefängnissen, Gefahren des heterosexuellen Verkehrs, Zölibat, geschlechtliche Schwäche usw.),

3. daß die Inversion durch hypnotische Suggestion aufgehoben werden kann, was bei einem angeborenen Charakter Wunder nehmen würde.

* In der Auffassung der Inversion sind die pathologischen Gesichtspunkte von anthropologischen abgelöst. Diese Wandlung bleibt das Verdienst von *I. Bloch* (Beiträge zur Ätiologie der Psychopathia sexualis. 2 Teile, 1902/3), welcher Autor auch die Tatsache der Inversion bei den alten Kulturvölkern nachdrücklich zur Geltung gebracht hat.

Vom Standpunkt dieser Anschauung kann man die Sicherheit des Vorkommens einer angeborenen Inversion überhaupt bestreiten. Man kann einwenden *(Havelock Ellis)*, daß ein genaueres Examen der für angeborene Inversion in Anspruch genommenen Fälle wahrscheinlich gleichfalls ein für die Richtung der Libido bestimmendes Erlebnis der frühen Kindheit zutage fördern würde, welches bloß im bewußten Gedächtnis der Person nicht bewahrt worden ist, aber durch geeignete Beeinflussung zur Erinnerung gebracht werden könnte. Die Inversion könnte man nach diesen Autoren nur als eine häufige Variation des Geschlechtstriebes bezeichnen, die durch eine Anzahl äußerer Lebensumstände bestimmt werden kann.

Der scheinbar so gewonnenen Sicherheit macht aber die Gegenbemerkung ein Ende, daß nachweisbar viele Personen die nämlichen sexuellen Beeinflussungen (auch in früher Jugend: Verführung, mutuelle Onanie) erfahren, ohne durch sie invertiert zu werden oder dauernd so zu bleiben. So wird man zur Vermutung gedrängt, daß die Alternative angeboren—erworben entweder unvollständig ist oder die bei der Inversion vorliegenden Verhältnisse nicht deckt.

ERKLÄRUNG DER INVERSION. Weder mit der Annahme, die Inversion sei angeboren, noch mit der anderen, sie werde erworben, ist das Wesen der Inversion erklärt. Im ersten Falle muß man sich äußern, was an ihr angeboren ist, wenn man sich nicht der rohesten Erklärung anschließt, daß eine Person die Verknüpfung des Sexualtriebes mit einem bestimmten Sexualobjekt angeboren mitbringt. Im anderen Falle fragt es sich, ob die mannigfachen akzidentellen Einflüsse hinreichen, die Erwerbung zu erklären, ohne daß ihnen etwas an dem Individuum entgegenkommen müsse. Die Verneinung dieses letzten Momentes ist nach unseren früheren Ausführungen unstatthaft.

HERANZIEHUNG DER BISEXUALITÄT. Zur Erklärung der Möglichkeit einer sexuellen Inversion ist seit *Frank Lydstone*, *Kiernan* und *Chevalier* eine Gedankenreihe herangezogen worden, welche einen neuen Widerspruch gegen die populäre Meinung enthält. Dieser gilt ein Mensch entweder als Mann oder als Weib. Die Wissenschaft kennt aber Fälle, in denen die Geschlechtscharaktere verwischt erscheinen und somit die Geschlechtsbestimmung erschwert wird; zunächst auf anatomischem Gebiet. Die Genitalien dieser Personen vereinigen männliche und weibliche Charaktere (Hermaphroditismus). In seltenen Fällen sind nebeneinander beiderlei Geschlechtsapparate ausgebildet (wahrer Hermaphroditismus); zu allermeist findet man beiderseitige Verkümmerung.[3]

Das Bedeutsame an diesen Abnormitäten ist aber, daß sie in unerwarteter Weise das Verständnis der normalen Bildung erleichtern. Ein gewisser Grad von anatomischen Hermaphroditismus gehört nämlich der Norm an; bei keinem normal gebildeten männlichen oder weiblichen Individuum werden die Spuren vom Apparat des anderen Geschlechtes vermißt, die entweder funktionslos als rudimentäre Organe fortbestehen oder selbst zur Übernahme anderer Funktionen umgebildet worden sind.

Die Auffassung, die sich aus diesen lange bekannten anatomischen Tatsachen ergibt, ist die einer ursprünglich bisexuellen Veranlagung, die sich im Laufe der Entwicklung bis zur Monosexualität mit geringen Resten des verkümmerten Geschlechtes verändert.

Es lag nahe, diese Auffassung aufs psychische Gebiet zu übertragen und die Inversion in ihren Abarten als Ausdruck eines psychischen Hermaphroditismus zu verstehen. Um die Frage zu entscheiden, bedurfte es nur noch eines regelmäßigen Zusammentreffens der Inversion mit den seelischen und somatischen Zeichen des Hermaphroditismus.

Allein diese nächste Erwartung schlägt fehl. So nahe darf man sich die Beziehungen zwischen dem angenommenen psychischen und dem nachweisbaren anatomischen Zwittertum nicht vorstellen. Was man bei den Invertierten findet, ist häufig eine Herabsetzung des Geschlechtstriebes überhaupt *(Havelock Ellis)* und leichte anatomische Verkümmerung der Organe. Häufig, aber keineswegs regelmäßig oder auch nur überwiegend. Somit muß man erkennen, daß Inversion und somatischer Hermaphroditismus im ganzen unabhängig voneinander sind.

Man hat ferner großen Wert auf die sogenannten sekundären und tertiären Geschlechtscharaktere gelegt und deren gehäuftes Vorkommen bei den Invertierten betont *(H. Ellis).* Auch daran ist vieles zutreffend, aber man darf nicht vergessen, daß die sekundären und tertiären Geschlechtscharaktere überhaupt recht häufig beim anderen Geschlecht auftreten und so Andeutungen von

Zwittertum herstellen, ohne daß dabei das Sexualobjekt sich im Sinne einer Inversion abgeändert zeigte.

Der psychische Hermaphroditismus würde an Leibhaftigkeit gewinnen, wenn mit der Inversion des Sexualobjektes wenigstens ein Umschlag der sonstigen seelischen Eigenschaften, Triebe und Charakterzüge in die fürs andere Geschlecht bezeichnende Abänderung parallel liefe. Allein eine solche Charakterinversion darf man mit einiger Regelmäßigkeit nur bei den invertierten Frauen erwarten, bei den Männern ist die vollste seelische Männlichkeit mit der Inversion vereinbar. Hält man an der Aufstellung eines seelischen Hermaphroditismus fest, so muß man hinzufügen, daß dessen Äußerungen auf verschiedenen Gebieten eine nur geringe gegenseitige Bedingtheit erkennen lassen. Das gleiche gilt übrigens auch für das somatische Zwittertum; nach *Halban*[4] sind auch die einzelnen Organverkrümmungen und sekundären Geschlechtscharaktere in ihrem Auftreten ziemlich unabhängig voneinander.

Die Bisexualitätslehre ist in ihrer rohesten Form von einem Wortführer der männlichen Invertierten ausgesprochen worden: weibliches Gehirn im männlichen Körper. Allein wir kennen die Charaktere eines ›weiblichen Gehirns‹ nicht. Der Ersatz des psychologischen Problems durch das anatomische ist ebenso müßig wie unberechtigt. Der Erklärungsversuch *v. Krafft-Ebings* scheint exakter gefaßt als der *Ulrichs'*, ist aber im Wesen von ihm nicht verschieden; *v. Krafft-Ebing* meint, daß die bisexuelle Anlage dem Individuum ebenso männliche und weibliche Gehirnzentren mitgibt wie somatische Geschlechtsorgane. Diese Zentren entwickeln sich erst zur Zeit der Pubertät, zumeist unter dem Einflusse der von ihnen in der Anlage unabhängigen Geschlechtsdrüse. Von den männlichen und weiblichen ›Zentren‹ gilt aber dasselbe wie vom männlichen und weiblichen Gehirn, und nebenbei wissen wir nicht einmal, ob wir für die Geschlechtsfunktionen abgegrenzte Gehirnstellen (›Zentren‹) wie etwa für die Sprache annehmen dürfen.[5]

Zwei Gedanken bleiben nach diesen Erörterungen immerhin bestehen: daß auch für die Inversion eine bisexuelle Veranlagung in Betracht kommt, nur daß wir nicht wissen, worin diese Anlage über die anatomische Gestaltung hinaus besteht, und daß es sich um Störungen handelt, welche den Geschlechtstrieb in seiner Entwicklung betreffen.

SEXUALOBJEKT DER INVERTIERTEN. Die Theorie des psychischen Hermaphroditismus setzt voraus, daß das Sexualobjekt des Invertierten das dem normalen entgegengesetzte sei. Der invertierte Mann unterliege wie das Weib dem Zauber, der von den männlichen Eigenschaften des Körpers und der Seele ausgeht, er fühle sich selbst als Weib und suche den Mann.

Aber wiewohl dies für eine ganze Reihe von Invertierten zutrifft, so ist es doch weit entfernt, einen allgemeinen Charakter der Inversion zu verraten. Es ist kein Zweifel, daß ein großer Teil der männlichen Invertierten den psychischen Charakter der Männlichkeit bewahrt hat, verhältnismäßig wenig sekundäre Charaktere des anderen Geschlechtes an sich trägt und in seinem Sexualobjekt eigentlich weibliche psychische Züge sucht. Wäre dies anders, so bliebe es unverständlich, wozu die männliche Prostitution, die sich den Invertierten anbietet — heute wie im Altertum —, in allen Äußerlichkeiten der Kleidung und Haltung die Weiber kopiert; diese Nachahmung müßte ja sonst das Ideal der Invertierten beleidigen. Bei den Griechen, wo die männlichsten Männer unter den Invertierten erscheinen, ist es klar, daß nicht der männliche Charakter des Knaben, sondern seine körperliche Annäherung an das Weib sowie seine weiblichen seelischen Eigenschaften, Schüchternheit, Zurückhaltung, Lern- und Hilfsbedürftigkeit die Liebe des Mannes entzündeten. Sobald der Knabe ein Mann wurde, hörte er auf, ein Sexualobjekt für den Mann zu sein, und wurde etwa selbst ein Knabenliebhaber. Das Sexualobjekt ist also in diesem Falle, wie in vielen anderen, nicht das gleiche Geschlecht, sondern die Vereinigung beider Geschlechtscharaktere, das Kompromiß etwa zwischen einer Regung, die nach dem Manne, und einer, die nach dem Weibe verlangt, mit der festgehaltenen Bedingung der Männlichkeit des Körpers (der Genitalien), sozusagen die Spiegelung der eigenen bisexuellen Natur.*

---

* Die Psychoanalyse hat bisher zwar keine volle Aufklärung über die Herkunft der Inversion gebracht, aber doch den psychischen Mechanismus ihrer Entstehung aufgedeckt und die in Betracht kommenden Fragestellungen wesentlich bereichert. Wir haben bei allen untersuchten Fällen festgestellt, daß die später Invertierten in den ersten Jahren ihrer Kindheit bereits eine Phase von sehr intensiver, aber kurzlebiger Fixierung an das Weib (meist an die Mutter) durchmachen, nach deren Überwindung sie sich mit dem Weib identifizieren und sich selbst zum

Eindeutiger sind die Verhältnisse beim Weibe, wo die aktiv Invertierten besonders häufig somatische und seelische Charaktere des Mannes an sich tragen und das Weibliche von ihrem Sexualobjekt verlangen, wiewohl auch hier sich bei näherer Kenntnis größere Buntheit herausstellen dürfte.

SEXUALZIEL DER INVERTIERTEN. Die wichtige festzuhaltende Tatsache ist, daß das Sexualziel bei der Inversion keineswegs einheitlich genannt werden kann. Bei Männern fällt der Verkehr per anum durchaus nicht mit Inversion zusammen; Masturbation ist ebenso häufig das ausschließliche Ziel, und Einschränkung des Sexualzieles — bis zur bloßen Gefühlsergießung — sind hier sogar häufiger als bei der heterosexuellen Liebe. Auch bei Frauen sind die Sexualziele der Invertierten mannigfaltig; darunter scheint die Berührung mit der Mundschleimhaut bevorzugt.

Sexualobjekt nehmen, das heißt vom Narzißmus ausgehend jugendliche und der eigenen Person ähnliche Männer aufsuchen, die sie so lieben wollen, wie die Mutter sie geliebt hat. Wir haben ferner sehr häufig gefunden, daß angeblich Invertierte gegen den Reiz des Weibes keineswegs unempfindlich waren, sondern die durch das Weib hervorgerufene Erregung fortlaufend auf ein männliches Objekt transponierten. Sie wiederholten so während ihres ganzen Lebens den Mechanismus, durch welchen ihre Inversion entstanden war. Ihr zwanghaftes Streben nach dem Manne erwies sich als bedingt durch ihre ruhelose Flucht vor dem Weibe.

Die psychoanalytische Forschung widersetzt sich mit aller Entschiedenheit dem Versuche, die Homosexuellen als eine besonders geartete Gruppe von den anderen Menschen abzutrennen. Indem sie auch andere als die manifest kundgegebenen Sexualerregungen studiert, erfährt sie, daß alle Menschen der gleichgeschlechtlichen Objektwahl fähig sind und dieselbe auch im Unterbewußtsein vollzogen haben. Ja, die Bindungen libidinöser Gefühle an Personen des gleichen Geschlechts spielen als Faktoren im normalen Seelenleben keine geringere, und als Motoren der Erkrankung eine größere Rolle als die, welche dem entgegengesetzten Geschlecht gelten. Der Psychoanalyse erscheint vielmehr die Unabhängigkeit der Objektwahl vom Geschlecht des Objektes, die gleich freie Verfügung über männliche und weibliche Objekte, wie sie im Kindesalter, in primitiven Zuständen und frühhistorischen Zeiten zu beobachten ist, als das Ursprüngliche, aus dem sich durch Einschränkung nach der einen oder der anderen Seite der normale wie der Inversionstypus entwickeln. Im Sinne der Psychoanalyse ist also auch das ausschließliche sexuelle Interesse des Mannes für das Weib ein der Aufklärung bedürftiges Problem und keine Selbstverständlichkeit, der eine im Grunde chemische

SCHLUSSFOLGERUNG. Wir sehen uns zwar außerstande, die Entstehung der Inversion aus dem bisher vorliegenden Material befriedigend aufzuklären, können aber merken, daß wir bei dieser Untersuchung zu einer Einsicht gelangt sind, die uns bedeutsamer werden kann als die Lösung der obigen Aufgabe. Wir werden aufmerksam gemacht, daß wir uns die Verknüpfung des Sexualtriebes mit dem Sexualobjekt als eine zu innige vorgestellt haben. Die Erfahrung an den für abnorm gehaltenen Fällen lehrt uns, daß hier zwischen Sexualtrieb und Sexualobjekt eine Verlötung vorliegt, die wir bei der Gleichförmigkeit der normalen Gestaltung, wo der Trieb das Objekt mitzubringen scheint, in Gefahr sind zu übersehen. Wir werden so angewiesen, die Verknüpfung zwischen Trieb und Objekt in unseren Gedanken zu lockern. Der Geschlechtstrieb ist wahrscheinlich zunächst unabhängig von seinem Objekt und verdankt wohl auch nicht den Reizen desselben seine Entstehung.

Anziehung zu unterlegen ist. Die Entscheidung über das endgültige Sexualverhalten fällt erst nach der Pubertät und ist das Ergebnis einer noch nicht übersehbaren Reihe von Faktoren, die teils konstitutioneller, teils aber akzidenteller Natur sind. Gewiß können einzelne dieser Faktoren so übergroß ausfallen, daß sie das Resultat in ihrem Sinne beeinflussen. Im allgemeinen aber wird die Vielheit der bestimmenden Momente durch die Mannigfaltigkeit der Ausgänge im manifesten Sexualverhalten der Menschen gespiegelt. Bei den Inversionstypen ist durchwegs das Vorherrschen archaischer Konstitutionen und primitiver psychischer Mechanismen zu bestätigen. Die Geltung der *narzißtischen Objektwahl* und *die Festhaltung* der erotischen Bedeutung der *Analzone* erscheinen als deren wesentlichste Charaktere. Man gewinnt aber nichts, wenn man auf Grund solcher konstitutioneller Eigenheiten die extremsten Inversionstypen von den anderen sondert. Was sich bei diesen als anscheinend zureichende Begründung findet, läßt sich ebenso, nur in geringerer Stärke, in der Konstitution von Übergangstypen und bei manifest Normalen nachweisen. Die Unterschiede in den Ergebnissen mögen qualitativer Natur sein: die Analyse zeigt, daß die Unterschiede in den Bedingungen nur quantitative sind. Unter den akzidentellen Beeinflussungen der Objektwahl haben wir die Versagung (die frühzeitige Sexualeinschüchterung) bemerkenswert gefunden und sind auch darauf aufmerksam geworden, daß das Vorhandensein beider Elternteile eine wichtige Rolle spielt. Der Wegfall eines starken Vaters in der Kindheit begünstigt nicht selten die Inversion. Man darf endlich die Forderung aufstellen, daß die Inversion des Sexualobjekts von der Mischung der

B) Geschlechtsunreife und Tiere als Sexualobjekte

Während die Personen, deren Sexualobjekte nicht dem normalerweise dazu geeigneten Geschlechte angehören, die Invertierten
also, dem Beobachter als eine gesammelte Anzahl von sonst vielleicht vollwertigen Individuen entgegentreten, erscheinen die
Fälle, in denen geschlechtsunreife Personen (Kinder) zu Sexualobjekten erkoren werden, von vornherein als vereinzelte Verirrungen. Nur ausnahmsweise sind Kinder die ausschließlichen Sexualobjekte; zumeist gelangen sie zu dieser Rolle, wenn ein feige und
impotent gewordenes Individuum sich zu solchem Surrogat versteht oder ein impulsiver (unaufschiebbarer) Trieb sich zurzeit
keines geeigneteren Objektes bemächtigen kann. Immerhin wirft
es ein Licht auf die Natur des Geschlechtstriebes, daß er so viel
Variation und solche Herabsetzung seines Objektes zuläßt, was
der Hunger, der sein Objekt weit energischer festhält, nur im

Geschlechtscharaktere im Subjekt begrifflich strenge zu sondern ist. Ein
gewisses Maß von Unabhängigkeit ist auch in dieser Relation unverkennbar.

Eine Reihe bedeutsamer Gesichtspunkte zur Frage der Inversion hat
Ferenczi in einem Aufsatz: Zur Nosologie der männlichen Homosexualität (Homoerotik) (Intern. Zeitschr. f. PsA., II, 1914) vorgebracht. *Ferenczi* rügt mit Recht, daß man unter dem Namen ›Homosexualität‹,
den er durch den besseren ›Homoerotik‹ ersetzen will, eine Anzahl von
sehr verschiedenen, in organischer wie in psychischer Hinsicht ungleich-
wertigen, Zuständen zusammenwirft, weil sie das Symptom der Inversion gemeinsam haben. Er fordert scharfe Unterscheidung wenigstens
zwischen den beiden Typen des *Subjekthomoerotikers,* der sich als Weib
fühlt und benimmt, und des *Objekthomoerotikers,* der durchaus männlich ist und nur das weibliche Objekt gegen ein gleichgeschlechtliches
vertauscht hat. Den ersteren anerkennt er als richtige ›sexuelle Zwi-
schenstufe‹ im Sinne von Magnus *Hirschfeld,* den zweiten bezeichnet er
— minder glücklich — als Zwangsneurotiker. Das Sträuben gegen die Inversionsneigung sowie die Möglichkeit psychischer Beeinflussung kämen
nur beim Objekthomoerotiker in Betracht. Auch nach Anerkennung dieser beiden Typen darf man hinzufügen, daß bei vielen Personen ein Maß
von Subjekthomoerotik mit einem Anteil von Objekthomoerotik vermengt gefunden wird.

In den letzten Jahren haben Arbeiten von Biologen, in erster Linie die
von Eugen *Steinach,* ein helles Licht auf die organischen Bedingungen
der Homoerotik sowie der Geschlechtscharaktere überhaupt geworfen.

Durch das experimentelle Verfahren der Kastration mit nachfolgender äußersten Falle gestatten würde. Eine ähnliche Bemerkung gilt für den besonders unter dem Landvolke gar nicht seltenen sexuellen Verkehr mit Tieren, wobei sich etwa die Geschlechtsanziehung über die Artschranke hinwegsetzt.

Aus ästhetischen Gründen möchte man gern diese wie andere schwere Verirrungen des Geschlechtstriebes den Geisteskranken zuweisen, aber dies geht nicht an. Die Erfahrung lehrt, daß man bei diesen letzteren keine anderen Störungen des Geschlechtstriebes beobachtet als bei Gesunden, ganzen Rassen und Ständen. So findet sich sexueller Mißbrauch von Kindern mit unheimlicher Häufigkeit bei Lehrern und Wartepersonal, bloß weil sich diesen die beste Gelegenheit dazu bietet. Die Geisteskranken zeigen die betreffende Verirrung nur etwa gesteigert oder, was besonders bedeutsam ist, zur Ausschließlichkeit erhoben und an Stelle der normalen Sexualbefriedigung gerückt.

Einpflanzung von Keimdrüsen des anderen Geschlechtes gelang es, bei verschiedenen Säugetierarten Männchen in Weibchen zu verwandeln und umgekehrt. Die Verwandlung betraf mehr oder minder vollständig die somatischen Geschlechtscharaktere und das psychosexuelle Verhalten (also Subjekt- und Objekterotik). Als Träger dieser geschlechtsbestimmenden Kraft wird nicht der Anteil der Keimdrüse betrachtet, welcher die Geschlechtszellen bildet, sondern das sogenannte interstitielle Gewebe des Organes (die ›Pubertätsdrüse‹).

In einem Falle gelang die geschlechtliche Umstimmung auch bei einem Manne, der seine Hoden durch tuberkulöse Erkrankung eingebüßt hatte. Er hatte sich im Geschlechtsleben als passiver Homosexueller weiblich benommen und zeigte sehr deutlich ausgeprägte weibliche Geschlechtscharaktere sekundärer Art (in Behaarung, Bartwuchs, Fettansatz an Mammae und Hüften). Nach der Einpflanzung eines kryptorchen Menschenhodens begann dieser Mann sich in männlicher Weise zu benehmen und seine Libido in normaler Weise aufs Weib zu richten. Gleichzeitig schwanden die somatischen femininen Charaktere. (*A. Lipschütz*, Die Pubertätsdrüse und ihre Wirkungen, Bern, 1919.)

Es wäre ungerechtfertigt zu behaupten, daß durch diese schönen Versuche die Lehre von der Inversion auf eine neue Basis gestellt wird und voreilig von ihnen geradezu einen Weg zur allgemeinen ›Heilung‹ der Homosexualität zu erwarten. *W. Fließ* hat mit Recht betont, daß diese experimentellen Erfahrungen die Lehre von der allgemeinen bisexuellen Anlage der höheren Tiere nicht entwerten. Es erscheint mir vielmehr wahrscheinlich, daß sich aus weiteren solchen Untersuchungen eine direkte Bestätigung der angenommenen Bisexualität ergeben wird.

Dieses sehr merkwürdige Verhältnis der sexuellen Variationen zur Stufenleiter von der Gesundheit bis zur Geistesstörung gibt zu denken. Ich würde meinen, die zu erklärende Tatsache wäre ein Hinweis darauf, daß die Regungen des Geschlechtslebens zu jenen gehören, die auch normalerweise von den höheren Seelentätigkeiten am schlechtesten beherrscht werden. Wer in sonst irgendeiner Beziehung geistig abnorm ist, in sozialer, ethischer Hinsicht, der ist es nach meiner Erfahrung regelmäßig in seinem Sexualleben. Aber viele sind abnorm im Sexualleben, die in allen anderen Punkten dem Durchschnitt entsprechen, die menschliche Kulturentwicklung, deren schwacher Punkt die Sexualität bleibt, in ihrer Person mitgemacht haben.

Als allgemeinstes Ergebnis dieser Erörterungen würden wir aber die Einsicht herausgreifen, daß unter einer großen Anzahl von Bedingungen und bei überraschend viel Individuen die Art und der Wert des Sexualobjektes in den Hintergrund treten. Etwas anderes ist am Sexualtrieb das Wesentliche und Konstante.*

2. Abweichungen in bezug auf das Sexualziel

Als normales Sexualziel gilt die Vereinigung der Genitalien in dem als Begattung bezeichneten Akte, der zur Lösung der sexuellen Spannung und zum zeitweiligen Erlöschen des Sexualtriebes führt (Befriedigung analog der Sättigung beim Hunger). Doch sind bereits am normalsten Sexualvorgang jene Ansätze kenntlich, deren Ausbildung zu den Abirrungen führt, die man als *Perversionen* beschrieben hat. Es werden nämlich gewisse intermediäre (auf dem Wege zur Begattung liegende) Beziehungen zum Sexualobjekt, wie das Betasten und Beschauen desselben, als vorläufige Sexualziele anerkannt. Diese Betätigungen sind einerseits selbst mit Lust verbunden, andererseits steigern sie die Erregung, welche bis zur Erreichung des endgültigen Sexualzieles andauern soll. Eine bestimmte dieser Berührungen, die der beiderseitigen

---

* Der eingreifendste Unterschied zwischen dem Liebesleben der Alten Welt und dem unsrigen liegt wohl darin, daß die Antike den Akzent auf den Trieb selbst, wir aber auf dessen Objekt verlegen. Die Alten feierten den Trieb und waren bereit, auch ein minderwertiges Objekt durch ihn zu adeln, während wir die Triebbetätigung an sich geringschätzen und sie nur durch die Vorzüge des Objekts entschuldigen lassen.

Lippenschleimhaut, hat ferner als Kuß bei vielen Völkern (die höchstzivilisierten darunter) einen hohen sexuellen Wert erhalten, obwohl die in Betracht kommenden Körperteile nicht dem Geschlechtsapparat angehören, sondern den Eingang zum Verdauungskanal bilden. Hiermit sind also Momente gegeben, welche die Perversionen an das normale Sexualleben anknüpfen lassen und auch zur Einteilung derselben verwendbar sind. Die Perversionen sind entweder *a)* anatomische *Überschreitungen* der für die geschlechtliche Vereinigung bestimmten Körpergebiete oder *b) Verweilungen* bei den intermediären Relationen zum Sexualobjekt, die normalerweise auf dem Wege zum endgültigen Sexualziel rasch durchschritten werden sollen.

a) Anatomische Überschreitungen

ÜBERSCHÄTZUNG DES SEXUALOBJEKTES. Die psychische Wertschätzung, deren das Sexualobjekt als Wunschziel des Sexualtriebes teilhaftig wird, beschränkt sich in den seltensten Fällen auf dessen Genitalien, sondern greift auf den ganzen Körper desselben über und hat die Tendenz, alle vom Sexualobjekt ausgehenden Sensationen mit einzubeziehen. Die gleiche Überschätzung strahlt auf das psychische Gebiet aus und zeigt sich als logische Verblendung (Urteilsschwäche) angesichts der seelischen Leistungen und Vollkommenheiten des Sexualobjektes sowie als gläubige Gefügigkeit gegen die von letzterem ausgehenden Urteile. Die Gläubigkeit der Liebe wird so zu einer wichtigen, wenn nicht zur uranfänglichen Quelle der Autorität.*

Diese Sexualüberschätzung ist es nun, welche sich mit der Einschränkung des Sexualzieles auf die Vereinigung der eigentlichen Genitalien so schlecht verträgt und Vornahmen an anderen Körperteilen zu Sexualzielen erheben hilft.**

---

* Ich kann mir nicht versagen, hiebei an die gläubige Gefügigkeit der Hypnotisierten gegen ihren Hypnotiseur zu erinnern, welche mich vermuten läßt, daß das Wesen der Hypnose in die unbewußte Fixierung der Libido auf die Person des Hypnotiseurs (vermittels der masochistischen Komponente des Sexualtriebes) zu verlegen ist. — S. Ferenczi hat diesen Charakter der Suggerierbarkeit mit dem ›Elternkomplex‹ verknüpft. (Jahrbuch für psychoanalyt. und psychopathol. Forschungen I, 1909.)
** Es ist indes zu bemerken, daß die Sexualüberschätzung nicht bei allen Mechanismen der Objektwahl ausgebildet wird und daß wir spä-

Die Bedeutung des Moments der Sexualüberschätzung läßt sich am ehesten beim Manne studieren, dessen Liebesleben allein der Erforschung zugänglich geworden ist, während das des Weibes zum Teil infolge der Kulturverkrümmung, zum anderen Teil durch die konventionelle Verschwiegenheit und Unaufrichtigkeit der Frauen in ein noch undurchdringlicheres Dunkel gehüllt ist.*

SEXUELLE VERWENDUNG DER LIPPEN-MUND-SCHLEIMHAUT. Die Verwendung des Mundes als Sexualorgan gilt als Perversion, wenn die Lippen (Zunge) der einen Person mit den Genitalien der anderen in Berührung gebracht werden, nicht aber, wenn beider Teile Lippenschleimhäute einander berühren. In letzterer Ausnahme liegt die Anknüpfung ans Normale. Wer die anderen wohl seit den Urzeiten der Menschheit gebräuchlichen Praktiken als Perversionen verabscheut, der gibt dabei einem deutlichen *Ekelgefühl* nach, welches ihn vor der Annahme eines solchen Sexualzieles schützt. Die Grenze dieses Ekels ist aber häufig rein konventionell; wer etwa mit Inbrunst die Lippen eines schönen Mädchens küßt, wird vielleicht das Zahnbürstchen desselben nur mit Ekel gebrauchen können, wenngleich kein Grund zur Annahme vorliegt, daß seine eigene Mundhöhle, vor der ihm nicht ekelt, reinlicher sei als die des Mädchens. Man wird hier auf das Moment des Ekels aufmerksam, welches der libidinösen Überschätzung des Sexualobjektes in den Weg tritt, seinerseits aber durch die Libido überwunden werden kann. In dem Ekel möchte man eine der Mächte erblicken, welche die Einschränkung des Sexualzieles zustande gebracht haben. In der Regel machen diese vor den Genitalien selbst Halt. Es ist aber kein Zweifel, daß auch die Genitalien

terhin eine andere und direktere Erklärung für die sexuelle Rolle der anderen Körperteile kennenlernen werden. Das Moment des ›Reizhungers‹, das von *Hoche* und *I. Bloch* zur Erklärung des Übergreifens von sexuellem Interesse auf andere Körperteile als die Genitalien herangezogen wird, scheint mir diese Bedeutung nicht zu verdienen. Die verschiedenen Wege, auf denen die Libido wandelt, verhalten sich zueinander von Anfang an wie kommunizierende Röhren, und man muß dem Phänomen der Kollateralströmung Rechnung tragen.

* Das Weib läßt in typischen Fällen eine ›Sexualüberschätzung‹ des Mannes vermissen, versäumt dieselbe aber fast niemals gegen das von ihr geborene Kind.

des anderen Geschlechts an und für sich Gegenstand des Ekels sein
können, und daß dieses Verhalten zur Charakteristik aller Hysterischen (zumal der weiblichen) gehört. Die Stärke des Sexualtriebes liebt es, sich in der Überwindung dieses Ekels zu betätigen.
(S. u.)

SEXUELLE VERWENDUNG DER AFTERÖFFNUNG. Klarer noch als im früheren Falle erkennt man bei der Inanspruchnahme des Afters, daß
es der Ekel ist, welcher dieses Sexualziel zur Perversion stempelt.
Man lege mir aber die Bemerkung nicht als Parteinahme aus, daß
die Begründung dieses Ekels, diese Körperpartie diene der Exkre-
tion und komme mit dem Ekelhaften an sich — den Exkrementen
— in Berührung, nicht viel stichhältiger ist als etwa die Begründung, welche hysterische Mädchen für ihren Ekel vor dem männlichen Genitale abgeben: es diene der Harnentleerung.

Die sexuelle Rolle der Afterschleimhaut ist keineswegs auf den
Verkehr zwischen Männern beschränkt, ihre Bevorzugung hat
nichts für das invertierte Fühlen Charakteristisches. Es scheint im
Gegenteil, daß die Pädikatio des Mannes ihre Rolle der Analogie
mit dem Akt des Weibes verdankt, während gegenseitige Masturbation das Sexualziel ist, welches sich beim Verkehr Invertierter
am ehesten ergibt.

BEDEUTUNG ANDERER KÖRPERSTELLEN. Das sexuelle Übergreifen auf
andere Körperstellen bietet in all seinen Variationen nichts prin-
zipiell Neues, fügt nichts zur Kenntnis des Sexualtriebes hinzu,
der hierin nur seine Absicht verkündet, sich des Sexualobjekts
nach allen Richtungen zu bemächtigen. Neben der Sexualüberschätzung meldet sich aber bei den anatomischen Überschreitungen ein zweites, der populären Kenntnis fremdartiges Moment.
Gewisse Körperstellen, wie die Mund- und Afterschleimhaut, die
immer wieder in diesen Praktiken auftreten, erheben gleichsam
den Anspruch, selbst als Genitalien betrachtet und behandelt zu
werden. Wir werden hören, wie dieser Anspruch durch die Entwicklung des Sexualtriebes gerechtfertigt und wie er in der Symptomatologie gewisser Krankheitszustände erfüllt wird.

UNGEEIGNETER ERSATZ DES SEXUALOBJEKTES — FETISCHISMUS. Einen
ganz besonderen Eindruck ergeben jene Fälle, in denen das normale Sexualobjekt ersetzt wird durch ein anderes, das zu ihm in

Beziehung steht, dabei aber völlig ungeeignet ist, dem normalen Sexualziel zu dienen. Wir hätten nach den Gesichtspunkten der Einteilung wohl besser getan, diese höchst interessante Gruppe von Abirrungen des Sexualtriebes schon bei den Abweichungen in bezug auf das Sexualobjekt zu erwähnen, verschoben es aber, bis wir das Moment der *Sexualüberschätzung* kennen gelernt hatten, von welchem diese Erscheinungen abhängen, mit denen ein Aufgeben des Sexualzieles verbunden ist.

Der Ersatz für das Sexualobjekt ist ein im allgemeinen für sexuelle Zwecke sehr wenig geeigneter Körperteil (Fuß, Haar) oder ein unbelebtes Objekt, welches in nachweislicher Relation mit der Sexualperson, am besten mit der Sexualität derselben, steht. (Stücke der Kleidung, weiße Wäsche.) Dieser Ersatz wird nicht mit Unrecht mit dem Fetisch verglichen, in dem der Wilde seinen Gott verkörpert sieht.

Den Übergang zu den Fällen von Fetischismus mit Verzicht auf ein normales oder perverses Sexualziel bilden Fälle, in denen eine fetischistische Bedingung am Sexualobjekt erfordert wird, wenn das Sexualziel erreicht werden soll. (Bestimmte Haarfarbe, Kleidung, selbst Körperfehler.) Keine andere ans Pathologische streifende Variation des Sexualtriebes hat so viel Anspruch auf unser Interesse wie diese durch die Sonderbarkeit der durch sie veranlaßten Erscheinungen. Eine gewisse Herabsetzung des Strebens nach dem normalen Sexualziel scheint für alle Fälle Voraussetzung (exekutive Schwäche des Sexualapparates).* Die Anknüpfung ans Normale wird durch die psychologisch notwendige Überschätzung des Sexualobjektes vermittelt, welche unvermeidlich auf alles mit demselben assoziativ Verbundene übergreift. Ein gewisser Grad von solchem Fetischismus ist daher dem normalen Lieben regelmäßig eigen, besonders in jenen Stadien der Verliebtheit, in welchen das normale Sexualziel unerreichbar oder dessen Erfüllung aufgehoben erscheint.

> »Schaff' mir ein Halstuch von ihrer Brust,
> Ein Strumpfband meiner Liebeslust!« (Faust)

---

* Diese Schwäche entspräche der konstitutionellen Voraussetzung. Die Psychoanalyse hat als akzidentelle Bedingung die frühzeitige Sexualeinschüchterung nachgewiesen, welche vom normalen Sexualziel abdrängt und zum Ersatz desselben anregt.

Der pathologische Fall tritt erst ein, wenn sich das Streben nach dem Fetisch über solche Bedingung hinaus fixiert und sich an die Stelle des normalen Zieles setzt, ferner wenn sich der Fetisch von der bestimmten Person loslöst, zum alleinigen Sexualobjekt wird. Es sind dies die allgemeinen Bedingungen für das Übergehen bloßer Variationen des Geschlechtstriebes in pathologische Verirrungen.

In der Auswahl des Fetisch zeigt sich, wie *Binet* zuerst behauptet hat und dann später durch zahlreiche Belege erwiesen worden ist, der fortwirkende Einfluß eines zumeist in früher Kindheit empfangenen sexuellen Eindruckes, was man der sprichwörtlichen Haftfähigkeit einer ersten Liebe beim Normalen (*»on revient toujours à ses premiers amours«*) an die Seite stellen darf. Eine solche Ableitung ist besonders deutlich bei den Fällen mit bloß fetischistischer Bedingtheit des Sexualobjektes. Der Bedeutung frühzeitiger sexueller Eindrücke werden wir noch an anderer Stelle begegnen.*

In anderen Fällen ist es eine dem Betroffenen meist nicht bewußte symbolische Gedankenverbindung, welche zum Ersatz des Objektes durch den Fetisch geführt hat. Die Wege dieser Verbindungen sind nicht immer mit Sicherheit nachzuweisen (der Fuß ist ein uraltes sexuelles Symbol, schon im Mythus**, ›Pelz‹ verdankt seine Fetischrolle wohl der Assoziation mit der Behaarung

---

* Tiefer eindringende psychoanalytische Untersuchung hat zu einer berechtigten Kritik der *Binet*schen Behauptung geführt. Alle hieher gehörigen Beobachtungen haben ein erstes Zusammentreffen mit dem Fetisch zum Inhalt, in welchem sich dieser bereits im Besitz des sexuellen Interesses zeigt, ohne daß man aus den Begleitumständen verstehen könnte, wie er zu diesem Besitz gekommen ist. Auch fallen alle diese ›frühzeitigen‹ Sexualeindrücke in die Zeit nach dem fünften, sechsten Jahr, während die Psychoanalyse daran zweifeln läßt, ob sich pathologische Fixierungen so spät neubilden können. Der wirkliche Sachverhalt ist der, daß hinter der ersten Erinnerung an das Auftreten des Fetisch eine untergegangene und vergessene Phase der Sexualentwicklung liegt, die durch den Fetisch wie durch eine ›Deckerinnerung‹ vertreten wird, deren Rest und Niederschlag der Fetisch also darstellt. Die Wendung dieser in die ersten Kindheitsjahre fallenden Phase zum Fetischismus sowie die Auswahl des Fetisch selbst sind konstitutionell determiniert.
** Dementsprechend der Schuh oder Pantoffel Symbol des weiblichen Genitales.

des mons veneris); doch scheint auch solche Symbolik nicht immer unabhängig von sexuellen Erlebnissen der Kinderzeit.*

b) Fixierungen von vorläufigen Sexualzielen

AUFTRETEN NEUER ABSICHTEN. Alle äußeren und inneren Bedingungen, welche das Erreichen des normalen Sexualzieles erschweren oder in die Ferne rücken (Impotenz, Kostbarkeit des Sexualobjektes, Gefahren des Sexualaktes), unterstützen wie begreiflich die Neigung, bei den vorbereitenden Akten zu verweilen und neue Sexualziele aus ihnen zu gestalten, die an die Stelle des normalen treten können. Bei näherer Prüfung zeigt sich stets, daß die anscheinend fremdartigsten dieser neuen Absichten doch bereits beim normalen Sexualvorgang angedeutet sind.

BETASTEN UND BESCHAUEN. Ein gewisses Maß von Tasten ist wenigstens für den Menschen zur Erreichung des normalen Sexualzieles unerläßlich. Auch ist es allgemein bekannt, welche Lustquelle einerseits, welcher Zufluß neuer Erregung andererseits durch die Berührungsempfindungen von der Haut des Sexualobjektes gewonnen wird. Somit kann das Verweilen beim Betasten, falls der Sexualakt überhaupt nur weiter geht, kaum zu den Perversionen gezählt werden.

Ähnlich ist es mit dem in letzter Linie vom Tasten abgeleiteten Sehen. Der optische Eindruck bleibt der Weg, auf dem die libidi-

---

* Die Psychoanalyse hat eine der noch vorhandenen Lücken im Verständnis des Fetischismus ausgefüllt, indem sie auf die Bedeutung einer durch Verdrängung verlorengegangenen koprophilen *Riechlust* für die Auswahl des Fetisch hinwies. Fuß und Haar sind stark riechende Objekte, die nach dem Verzicht auf die unlustig gewordene Geruchsempfindung zu Fetischen erhoben werden. In der dem Fußfetischismus entsprechenden Perversion ist demgemäß nur der schmutzige und übelriechende Fuß das Sexualobjekt. Ein anderer Beitrag zur Aufklärung der fetischistischen Bevorzugung des Fußes ergibt sich aus den infantilen Sexualtheorien. (S. u.) Der Fuß ersetzt den schwer vermißten Penis des Weibes. — In manchen Fällen von Fußfetischismus ließ sich zeigen, daß der ursprünglich auf das Genitale gerichtete *Schautrieb*, der seinem Objekt von unten her nahe kommen wollte, durch Verbot und Verdrängung auf dem Wege aufgehalten wurde, und darum Fuß oder Schuh als Fetisch festhielt. Das weibliche Genitale wurde dabei, der infantilen Erwartung entsprechend, als ein männliches vorgestellt.

nöse Erregung am häufigsten erweckt wird, und auf dessen Gang-barkeit — wenn diese teleologische Betrachtungsweise zulässig ist — die Zuchtwahl rechnet, indem sie das Sexualobjekt sich zur Schönheit entwickeln läßt. Die mit der Kultur fortschreitende Ver-hüllung des Körpers hält die sexuelle Neugierde wach, welche da-nach strebt, sich das Sexualobjekt durch Enthüllung der verbor-genen Teile zu ergänzen, die aber ins Künstlerische abgelenkt (›sublimiert‹) werden kann, wenn man ihr Interesse von den Genitalien weg auf die Körperbildung im ganzen zu lenken ver-mag.* Ein Verweilen bei diesem intermediären Sexualziel des sexuell betonten Schauens kommt in gewissem Grade den meisten Normalen zu, ja es gibt ihnen die Möglichkeit, einen gewissen Betrag ihrer Libido auf höhere künstlerische Ziele zu richten. Zur Perversion wird die Schaulust im Gegenteil, *a)* wenn sie sich aus-schließlich auf die Genitalien einschränkt, *b)* wenn sie sich mit der Überwindung des Ekels verbindet (Voyeurs: Zuschauer bei den Exkretionsfunktionen), *c)* wenn sie das normale Sexualziel, an-statt es vorzubereiten, verdrängt. Letzteres ist in ausgeprägter Weise bei den Exhibitionisten der Fall, die, wenn ich nach mehre-ren Analysen schließen darf, ihre Genitalien zeigen, um als Ge-genleistung die Genitalien des anderen Teiles zu Gesicht zu be-kommen.**

Bei der Perversion, deren Streben das Schauen und Beschaut-werden ist, tritt ein sehr merkwürdiger Charakter hervor, der uns bei der nächstfolgenden Abirrung noch intensiver beschäftigen wird. Das Sexualziel ist hiebei nämlich in zweifacher Ausbildung vorhanden, in *aktiver* und in *passiver* Form.

Die Macht, welche der Schaulust entgegensteht und eventuell durch sie aufgehoben wird, ist die *Scham* (wie vorhin der Ekel).

* Es erscheint mir unzweifelhaft, daß der Begriff des ›Schönen‹ auf dem Boden der Sexualerregung wurzelt und ursprünglich das sexuell Reizende (›die Reize‹) bedeutet. Es steht im Zusammenhang damit, daß wir die Genitalien selbst, deren Anblick die stärkste sexuelle Erregung hervor-ruft, eigentlich niemals als ›schön‹ empfinden können.
** Der Analyse enthüllt diese Perversion — sowie die meisten anderen — eine unerwartete Vielfältigkeit ihrer Motive und Bedeutungen. Der Ex-hibitionszwang zum Beispiel ist auch stark abhängig vom Kastrations-komplex; er betont immer wieder die Integrität des eigenen (männ-lichen) Genitales und wiederholt die infantile Befriedigung über das Fehlen des Gliedes im weiblichen.

SADISMUS UND MASOCHISMUS. Die Neigung, dem Sexualobjekt Schmerz zuzufügen und ihr Gegenstück, diese häufigste und bedeutsamste aller Perversionen, ist in ihren beiden Gestaltungen, der aktiven und der passiven, von *v. Krafft-Ebing* als *Sadismus* und *Masochismus* (passiv) benannt worden. Andere Autoren ziehen die engere Bezeichnung *Algolagnie* vor, welche die Lust am Schmerz, die Grausamkeit, betont, während bei den Namen, die *v. Krafft-Ebing* gewählt hat, die Lust an jeder Art von Demütigung und Unterwerfung in den Vordergrund gestellt wird.

Für die aktive Algolagnie, den Sadismus, sind die Wurzeln im Normalen leicht nachzuweisen. Die Sexualität der meisten Männer zeigt eine Beimengung von *Aggression*, von Neigung zur Überwältigung, deren biologische Bedeutung in der Notwendigkeit liegen dürfte, den Widerstand des Sexualobjektes noch anders als durch die Akte der *Werbung* zu überwinden. Der Sadismus entspräche dann einer selbständig gewordenen, übertriebenen, durch Verschiebung an die Hauptstelle gerückten aggressiven Komponente des Sexualtriebes.

Der Begriff des Sadismus schwankt im Sprachgebrauch von einer bloß aktiven, sodann gewalttätigen, Einstellung gegen das Sexualobjekt bis zur ausschließlichen Bindung der Befriedigung an die Unterwerfung und Mißhandlung desselben. Strenge genommen hat nur der letztere extreme Fall Anspruch auf den Namen einer Perversion.

In ähnlicher Weise umfaßt die Bezeichnung Masochismus alle passiven Einstellungen zum Sexualleben und Sexualobjekt, als deren äußerste die Bindung der Befriedigung an das Erleiden von physischem oder seelischem Schmerz von seiten des Sexualobjektes erscheint. Der Masochismus als Perversion scheint sich vom normalen Sexualziel weiter zu entfernen als sein Gegenstück; es darf zunächst bezweifelt werden, ob er jemals primär auftritt oder nicht vielmehr regelmäßig durch Umbildung aus dem Sadismus entsteht.* Häufig läßt sich erkennen, daß der Masochismus nichts

---

* Spätere Überlegungen, die sich auf bestimmte Annahmen über die Struktur des seelischen Apparates und über die in ihm wirksamen Triebarten stützen konnten, haben mein Urteil über den Masochismus weitgehend verändert. Ich wurde dazu geführt, einen *primären — erogenen* — Masochismus anzuerkennen, aus dem sich zwei spätere Formen, der *feminine* und der *moralische* Masochismus entwickeln. Durch Rückwendung des im Leben unverbrauchten Sadismus gegen die eigene Person

anderes ist als eine Fortsetzung des Sadismus in Wendung gegen die eigene Person, welche dabei zunächst die Stelle des Sexualobjekts vertritt. Die klinische Analyse extremer Fälle von masochistischer Perversion führt auf das Zusammenwirken einer großen Reihe von Momenten, welche die ursprüngliche passive Sexualeinstellung übertreiben und fixieren. (Kastrationskomplexe, Schuldbewußtsein.)

Der Schmerz, der hiebei überwunden wird, reiht sich dem Ekel und der Scham an, die sich der Libido als Widerstände entgegengestellt hatten.

Sadismus und Masochismus nehmen unter den Perversionen eine besondere Stellung ein, da der ihnen zugrunde liegende Gegensatz von Aktivität und Passivität zu den allgemeinen Charakteren des Sexuallebens gehört.

Daß Grausamkeit und Sexualtrieb innigst zusammengehören, lehrt die Kulturgeschichte der Menschheit über jeden Zweifel, aber in der Aufklärung dieses Zusammenhanges ist man über die Betonung des aggressiven Moments der Libido nicht hinausgekommen. Nach einigen Autoren ist diese dem Sexualtrieb beigemengte Aggression eigentlich ein Rest kannibalischer Gelüste, also eine Mitbeteiligung des Bemächtigungsapparates, welcher der Befriedigung des anderen, ontogenetisch älteren, großen Bedürfnisses dient.* Es ist auch behauptet worden, daß jeder Schmerz an und für sich die Möglichkeit einer Lustempfindung enthalte. Wir wollen uns mit dem Eindruck begnügen, daß die Aufklärung dieser Perversion keineswegs befriedigend gegeben ist, und daß möglicherweise hiebei mehrere seelische Strebungen sich zu einem Effekt vereinigen.**

Die auffälligste Eigentümlichkeit dieser Perversion liegt aber darin, daß ihre aktive und ihre passive Form regelmäßig bei der

entsteht ein *sekundärer* Masochismus, der sich zum primären hinzuaddiert. (S. »Das ökonomische Problem des Masochismus« Internat. Zeitschrift für Psychoanalyse X, 1924 [Ges. Werke, Bd. XIII, S. 369 bis 383]).

* Vgl. hiezu die spätere Mitteilung über die prägenitalen Phasen der Sexualentwicklung, in welcher diese Ansicht bestätigt wird.

** Aus der zuletzt zitierten Untersuchung leitet sich für das Gegensatzpaar Sadismus—Masochismus eine auf den Triebursprung begründete Sonderstellung ab, durch welche es aus der Reihe der anderen ›Perversionen‹ herausgehoben wird.

nämlichen Person mitsammen angetroffen werden. Wer Lust daran empfindet, anderen Schmerz in sexueller Relation zu erzeugen, der ist auch befähigt, den Schmerz als Lust zu genießen, der ihm aus sexuellen Beziehungen erwachsen kann. Ein Sadist ist immer auch gleichzeitig ein Masochist, wenngleich die aktive oder die passive Seite der Perversion bei ihm stärker ausgebildet sein und seine vorwiegend sexuelle Betätigung darstellen kann.*

Wir sehen so gewisse der Perversionsneigungen regelmäßig als *Gegensatzpaare* auftreten, was mit Hinblick auf später beizubringendes Material eine hohe theoretische Bedeutung beanspruchen darf.** Es ist ferner einleuchtend, daß die Existenz des Gegensatzpaares Sadismus—Masochismus aus der Aggressionsbeimengung nicht ohne weiteres ableitbar ist. Dagegen wäre man versucht, solche gleichzeitig vorhandene Gegensätze mit dem in der Bisexualität vereinten Gegensatz von männlich und weiblich in Beziehung zu setzen, für welchen in der Psychoanalyse häufig der von aktiv und passiv einzusetzen ist.

3. Allgemeines über alle Perversionen

VARIATION UND KRANKHEIT. Die Ärzte, welche die Perversionen zuerst an ausgeprägten Beispielen und unter besonderen Bedingungen studiert haben, sind natürlich geneigt gewesen, ihnen den Charakter eines Krankheits- oder Degenerationszeichens zuzusprechen, ganz ähnlich wie bei der Inversion. Indes ist es hier leichter als dort, diese Auffassung abzulehnen. Die alltägliche Erfahrung hat gezeigt, daß die meisten dieser Überschreitungen, wenigstens die minder argen unter ihnen, einen selten fehlenden Bestandteil des Sexuallebens der Gesunden bilden und von ihnen wie andere Intimitäten auch beurteilt werden. Wo die Verhältnisse es begünstigen, kann auch der Normale eine solche Perversion eine ganze Zeitlang an die Stelle des normalen Sexualzieles setzen

---

* Anstatt vieler Belege für diese Behauptung zitiere ich nur die eine Stelle aus *Havelock Ellis* (Das Geschlechtsgefühl, 1903): »Alle bekannten Fälle von Sadismus und Masochismus, selbst die von *v. Krafft-Ebing* zitierten, zeigen beständig (wie schon *Collin*, *Scott* und *Féré* nachgewiesen) Spuren beider Gruppen von Erscheinungen an ein und demselben Individuum.«
** Vgl. die spätere Erwähnung der ›Ambivalenz‹.

oder ihr einen Platz neben diesem einräumen. Bei keinem Gesunden dürfte irgendein pervers zu nennender Zustand zum normalen Sexualziel fehlen und diese Allgemeinheit genügt für sich allein, um die Unzweckmäßigkeit einer vorwurfsvollen Verwendung des Namens Perversion darzutun. Gerade auf dem Gebiete des Sexuallebens stößt man auf besondere, eigentlich derzeit unlösbare Schwierigkeiten, wenn man eine scharfe Grenze zwischen bloßer Variation innerhalb der physiologischen Breite und krankhaften Symptomen ziehen will.

Bei manchen dieser Perversionen ist immerhin die Qualität des neuen Sexualzieles eine solche, daß sie nach besonderer Würdigung verlangt. Gewisse der Perversionen entfernen sich inhaltlich so weit vom Normalen, daß wir nicht umhin können, sie für ›krankhaft‹ zu erklären, insbesondere jene, in denen der Sexualtrieb in der Überwindung der Widerstände (Scham, Ekel, Grauen, Schmerz) erstaunliche Leistungen vollführt (Kotlecken, Leichenmißbrauch). Doch darf man auch in diesen Fällen sich nicht der sicheren Erwartung hingeben, in den Tätern regelmäßig Personen mit andersartigen schweren Abnormitäten oder Geisteskranke zu entdecken. Man kommt auch hier nicht über die Tatsache hinaus, daß Personen, die sich sonst normal verhalten, auf dem Gebiete des Sexuallebens allein, unter der Herrschaft des ungezügeltsten aller Triebe, sich als Kranke dokumentieren. Manifeste Abnormität in anderen Lebensrelationen pflegt hingegen jedesmal einen Hintergrund von abnormen sexuellem Verhalten zu zeigen.

In der Mehrzahl der Fälle können wir den Charakter des Krankhaften bei der Perversion nicht im Inhalt des neuen Sexualzieles, sondern in dessen Verhältnis zum Normalen finden. Wenn die Perversion nicht *neben* dem Normalen (Sexualziel und Objekt) auftritt, wo günstige Umstände dieselbe fördern und ungünstige das Normale verhindern, sondern wenn sie das Normale unter allen Umständen verdrängt und ersetzt hat; — in der *Ausschließlichkeit* und in der *Fixierung* also der Perversion sehen wir zu allermeist die Berechtigung, sie als ein krankhaftes Symptom zu beurteilen.

DIE SEELISCHE BETEILIGUNG BEI DEN PERVERSIONEN. Vielleicht gerade bei den abscheulichsten Perversionen muß man die ausgiebigste psychische Beteiligung zur Umwandlung des Sexualtriebes anerkennen. Es ist hier ein Stück seelischer Arbeit geleistet, dem man trotz seines greulichen Erfolges den Wert einer Idealisierung des Triebes nicht absprechen kann. Die Allgewalt der Liebe zeigt sich vielleicht nirgends stärker als in diesen ihren Verirrungen. Das Höchste und Niedrigste hängen in der Sexualität überall am innigsten aneinander (»vom Himmel durch die Welt zur Hölle«).

ZWEI ERGEBNISSE. Bei dem Studium der Perversionen hat sich uns die Einsicht ergeben, daß der Sexualtrieb gegen gewisse seelische Mächte als Widerstände anzukämpfen hat, unter denen Scham und Ekel am deutlichsten hervorgetreten sind. Es ist die Vermutung gestattet, daß diese Kräfte daran beteiligt sind, den Trieb innerhalb der als normal geltenden Schranken zu bannen, und wenn sie sich im Individuum früher entwickelt haben, ehe der Sexualtrieb seine volle Stärke erlangte, so waren sie es wohl, die ihm die Richtung seiner Entwicklung angewiesen haben.*

Wir haben ferner die Bemerkung gemacht, daß einige der untersuchten Perversionen nur durch das Zusammentreten von mehreren Motiven verständlich werden. Wenn sie eine Analyse — Zersetzung — zulassen, müssen sie zusammengesetzter Natur sein. Hieraus können wir einen Wink entnehmen, daß vielleicht der Sexualtrieb selbst nichts Einfaches, sondern aus Komponenten zusammengesetzt ist, die sich in den Perversionen wieder von ihm ablösen. Die Klinik hätte uns so auf *Verschmelzungen* aufmerksam gemacht, die in dem gleichförmigen normalen Verhalten ihren Ausdruck eingebüßt haben.**

---

* Man muß diese die Sexualentwicklung eindämmenden Mächte — Ekel, Scham und Moralität— andererseits auch als historische Niederschläge der äußeren Hemmungen ansehen, welche der Sexualtrieb in der Psychogenese der Menschheit erfahren hat. Man macht die Beobachtung, daß sie in der Entwicklung des Einzelnen zu ihrer Zeit wie spontan auf die Winke der Erziehung und Beeinflussung hin auftreten.

** Ich bemerke vorgreifend über die Entstehung der Perversion, daß man Grund hat anzunehmen, es sei vor der Fixierung derselben, ganz ähnlich wie beim Fetischismus, ein Ansatz normaler Sexualentwicklung vorhanden gewesen. Die analytische Untersuchung hat bisher in einzelnen Fällen zeigen können, daß auch die Perversion der Rückstand einer Entwicklung zum Ödipuskomplex ist, nach dessen Verdrängung die der Anlage nach stärkste Komponente des Sexualtriebes wieder hervorgetreten ist.

4. Der Sexualtrieb bei den Neurotikern

DIE PSYCHOANALYSE. Einen wichtigen Beitrag zur Kenntnis des Sexualtriebes bei Personen, die den Normalen mindestens nahe stehen, gewinnt man aus einer Quelle, die nur auf einem bestimmten Wege zugänglich ist. Es gibt nur ein Mittel, über das Geschlechtsleben der sogenannten Psychoneurotiker (Hysterie, Zwangsneurose, fälschlich sogenannte Neurasthenie, sicherlich auch Dementia praecox, Paranoia) gründliche und nicht irre leitende Aufschlüsse zu erhalten, nämlich wenn man sie der psychoanalytischen Erforschung unterwirft, deren sich das von J. *Breuer* und mir 1893 eingesetzte, damals ›kathartisch‹ genannte Heilverfahren bedient.

Ich muß vorausschicken, respektive aus anderen Veröffentlichungen wiederholen, daß diese Psychoneurosen, soweit meine Erfahrungen reichen, auf sexuellen Triebkräften beruhen. Ich meine dies nicht etwa so, daß die Energie des Sexualtriebes einen Beitrag zu den Kräften liefert, welche die krankhaften Erscheinungen (Symptome) unterhalten, sondern ich will ausdrücklich behaupten, daß dieser Anteil der einzig konstante und die wichtigste Energiequelle der Neurose ist, so daß das Sexualleben der betreffenden Personen sich entweder ausschließlich oder vorwiegend oder nur teilweise in diesen Symptomen äußert. Die Symptome sind, wie ich es an anderer Stelle ausgedrückt habe, die Sexualbetätigung der Kranken. Den Beweis für diese Behauptung hat mir eine seit fünfundzwanzig Jahren sich mehrende Anzahl von Psychoanalysen hysterischer und anderer Nervöser geliefert, über deren Ergebnisse im einzelnen ich an anderen Orten ausführliche Rechenschaft gegeben habe und noch weiter geben werde.*

Die Psychoanalyse beseitigt die Symptome Hysterischer unter der Voraussetzung, daß dieselben der Ersatz — die Transkription gleichsam — für eine Reihe von affektbesetzten seelischen Vorgängen, Wünschen und Strebungen sind, denen durch einen besonderen psychischen Prozeß (die *Verdrängung*) der Zugang zur Erledigung durch bewußtseinsfähige psychische Tätigkeit versagt

* Es ist nur eine Vervollständigung und nicht eine Verringerung dieser Aussage, wenn ich sie dahin abändere: Die nervösen Symptome beruhen einerseits auf dem Anspruch der libidinösen Triebe, andererseits auf dem Einspruch des Ichs, der Reaktion gegen dieselben.

worden ist. Diese also im Zustande des Unbewußten zurückgehaltenen Gedankenbildungen streben nach einem ihrem Affektwert gemäßen Ausdruck, einer *Abfuhr*, und finden eine solche bei der Hysterie durch den Vorgang der *Konversion* in somatischen Phänomenen — eben den hysterischen Symptomen. Bei der kunstgerechten, mit Hilfe einer besonderen Technik durchgeführten Rückverwandlung der Symptome in nun bewußt gewordene, affektbesetzte Vorstellungen ist man also imstande, über die Natur und die Abkunft dieser früher unbewußten psychischen Bildungen das Genaueste zu erfahren.

ERGEBNISSE DER PSYCHOANALYSE. Es ist auf diese Weise in Erfahrung gebracht worden, daß die Symptome einen Ersatz für Strebungen darstellen, die ihre Kraft der Quelle des Sexualtriebes entnehmen. Im vollen Einklange damit steht, was wir über den Charakter der hier zum Muster für alle Psychoneurotiker genommenen Hysteriker vor ihrer Erkrankung und über die Anlässe zur Erkrankung wissen. Der hysterische Charakter läßt ein Stück *Sexualverdrängung* erkennen, welches über das normale Maß hinausgeht, eine Steigerung der Widerstände gegen den Sexualtrieb, die uns als Scham, Ekel und Moral bekannt geworden sind, eine wie instinktive Flucht vor der intellektuellen Beschäftigung mit dem Sexualproblem, welche in ausgeprägten Fällen den Erfolg hat, die volle sexuelle Unwissenheit noch bis in die Jahre der erlangten Geschlechtsreife zu bewahren.[*]

Dieser für die Hysterie wesentliche Charakterzug wird für die grobe Beobachtung nicht selten durch das Vorhandensein des zweiten konstitutionellen Faktors der Hysterie, durch die übermächtige Ausbildung des Sexualtriebes verdeckt, allein die psychologische Analyse weiß ihn jedesmal aufzudecken und die widerspruchsvolle Rätselhaftigkeit der Hysterie durch die Feststellung des Gegensatzpaares von übergroßem sexuellen Bedürfnis und zu weit getriebener Sexualablehnung zu lösen.

Der Anlaß zur Erkrankung ergibt sich für die hysterisch disponierte Person, wenn infolge der fortschreitenden eigenen Reifung oder äußeren Lebensverhältnisse die reale Sexualforderung ernst-

---

[*] Studien über Hysterie. 1895 (Bd. I der Ges. Werke). *J. Breuer* sagt von seiner Patientin, an der er die kathartische Methode zuerst geübt hat: »Das sexuale Moment war erstaunlich unentwickelt.«

haft an sie herantritt. Zwischen dem Drängen des Triebes und dem Widerstreben der Sexualablehnung stellt sich dann der Ausweg der Krankheit her, der den Konflikt nicht löst, sondern ihm durch die Verwandlung der libidinösen Strebungen in Symptome zu entgehen sucht. Es ist nur eine scheinbare Ausnahme, wenn eine hysterische Person, ein Mann etwa, an einer banalen Gemütsbewegung, an einem Konflikt, in dessen Mittelpunkt nicht das sexuelle Interesse steht, erkrankt. Die Psychoanalyse kann dann regelmäßig nachweisen, daß es die sexuelle Komponente des Konflikts ist, welche die Erkrankung ermöglicht hat, indem sie die seelischen Vorgänge der normalen Erledigung entzog.

NEUROSE UND PERVERSION. Ein guter Teil des Widerspruches gegen diese meine Aufstellungen erklärt sich wohl daraus, daß man die Sexualität, von welcher ich die psychoneurotischen Symtome ableite, mit dem normalen Sexualtrieb zusammenfallen ließ. Allein die Psychoanalyse lehrt noch mehr. Sie zeigt, daß die Symptome keineswegs allein auf Kosten des sogenannten normalen Sexualtriebes entstehen (wenigstens nicht ausschließlich oder vorwiegend), sondern den konvertierten Ausdruck von Trieben darstellen, welche man als *perverse* (im weitesten Sinne) bezeichnen würde, wenn sie sich ohne Ablenkung vom Bewußtsein direkt in Phantasievorsätzen und Taten äußern könnten. Die Symptome bilden sich also zum Teil auf Kosten abnormer Sexualität; *die Neurose ist sozusagen das Negativ der Perversion.*[*]

Der Sexualtrieb der Psychoneurotiker läßt alle die Abirrungen erkennen, die wir als Variationen des normalen und als Äußerungen des krankhaften Sexuallebens studiert haben.

a) Bei allen Neurotikern (ohne Ausnahme) finden sich im unbewußten Seelenleben Regungen von Inversion, Fixierung von Libido auf Personen des gleichen Geschlechts. Ohne tief eindringende Erörterung ist es nicht möglich, die Bedeutung dieses Moments für die Gestaltung des Krankheitsbildes entsprechend zu würdigen; ich kann nur versichern, daß die unbewußte Inver-

---

[*] Die klar bewußten Phantasien der Perversen, die unter günstigen Umständen in Veranstaltungen umgesetzt werden, die in feindlichem Sinne auf andere projizierten Wahnbefürchtungen der Paranoiker und die unbewußten Phantasien der Hysteriker, die man durch Psychoanalyse hinter ihren Symptomen aufdeckt, fallen inhaltlich bis in einzelne Details zusammen.

sionsneigung niemals fehlt und insbesondere zur Aufklärung der männlichen Hysterie die größten Dienste leistet.*

b) Es sind bei den Psychoneurotikern alle Neigungen zu den anatomischen Überschreitungen im Unbewußten und als Symptombildner nachweisbar, unter ihnen mit besonderer Häufigkeit und Intensität diejenigen, welche für Mund- und Afterschleimhaut die Rolle von Genitalien in Anspruch nehmen.

c) Eine ganz hervorragende Rolle unter den Symptombildern der Psychoneurosen spielen die zumeist in Gegensatzpaaren auftretenden Partialtriebe, die wir als Bringer neuer Sexualziele kennengelernt haben, der Trieb der Schaulust und der Exhibition und der aktiv und passiv ausgebildete Trieb zur Grausamkeit. Der Beitrag des letzteren ist zum Verständnis der Leidensnatur der Symptome unentbehrlich und beherrscht fast regelmäßig ein Stück des sozialen Verhaltens der Kranken. Vermittels dieser Grausamkeitsverknüpfung der Libido geht auch die Verwandlung von Liebe in Haß, von zärtlichen in feindselige Regungen vor sich, die für eine große Reihe von neurotischen Fällen, ja, wie es scheint, für die Paranoia im ganzen charakteristisch ist.

Das Interesse an diesen Ergebnissen wird noch durch einige Besonderheiten des Tatbestandes erhöht.

α) Wo ein solcher Trieb im Unbewußten aufgefunden wird, welcher der Paarung mit einem Gegensatze fähig ist, da läßt sich regelmäßig auch dieser letztere als wirksam nachweisen. Jede »aktive« Perversion wird also hier von ihrem passiven Widerpart begleitet; wer im Unbewußten Exhibitionist ist, der ist auch gleichzeitig Voyeur, wer an den Folgen der Verdrängung sadistischer Regungen leidet, bei dem findet sich ein anderer Zuzug zu den Symptomen aus den Quellen masochistischer Neigung. Die volle Übereinstimmung mit dem Verhalten der entsprechenden ›positiven‹ Perversionen ist gewiß sehr beachtenswert. Im Krankheits-

---

* Psychoneurose vergesellschaftet sich auch sehr oft mit manifester Inversion, wobei die heterosexuelle Strömung der vollen Unterdrückung zum Opfer gefallen ist. — Ich lasse nur einer mir zuteil gewordenen Anregung Recht widerfahren, wenn ich mitteile, daß erst private Äußerungen von *W. Fließ* in Berlin mich auf die notwendige Allgemeinheit der Inversionsneigung bei den Psychoneurotikern aufmerksam gemacht haben, nachdem ich diese in einzelnen Fällen aufgedeckt hatte. — Diese nicht genug gewürdigte Tatsache müßte alle Theorien der Homosexualität entscheidend beeinflussen.

bilde spielt aber die eine oder die andere der gegensätzlichen Neigungen die überwiegende Rolle.

β) In einem ausgeprägteren Falle von Psychoneurose findet man nur selten einen einzigen dieser perversen Triebe entwickelt, meist eine größere Anzahl derselben und in der Regel Spuren von allen; der einzelne Trieb ist aber in seiner Intensität unabhängig von der Ausbildung der anderen. Auch dazu ergibt uns das Studium der positiven Perversion das genaue Gegenstück.

5. Partialtriebe und erogene Zonen

Halten wir zusammen, was wir aus der Untersuchung der positiven und der negativen Perversionen erfahren haben, so liegt es nahe, dieselben auf eine Reihe von ›Partialtrieben‹ zurückzuführen, die aber nichts Primäres sind, sondern eine weitere Zerlegung zulassen. Unter einem ›Trieb‹ können wir zunächst nichts anderes verstehen als die psychische Repräsentanz einer kontinuierlich fließenden, innersomatischen Reizquelle, zum Unterschiede vom ›Reiz‹, der durch vereinzelte und von außen kommende Erregungen hergestellt wird. Trieb ist so einer der Begriffe der Abgrenzung des Seelischen vom Körperlichen. Die einfachste und nächstliegende Annahme über die Natur der Triebe wäre, daß sie an sich keine Qualität besitzen, sondern nur als Maße von Arbeitsanforderung für das Seelenleben in Betracht kommen. Was die Triebe voneinander unterscheidet und mit spezifischen Eigenschaften ausstattet, ist deren Beziehung zu ihren somatischen *Quellen* und ihren *Zielen*. Die Quelle des Triebes ist ein erregender Vorgang in einem Organ und das nächste Ziel des Triebes liegt in der Aufhebung dieses Organreizes.*

Eine weitere vorläufige Annahme in der Trieblehre, welcher wir uns nicht entziehen können, besagt, daß von den Körperorganen Erregungen von zweierlei Art geliefert werden, die in Differenzen chemischer Natur begründet sind. Die eine dieser Arten von Erregung bezeichnen wir als die spezifisch sexuelle und das

---

* Die Trieblehre ist das bedeutsamste, aber auch das unfertigste Stück der psychoanalytischen Theorie. In meinen späteren Arbeiten (›Jenseits des Lustprinzips‹, 1921, ›Das Ich und das Es‹, 1920 [Ges. Werke, S. 235 bis 289]) habe ich weitere Beiträge zur Trieblehre entwickelt.

betreffende Organ als die ›*erogene Zone*‹ des von ihm ausgehenden sexuellen Partialtriebes.*

Bei den Perversionsneigungen, die für Mundhöhle und Afteröffnung sexuelle Bedeutung in Anspruch nehmen, ist die Rolle der erogenen Zone ohneweiters ersichtlich. Dieselbe benimmt sich in jeder Hinsicht wie ein Stück des Geschlechtsapparates. Bei der Hysterie werden diese Körperstellen und die von ihnen ausgehenden Schleimhauttrakte in ganz ähnlicher Weise der Sitz von neuen Sensationen und Innervationsänderungen — ja von Vorgängen, die man der Erektion vergleichen kann — wie die eigentlichen Genitalien unter den Erregungen der normalen Geschlechtsvorgänge.

Die Bedeutung der erogenen Zonen als Nebenapparate und Surrogate der Genitalien tritt unter den Psychoneurosen bei der Hysterie am deutlichsten hervor, womit aber nicht behauptet werden soll, daß sie für die anderen Erkrankungsformen geringer einzuschätzen ist. Sie ist hier nur unkenntlicher, weil sich bei diesen (Zwangsneurose, Paranoia) die Symptombildung in Regionen des seelischen Apparates vollzieht, die weiter ab von den einzelnen Zentralstellen für die Körperbeherrschung liegen. Bei der Zwangsneurose ist die Bedeutung der Impulse, welche neue Sexualziele schaffen und von erogenen Zonen unabhängig erscheinen, das Auffälligere. Doch entspricht bei der Schau- und Exhibitionslust das Auge einer erogenen Zone, bei der Schmerz- und Grausamkeitskomponente des Sexualtriebes ist es die Haut, welche die gleiche Rolle übernimmt, die Haut, die sich an besonderen Körperstellen zu Sinnesorganen differenziert und zur Schleimhaut modifiziert hat, also die erogene Zone κατ' ἐξοχήν.**

---

* Es ist nicht leicht, diese Annahmen, die aus dem Studium einer bestimmten Klasse von neurotischen Erkrankungen geschöpft sind, hier zu rechtfertigen. Andererseits wird es aber unmöglich, etwas Stichhältiges über die Triebe auszusagen, wenn man sich die Erwähnung dieser Voraussetzungen erspart.

** Man muß hier der Aufstellung von *Moll* gedenken, welche den Sexualtrieb in Kontrektations- und Detumeszenztrieb zerlegt. Kontrektation bedeutet ein Bedürfnis nach Hautberührung.

6. Erklärung des scheinbaren Überwiegens perverser Sexualität bei den Psychoneurosen

Durch die vorstehenden Erörterungen ist die Sexualität der Psychoneurotiker in ein möglicherweise falsches Licht gerückt worden. Es hat den Anschein bekommen, als näherten sich die Psychoneurotiker in ihrem sexuellen Verhalten der Anlage nach sehr den Perversen und entfernten sich dafür um ebensoviel von den Normalen. Nun ist sehr wohl möglich, daß die konstitutionelle Disposition dieser Kranken außer einem übergroßen Maß von Sexualverdrängung und einer übermächtigen Stärke des Sexualtriebes eine ungewöhnliche Neigung zur Perversion im weitesten Sinne mitenthält, allein die Untersuchung leichterer Fälle zeigt, daß letztere Annahme nicht unbedingt erforderlich ist, oder daß zum mindesten bei der Beurteilung der krankhaften Effekte die Wirkung eines Faktors in Abzug gebracht werden muß. Bei den meisten Psychoneurotikern tritt die Erkrankung erst nach der Pubertätszeit auf unter der Anforderung des normalen Sexuallebens. Gegen dieses richtet sich vor allem die Verdrängung. Oder spätere Erkrankungen stellen sich her, indem der Libido auf normalem Wege die Befriedigung versagt wird. In beiden Fällen verhält sich die Libido wie ein Strom, dessen Hauptbett verlegt wird; sie füllt die kollateralen Wege aus, die bisher vielleicht leer geblieben waren. Somit kann auch die scheinbar so große (allerdings negative) Perversionsneigung der Psychoneurotiker eine kollateral bedingte, muß jedenfalls eine kollateral erhöhte sein. Die Tatsache ist eben, daß man die Sexualverdrängung als inneres Moment jenen äußeren anreihen muß, welche wie Freiheitseinschränkung, Unzugänglichkeit des normalen Sexualobjekts, Gefahren des normalen Sexualaktes usw. Perversion bei Individuen entstehen lassen, welche sonst vielleicht normal geblieben wären.

In den einzelnen Fällen von Neurose mag es sich hierin verschieden verhalten, das einemal die angeborene Höhe der Perversionsneigung, das anderemal die kollaterale Hebung derselben durch die Abdrängung der Libido vom normalen Sexualziel und Sexualobjekt das Maßgebendere sein. Es wäre unrecht, eine Gegensätzlichkeit zu konstruieren, wo ein Kooperationsverhältnis vorliegt. Ihre größten Leistungen wird die Neurose jedesmal zustande bringen, wenn Konstitution und Erleben in demselben Sinne zusammenwirken. Eine ausgesprochene Konstitution wird etwa der Unterstützung durch die Lebenseindrücke entbehren können, eine ausgiebige Erschütterung im Leben etwa die Neurose auch bei durchschnittlicher Konstitution zustande bringen. Diese Gesichtspunkte gelten übrigens in gleicher Weise für die ätiologische Bedeutung von Angeborenem und akzidentell Erlebtem auch auf anderen Gebieten.

Bevorzugt man die Annahme, daß eine besonders ausgebildete Neigung zu Perversionen doch zu den Eigentümlichkeiten der psychoneurotischen Konstitution gehört, so eröffnet sich die Aussicht, je nach dem angeborenen Vorwiegen dieser oder jener erogenen Zone, dieses oder jenes Partialtriebes, eine Mannigfaltigkeit solcher Konstitutionen unterscheiden zu können. Ob der perversen Veranlagung eine besondere Beziehung zur Auswahl der Erkrankungsform zukommt, dies ist wie so vieles auf diesem Gebiete noch nicht untersucht.

7. Verweis auf den Infantilismus der Sexualität

Durch den Nachweis der perversen Regungen als Symptombildner bei den Psychoneurosen haben wir die Anzahl der Menschen, die man den Perversen zurechnen könnte, in ganz außerordentlicher Weise gesteigert. Nicht nur, daß die Neurotiker selbst eine sehr zahlreiche Menschenklasse darstellen, es ist auch in Betracht zu ziehen, daß die Neurosen von allen ihren Ausbildungen her in lückenlosen Reihen zur Gesundheit abklingen; hat doch *Moebius* mit guter Berechtigung sagen können: wir sind alle ein wenig hysterisch. Somit werden wir durch die außerordentliche Verbreitung der Perversionen zu der Annahme gedrängt, daß auch die Anlage zu den Perversionen keine seltene Besonderheit, sondern ein Stück der für normal geltenden Konstitution sein müsse.

Wir haben gehört, daß es strittig ist, ob die Perversionen auf angeborene Bedingungen zurückgehen oder durch zufällige Erlebnisse entstehen, wie es *Binet* für den Fetischismus angenommen hat. Nun bietet uns die Entscheidung, daß den Perversionen allerdings etwas Angeborenes zugrunde liegt, aber etwas, *was allen Menschen angeboren* ist, als Anlage in seiner Intensität schwanken mag und der Hervorhebung durch Lebenseinflüsse wartet. Es handelt sich um angeborene, in der Konstitution gegebene Wurzeln des Sexualtriebes, die sich in der einen Reihe von Fällen zu den wirklichen Trägern der Sexualtätigkeit entwickeln (Perverse), andere Male eine ungenügende Unterdrückung (Verdrängung) erfahren, so daß sie auf einem Umweg als Krankheitssymptome einen beträchtlichen Teil der sexuellen Energie an sich ziehen können, während sie in den günstigsten Fällen zwischen beiden Extremen durch wirksame Einschränkung und sonstige Verarbeitung das sogenannte normale Sexualleben entstehen lassen.

Wir werden uns aber ferner sagen, daß die angenommene Konstitution, welche die Keime zu allen Perversionen aufweist, nur beim Kinde aufzeigbar sein wird, wenngleich bei ihm alle Triebe nur in bescheidenen Intensitäten auftreten können. Ahnt uns so die Formel, daß die Neurotiker den infantilen Zustand ihrer Sexualität beibehalten haben oder auf ihn zurückversetzt worden sind, so wird sich unser Interesse dem Sexualleben des Kindes zuwenden und wir werden das Spiel der Einflüsse verfolgen wollen, die den Entwicklungsprozeß der kindlichen Sexualität bis zum Ausgang in Perversion, Neurose oder normales Geschlechtsleben beherrschen.

II

DIE INFANTILE SEXUALITÄT

VERNACHLÄSSIGUNG DES INFANTILEN. Es ist ein Stück der populären Meinung über den Geschlechtstrieb, daß er der Kindheit fehle und erst in der als Pubertät bezeichneten Lebensperiode erwache. Allein dies ist nicht nur ein einfacher, sondern sogar ein folgenschwerer Irrtum, da er hauptsächlich unsere gegenwärtige Unkenntnis der grundlegenden Verhältnisse des Sexuallebens verschuldet. Ein gründliches Studium der Sexualäußerungen in der Kindheit würde uns wahrscheinlich die wesentlichen Züge des Geschlechtstriebes aufdecken, seine Entwicklung verraten und seine Zusammensetzung aus verschiedenen Quellen zeigen.

Es ist bemerkenswert, daß die Autoren, welche sich mit der Erklärung der Eigenschaften und Reaktionen des erwachsenen Individuums beschäftigen, jene Vorzeit, welche durch die Lebensdauer der Ahnen gegeben ist, so viel mehr Aufmerksamkeit geschenkt, also der Erblichkeit so viel mehr Einfluß zugesprochen haben, als der anderen Vorzeit, welche bereits in die individuelle Existenz der Person fällt, der Kindheit nämlich. Man sollte doch meinen, der Einfluß dieser Lebensperiode wäre leichter zu verstehen und hätte ein Anrecht, vor dem der Erblichkeit berücksichtigt zu werden.* Man findet zwar in der Literatur gelegentliche Notizen über frühzeitige Sexualbetätigung bei kleinen Kindern, über Erektionen, Masturbation und selbst koitusähnliche Vornahmen, aber immer nur als ausnahmsweise Vorgänge, als Kuriosa oder als abschreckende Beispiele voreiliger Verderbtheit angeführt. Kein Autor hat meines Wissens die Gesetzmäßigkeit eines Sexualtriebes in der Kindheit klar erkannt und in den zahlreich gewordenen Schriften über die Entwicklung des Kindes wird das Kapitel ›Sexuelle Entwicklung‹ meist übergangen.**

INFANTILE AMNESIE. Den Grund für diese merkwürdige Vernachlässigung suche ich zum Teil in den konventionellen Rücksichten, denen die Autoren infolge ihrer eigenen Erziehung Rechnung tragen, zum anderen Teil in einem psychischen Phänomen, welches sich bis jetzt selbst der Erklärung entzogen hat. Ich meine hiemit die eigentümliche *Amnesie*, welche den meisten Menschen (nicht allen!) die ersten Jahre ihrer Kindheit bis zum 6. oder 8. Lebens-

---

* Es ist ja auch nicht möglich, den der Erblichkeit gebührenden Anteil richtig zu erkennen, ehe man den der Kindheit zugehörigen gewürdigt hat.
** Die hier niedergeschriebene Behauptung erschien mir selbst nachträglich als so gewagt, daß ich mir vorsetzte, sie durch nochmalige Durchsicht der Literatur zu prüfen. Das Ergebnis dieser Überprüfung war, daß ich sie unverändert stehen ließ. Die wissenschaftliche Bearbeitung der leiblichen wie der seelischen Phänomene der Sexualität im Kindesalter befindet sich in den ersten Anfängen. Ein Autor, *S. Bell* (A preliminary study of the emotion of love between the sexes. American Journal of Psychology, XIII, 1902), äußert: *I know of no scientist, who has given a careful analysis of the emotion as it is seen in the adolescent.* — Somatische Sexualäußerungen aus der Zeit vor der Pubertät haben nur im Zusammenhange mit Entartungserscheinungen und als Zeichen von Entartung Aufmerksamkeit gewonnen. — Ein Kapitel über das Liebesleben der Kinder fehlt in allen Darstellungen der Psychologie dieses Alters, die ich gelesen habe, so in den bekannten Werken von *Preyer, Baldwin* (Die Entwicklung des Geistes beim Kinde und bei der Rasse, 1898), *Pérez* (L'enfant de 3–7 ans, 1894), *Strümpell* (Die pädagogische Pathologie, 1899), Karl *Groos* (Das Seelenleben des Kindes, 1904), Th. *Heller* (Grundriß der Heilpädagogik, 1904), *Sully* (Untersuchungen über die Kindheit, 1897) und anderen. Den besten Eindruck von dem heutigen

jahre verhüllt. Es ist uns bisher noch nicht eingefallen, uns über die Tatsache dieser Amnesie zu verwundern; aber wir hätten guten Grund dazu. Denn man berichtet uns, daß wir in diesen Jahren, von denen wir später nichts im Gedächtnis behalten haben als einige unverständliche Erinnerungsbrocken, lebhaft auf Eindrücke reagiert hätten, daß wir Schmerz und Freude in menschlicher Weise zu äußern verstanden, Liebe, Eifersucht und andere Leidenschaften gezeigt, die uns damals heftig bewegten, ja daß wir Aussprüche getan, die von den Erwachsenen als gute Beweise für Einsicht und beginnende Urteilsfähigkeit gemerkt wurden. Und von alledem wissen wir als Erwachsene aus eigenem nichts. Warum bleibt unser Gedächtnis so sehr hinter unseren anderen seelischen Tätigkeiten zurück? Wir haben doch Grund zu glauben, daß es zu keiner anderen Lebenszeit aufnahm- und reproduktionsfähiger ist als gerade in den Jahren der Kindheit.[6]

Auf der anderen Seite müssen wir annehmen oder können uns durch psychologische Untersuchung an anderen davon überzeugen, daß die nämlichen Eindrücke, die wir vergessen haben, nichtsdestoweniger die tiefsten Spuren in unserem Seelenleben hinter-

---

Stande auf diesem Gebiet holt man sich aus der Zeitschrift »Die Kinderfehler« (von 1896 an). — Doch gewinnt man die Überzeugung, daß die Existenz der Liebe im Kindesalter nicht mehr entdeckt zu werden braucht. *Pérez* (l. c.) tritt für sie ein; bei K. *Groos* (Die Spiele der Menschen, 1899) findet sich als allgemein bekannt erwähnt, »daß manche Kinder schon sehr früh für sexuelle Regungen zugänglich sind und dem anderen Geschlecht gegenüber einen Drang nach Berührung empfinden« (S. 336); der früheste Fall von Auftreten geschlechtlicher Liebesregungen *(sexlove)* in der Beobachtungsreihe von S. *Bell* betraf ein Kind in der Mitte des dritten Jahres. — Vergleiche hiezu noch *Havelock Ellis*, Das Geschlechtsgefühl (übersetzt von *Kurella*), 1903, Appendix, II.

Das obenstehende Urteil über die Literatur der infantilen Sexualität braucht seit dem Erscheinen des groß angelegten Werkes von *Stanley Hall* (›Adolescence, its psychology and its relations to physiology, anthropology, sociology, sex, crime, religion and education.‹ Two volumes, New York, 1908) nicht mehr aufrecht erhalten zu werden. — Das rezente Buch von A. *Moll*, ›Das Sexualleben des Kindes‹, Berlin 1909, bietet keinen Anlaß zu einer solchen Modifikation. Siehe dagegen: *Bleuler*, Sexuelle Abnormitäten der Kinder. (Jahrbuch der schweizerischen Gesellschaft für Schulgesundheitspflege, IX, 1908). — Ein Buch von Frau Dr. H. v. *Hug-Hellmuth*, Aus dem Seelenleben des Kindes, 1913, hat seither dem vernachlässigten sexuellen Faktor vollauf Rechnung getragen.

lassen haben und bestimmend für unsere ganze spätere Entwicklung geworden sind. Es kann sich also um gar keinen wirklichen Untergang der Kindheitseindrücke handeln, sondern um eine Amnesie ähnlich jener, die wir bei den Neurotikern für spätere Erlebnisse beobachten, und deren Wesen in einer bloßen Abhaltung vom Bewußtsein (Verdrängung) besteht. Aber welche Kräfte bringen diese Verdrängung der Kindheitseindrücke zustande? Wer dieses Rätsel löste, hätte wohl auch die hysterische Amnesie aufgeklärt.

Immerhin wollen wir nicht versäumen hervorzuheben, daß die Existenz der infantilen Amnesie einen neuen Vergleichspunkt zwischen dem Seelenzustand des Kindes und dem des Psychoneurotikers schafft. Einem anderen sind wir schon früher begegnet, als sich uns die Formel aufdrängte, daß die Sexualität der Psychoneurotiker den kindlichen Standpunkt bewahrt hat oder auf ihn zurückgeführt worden ist. Wenn nicht am Ende die infantile Amnesie selbst wieder mit den sexuellen Regungen der Kindheit in Beziehung zu bringen ist!

Es ist übrigens mehr als ein bloßes Spiel des Witzes, die infantile Amnesie mit der hysterischen zu verknüpfen. Die hysterische Amnesie, die der Verdrängung dient, wird nur durch den Umstand erklärlich, daß das Individuum bereits einen Schatz von Erinnerungsspuren besitzt, welche der bewußten Verfügung entzogen sind und die nun mit assoziativer Bindung das an sich reißen, worauf vom Bewußten her die abstoßenden Kräfte der Verdrängung wirken.* Ohne infantile Amnesie, kann man sagen, gäbe es keine hysterische Amnesie.

Ich meine nun, daß die infantile Amnesie, die für jeden einzelnen seine Kindheit zu einer gleichsam *prähistorischen* Vorzeit macht und ihm die Anfänge seines eigenen Geschlechtslebens verdeckt, die Schuld daran trägt, wenn man der kindlichen Lebensperiode einen Wert für die Entwicklung des Sexuallebens im allgemeinen nicht zutraut. Ein einzelner Beobachter kann die so entstandene Lücke in unserem Wissen nicht ausfüllen. Ich habe bereits 1896 die Bedeutung der Kinderjahre für die Entstehung

---

* Man kann den Mechanismus der Verdrängung nicht verstehen, wenn man nur einen dieser beiden zusammenwirkenden Vorgänge berücksichtigt. Zum Vergleich möge die Art dienen, wie der Tourist auf die Spitze der großen Pyramide von Gizeh befördert wird; er wird von der einen Seite gestoßen, von der anderen Seite gezogen.

gewisser wichtiger, vom Geschlechtsleben abhängiger Phänomene betont und seither nicht aufgehört, das infantile Moment für die Sexualität in den Vordergrund zu rücken.

Die sexuelle Latenzperiode der Kindheit und ihre Durchbrechungen

Die außerordentlich häufigen Befunde von angeblich regelwidrigen und ausnahmsartigen sexuellen Regungen in der Kindheit sowie die Aufdeckung der bis dahin unbewußten Kindheitserinnerungen der Neurotiker gestatten etwa folgendes Bild von dem sexuellen Verhalten der Kinderzeit zu entwerfen:*

Es scheint gewiß, daß das Neugeborene Keime von sexuellen Regungen mitbringt, die sich eine Zeitlang weiterentwickeln, dann aber einer fortschreitenden Unterdrückung unterliegen, welche selbst wieder durch regelrechte Vorstöße der Sexualentwicklung durchbrochen und durch individuelle Eigenheiten aufgehalten werden kann. Über die Gesetzmäßigkeit und die Periodizität dieses oszillierenden Entwicklungsganges ist nichts Gesichertes bekannt. Es scheint aber, daß das Sexualleben der Kinder sich zumeist um das dritte oder vierte Lebensjahr in einer der Beobachtung zugänglichen Form zum Ausdruck bringt.**

* Letzteres Material wird durch die berechtigte Erwartung verwertbar, daß die Kinderjahre der späteren Neurotiker hierin nicht wesentlich, nur in Hinsicht der Intensität und Deutlichkeit, von denen später Gesunder abweichen dürften.

** Eine mögliche anatomische Analogie zu dem von mir behaupteten Verhalten der infantilen Sexualfunktion wäre durch den Fund von *Bayer* (Deutsches Archiv für klinische Medizin, Bd. 73) gegeben, daß die inneren Geschlechtsorgane (Uterus) Neugeborener in der Regel größer sind als die älterer Kinder. Indes ist die Auffassung dieser durch *Halban* auch für andere Teile des Genitalapparates festgestellten Involution nach der Geburt nicht sichergestellt. Nach *Halban* (Zeitschrift für Geburtshilfe und Gynäkologie, LIII, 1904) ist dieser Rückbildungsvorgang nach wenigen Wochen des Extrauterinlebens abgelaufen. —Die Autoren, welche den interstitiellen Anteil der Keimdrüse als das geschlechtsbestimmende Organ betrachten, sind durch anatomische Untersuchungen dazu geführt worden, ihrerseits von infantiler Sexualität und sexueller Latenzzeit zu reden. Ich zitiere aus dem S. 25 erwähnten Buche von *Lipschütz* über die Pubertätsdrüse: »Man wird den Tatsachen viel eher gerecht, wenn man

DIE SEXUALHEMMUNGEN. Während dieser Periode totaler oder bloß partieller Latenz werden die seelischen Mächte aufgebaut, die später dem Sexualtrieb als Hemmnisse in den Weg treten und gleichwie Dämme seine Richtung beengen werden (der Ekel, das Schamgefühl, die ästhetischen und moralischen Idealanforderungen). Man gewinnt beim Kulturkinde den Eindruck, daß der Aufbau dieser Dämme ein Werk der Erziehung ist, und sicherlich tut die Erziehung viel dazu. In Wirklichkeit ist diese Entwicklung eine organisch bedingte, hereditär fixierte und kann sich gelegentlich ganz ohne Mithilfe der Erziehung herstellen. Die Erziehung verbleibt durchaus in dem ihr angewiesenen Machtbereich, wenn sie sich darauf einschränkt, das organisch Vorgezeichnete nachzuziehen und es etwas sauberer und tiefer auszuprägen.

REAKTIONSBILDUNG UND SUBLIMIERUNG. Mit welchen Mitteln werden diese, für die spätere persönliche Kultur und Normalität so bedeutsamen Konstruktionen aufgeführt? Wahrscheinlich auf Kosten der infantilen Sexualregungen selbst, deren Zufluß also auch in dieser Latenzperiode nicht aufgehört hat, deren Energie aber — ganz oder zum größten Teil — von der sexuellen Verwendung absagt, daß die Ausreifung der Geschlechtsmerkmale, wie sie sich in der Pubertät vollzieht, nur auf einem um diese Zeit stark beschleunigten Ablauf von Vorgängen beruht, die schon viel früher begonnen haben — unserer Auffassung nach schon im embryonalen Leben« (S. 169). — *»Was man bisher als Pubertät schlechtweg bezeichnet hat, ist wahrscheinlich nur eine zweite große Phase der Pubertät, die um die Mitte des zweiten Jahrzehntes einsetzt . . . Das Kindesalter, von der Geburt bis zu Beginn der zweiten großen Phase gerechnet, könnte man als die ›intermediäre Phase der Pubertät‹ bezeichnen.«* (S. 170.) — Diese in einem Referat von *Ferenczi* (Int. Zeitschrift f. Psychoanalyse VI, 1920) hervorgehobene Übereinstimmung anatomischer Befunde mit der psychologischen Beobachtung wird durch die Angabe gestört, daß der ›erste Gipfelpunkt‹ der Entwicklung des Sexualorgans in die frühe Embryonalzeit fällt, während die kindliche Frühblüte des Sexuallebens in das dritte und vierte Lebensjahr zu verlegen ist. Die volle Gleichzeitigkeit der anatomischen Ausbildung mit der psychischen Entwicklung ist natürlich nicht erforderlich. Die betreffenden Untersuchungen sind an der Keimdrüse des Menschen gemacht worden. Da den Tieren eine Latenzzeit im psychologischen Sinne nicht zukommt, läge viel daran zu wissen, ob die anatomischen Befunde, auf deren Grund die Autoren zwei Gipfelpunkte der Sexualentwicklung annehmen, auch an anderen höheren Tieren nachweisbar sind.

geleitet und anderen Zwecken zugeführt wird. Die Kulturhistori-
ker scheinen einig in der Annahme, daß durch solche Ablenkung
sexueller Triebkräfte von sexuellen Zielen und Hinlenkung auf
neue Ziele, ein Prozeß, der den Namen *Sublimierung* verdient,
mächtige Komponenten für alle kulturellen Leistungen gewonnen
werden. Wir würden also hinzufügen, daß der nämliche Prozeß
in der Entwicklung des einzelnen Individuums spielt und seinen
Beginn in die sexuelle Latenzperiode der Kindheit verlegen.*

Auch über den Mechanismus einer solchen Sublimierung kann
man eine Vermutung wagen. Die sexuellen Regungen dieser Kinderjahre wären einerseits unverwendbar, da die Fortpflanzungs-
funktionen aufgeschoben sind, was den Hauptcharakter der Latenzperiode ausmacht, andererseits wären sie an sich pervers, das
heißt von erogenen Zonen ausgehend und von Trieben getragen,
welche bei der Entwicklungsrichtung des Individuums nur Unlust-
empfindungen hervorrufen könnten. Sie rufen daher seelische Ge-
genkräfte (Reaktionsregungen) wach, die zur wirksamen Unterdrückung solcher Unlust die erwähnten psychischen Dämme: Ekel,
Scham und Moral, aufbauen.**

DURCHBRÜCHE DER LATENZZEIT. Ohne uns über die hypothetische
Natur und die mangelhafte Klarheit unserer Einsichten in die Vorgänge der kindlichen Latenz- oder Aufschubsperiode zu täuschen,
wollen wir zur Wirklichkeit zurückkehren, um anzugeben, daß
solche Verwendung der infantilen Sexualität ein Erziehungsideal
darstellt, vor dem die Entwicklung der einzelnen meist an irgendeiner Stelle und oft in erheblichem Maße abweicht. Es bricht zeitweise ein Stück Sexualäußerung durch, das sich der Sublimierung
entzogen hat, oder es erhält sich eine sexuelle Betätigung durch
die ganze Dauer der Latenzperiode bis zum verstärkten Hervor-
brechen des Sexualtriebes in der Pubertät. Die Erzieher benehmen
sich, insofern sie überhaupt der Kindersexualität Aufmerksamkeit
schenken, genauso, als teilten sie unsere Ansichten über die Bil-

---

* Die Bezeichnung ›sexuelle Latenzperiode‹ entlehne ich ebenfalls von
W. Fließ.
** In dem hier besprochenen Falle geht die Sublimierung sexueller Triebkräfte auf dem Wege der Reaktionsbildung vor sich. Im allgemeinen
darf man aber Sublimierung und Reaktionsbildung als zwei verschiedene Prozesse begrifflich voneinander scheiden. Es kann auch Sublimierungen durch andere und einfachere Mechanismen geben.

dung der moralischen Abwehrmächte auf Kosten der Sexualität und als wüßten sie, daß sexuelle Betätigung das Kind unerziehbar macht, denn sie verfolgen alle sexuellen Äußerungen des Kindes als ›Laster‹, ohne viel gegen sie ausrichten zu können. Wir aber haben allen Grund, diesen von der Erziehung gefürchteten Phänomenen Interesse zuzuwenden, denn wir erwarten von ihnen den Aufschluß über die ursprüngliche Gestaltung des Geschlechtstriebs.

Die Äußerungen der infantilen Sexualität

DAS LUTSCHEN. Aus später zu ersehenden Motiven wollen wir unter den infantilen Sexualäußerungen das *Ludeln* (Wonnesaugen) zum Muster nehmen, dem der ungarische Kinderarzt *Lindner* eine ausgezeichnete Studie gewidmet hat.[7]

Das *Ludeln* oder *Lutschen*, das schon beim Säugling auftritt und bis in die Jahre der Reife fortgesetzt oder sich durchs ganze Leben erhalten kann, besteht in einer rhythmisch wiederholten saugenden Berührung mit dem Munde (den Lippen), wobei der Zweck der Nahrungsaufnahme ausgeschlossen ist. Ein Teil der Lippe selbst, die Zunge, eine beliebige andere erreichbare Hautstelle, — selbst die große Zehe, — werden zum Objekt genommen, an dem das Saugen ausgeführt wird. Ein dabei auftretender Greiftrieb äußert sich etwa durch gleichzeitiges rhythmisches Zupfen am Ohrläppchen und kann sich eines Teiles einer anderen Person (meist ihres Ohres) zu gleichem Zwecke bemächtigen. Das Wonnesaugen ist mit voller Aufzehrung der Aufmerksamkeit verbunden, führt entweder zum Einschlafen oder selbst zu einer motorischen Reaktion in einer Art von Orgasmus.* Nicht selten kombiniert sich mit dem Wonnesaugen die reibende Berührung gewisser empfindlicher Körperstellen, der Brust, der äußeren Genitalien. Auf diesem Wege gelangen viele Kinder vom Ludeln zur Masturbation.

Lindner selbst hat die sexuelle Natur dieses Tuns klar erkannt und rückhaltlos betont. In der Kinderstube wird das Ludeln häufig

---

* Hier erweist sich bereits, was fürs ganze Leben Gültigkeit hat, daß sexuelle Befriedigung das beste Schlafmittel ist. Die meisten Fälle von nervöser Schlaflosigkeit gehen auf sexuelle Unbefriedigung zurück. Es ist bekannt, daß gewissenlose Kinderfrauen die schreienden Kinder durch Streichen an den Genitalien einschläfern.

den anderen sexuellen ›Unarten‹ des Kindes gleichgestellt. Von seiten zahlreicher Kinder- und Nervenärzte ist ein sehr energischer Einspruch gegen diese Auffassung erhoben worden, der zum Teil gewiß auf der Verwechslung von ›sexuell‹ und ›genital‹ beruht. Dieser Widerspruch wirft die schwierige und nicht abzuweisende Frage auf, an welchem allgemeinen Charakter wir die sexuellen Äußerungen des Kindes erkennen wollen. Ich meine, daß der Zusammenhang der Erscheinungen, in welchen wir durch die psychoanalytische Untersuchung Einsicht gewonnen haben, uns berechtigt, das Ludeln als eine sexuelle Äußerung in Anspruch zu nehmen und gerade an ihm die wesentlichen Züge der infantilen Sexualbetätigung zu studieren.*

AUTOEROTISMUS. Wir haben die Verpflichtung, dieses Beispiel eingehend zu würdigen. Heben wir als den auffälligsten Charakter dieser Sexualbetätigung hervor, daß der Trieb nicht auf andere Personen gerichtet ist; er befriedigt sich am eigenen Körper, er ist *autoerotisch*, um es mit einem glücklichen, von *Havelock Ellis* eingeführten Namen zu sagen.**

Es ist ferner deutlich, daß die Handlung des lutschenden Kindes durch das Suchen nach einer — bereits erlebten und nun erinnerten — Lust bestimmt wird. Durch das rhythmische Saugen an einer Haut- oder Schleimstelle findet es dann im einfachsten Falle die Befriedigung. Es ist auch leicht zu erraten, bei welchen Anlässen

* Ein Dr. *Galant* hat 1919 im Neurol. Zentralbl. Nr. 20 unter dem Titel ›Das Lutscherli‹ das Bekenntnis eines erwachsenen Mädchens veröffentlicht, welches diese kindliche Sexualbetätigung nicht aufgegeben hat und die Befriedigung durch das Lutschen als völlig analog einer sexuellen Befriedigung, insbesondere durch den Kuß des Geliebten schildert. »Nicht alle Küsse gleichen einem Lutscherli: nein, nein, lange nicht alle! Man kann nicht schreiben, wie wohlig es einem durch den ganzen Körper beim Lutschen geht; man ist einfach weg von dieser Welt, man ist ganz zufrieden und wunschlos glücklich. Es ist ein wunderbares Gefühl; man verlangt nichts als Ruhe, Ruhe, die gar nicht unterbrochen werden soll. Es ist einfach unsagbar schön: man spürt keine Schmerzen, kein Weh und ach, man ist entrückt in eine andere Welt.«
** *H. Ellis* hat den Terminus ›autoerotisch‹ allerdings etwas anders bestimmt, im Sinne einer Erregung, die nicht von außen hervorgerufen wird, sondern im Innern selbst entspringt. Für die Psychoanalyse ist nicht die Genese, sondern die Beziehung zu einem Objekt das Wesentliche.

das Kind die ersten Erfahrungen dieser Lust gemacht hat, die es nun zu erneuern strebt. Die erste und lebenswichtigste Tätigkeit des Kindes, das Saugen an der Mutterbrust (oder an ihren Surrogaten), muß es bereits mit dieser Lust vertraut gemacht haben. Wir würden sagen, die Lippen des Kindes haben sich benommen wie eine *erogene* Zone, und die Reizung durch den warmen Milchstrom war wohl die Ursache der Lustempfindung. Anfangs war wohl die Befriedigung der erogenen Zone mit der Befriedigung des Nahrungsbedürfnisses vergesellschaftet. Die Sexualbetätigung lehnt sich zunächst an eine der zur Lebenshaltung dienenden Funktionen an und macht sich erst später von ihr selbständig. Wer ein Kind gesättigt von der Brust zurücksinken sieht, mit geröteten Wangen und seligem Lächeln in Schlaf verfallen, der wird sich sagen müssen, daß dieses Bild auch für den Ausdruck der sexuellen Befriedigung im späteren Leben maßgebend bleibt. Nun wird das Bedürfnis nach Wiederholung der sexuellen Befriedigung von dem Bedürfnis nach Nahrungsaufnahme getrennt, eine Trennung, die unvermeidlich ist, wenn die Zähne erscheinen und die Nahrung nicht mehr ausschließlich eingesogen, sondern gekaut wird. Eines fremden Objektes bedient sich das Kind zum Saugen nicht, sondern lieber einer eigenen Hautstelle, weil diese ihm bequemer ist, weil es sich so von der Außenwelt unabhängig macht, die es zu beherrschen noch nicht vermag, und weil es sich solcherart gleichsam eine zweite, wenngleich minderwertige, erogene Zone schafft. Die Minderwertigkeit dieser zweiten Stelle wird es später mit dazu veranlassen, die gleichartigen Teile, die Lippen, einer anderen Person zu suchen. (»Schade, daß ich mich nicht küssen kann«, möchte man ihm unterlegen.)

Nicht alle Kinder lutschen. Es ist anzunehmen, daß jene Kinder dazu gelangen, bei denen die erogene Bedeutung der Lippenzone konstitutionell verstärkt ist. Bleibt diese erhalten, so werden diese Kinder als Erwachsene Kußfeinschmecker werden, zu perversen Küssen neigen oder als Männer ein kräftiges Motiv zum Trinken und Rauchen mitbringen. Kommt aber die Verdrängung hinzu, so werden sie Ekel vor dem Essen empfinden und hysterisches Erbrechen produzieren. Kraft der Gemeinsamkeit der Lippenzone wird die Verdrängung auf den Nahrungstrieb übergreifen. Viele meiner Patientinnen mit Eßstörungen, hysterischem Globus, Schnüren im Hals und Erbrechen waren in den Kinderjahren energische Ludlerinnen gewesen.

Am Lutschen oder Wonnesaugen haben wir bereits die drei wesentlichen Charaktere einer infantilen Sexualäußerung bemerken können. Dieselbe entsteht in *Anlehnung* an eine der lebenswichtigen Körperfunktionen, sie kennt noch kein Sexualobjekt, ist *autoerotisch*, und ihr Sexualziel steht unter der Herrschaft einer *erogenen Zone*. Nehmen wir vorweg, daß diese Charaktere auch für die meisten anderen Betätigungen der infantilen Sexualtriebe gelten.

Das Sexualziel der infantilen Sexualität

CHARAKTERE EROGENER ZONEN. Aus dem Beispiel des Ludelns ist zur Kennzeichnung einer erogenen Zone noch mancherlei zu entnehmen. Es ist eine Haut- oder Schleimhautstelle, an der Reizungen von gewisser Art eine Lustempfindung von bestimmter Qualität hervorrufen. Es ist kein Zweifel, daß die lusterzeugenden Reize an besondere Bedingungen gebunden sind; wir kennen dieselben nicht. Der rhythmische Charakter muß unter ihnen eine Rolle spielen, die Analogie mit dem Kitzelreiz drängt sich auf. Minder ausgemacht scheint es, ob man den Charakter der durch den Reiz hervorgerufenen Lustempfindung als einen ›besonderen‹ bezeichnen darf, wo in dieser Besonderheit eben das sexuelle Moment enthalten wäre. In Sachen der Lust und Unlust tappt die Psychologie noch so sehr im Dunkeln, daß die vorsichtigste Annahme die empfehlenswerteste sein wird. Wir werden später vielleicht auf Gründe stoßen, welche die Besonderheitsqualität der Lustempfindung zu unterstützen scheinen.

Die erogene Eigenschaft kann einzelnen Körperstellen in ausgezeichneter Weise anhaften. Es gibt prädestinierte erogene Zonen, wie das Beispiel des Ludelns zeigt. Dasselbe Beispiel lehrt aber auch, daß jede beliebige andere Haut- und Schleimhautstelle die Dienste einer erogenen Zone auf sich nehmen kann, also eine gewisse Eignung dazu mitbringen muß. Die Qualität des Reizes hat also mit der Erzeugung der Lustempfindung mehr zu tun als die Beschaffenheit der Körperstelle. Das ludelnde Kind sucht an seinem Körper herum und wählt sich irgendeine Stelle zum Wonnesaugen aus, die ihm dann durch Gewöhnung die bevorzugte wird; wenn es zufällig dabei auf eine der prädestinierten Stellen stößt (Brustwarze, Genitalien), so verbleibt freilich dieser der Vorzug. Die ganz analoge Verschiebbarkeit kehrt dann in der

Symptomatologie der Hysterie wieder. Bei dieser Neurose betrifft die Verdrängung die eigentlichen Genitalzonen am allermeisten, und diese geben ihre Reizbarkeit an die übrigen, sonst im reifen Leben zurückgesetzten, erogenen Zonen ab, die sich dann ganz wie Genitalien gebärden. Aber außerdem kann ganz wie beim Ludeln jede beliebige andere Körperstelle mit der Erregbarkeit der Genitalien ausgestattet und zur erogenen Zone erhoben werden. Erogene und hysterogene Zonen zeigen die nämlichen Charaktere.*

INFANTILES SEXUALZIEL. Das Sexualziel des infantilen Triebes besteht darin, die Befriedigung durch die geeignete Reizung der so oder so gewählten erogenen Zone hervorzurufen. Diese Befriedigung muß vorher erlebt worden sein, um ein Bedürfnis nach ihrer Wiederholung zurückzulassen, und wir dürfen darauf vorbereitet sein, daß die Natur sichere Vorrichtungen getroffen hat, um dieses Erleben der Befriedigung nicht dem Zufalle zu überlassen.** Die Veranstaltung, welche diesen Zweck für die Lippenzone erfüllt, haben wir bereits kennengelernt, es ist die gleichzeitige Verknüpfung dieser Körperstelle mit der Nahrungsaufnahme. Andere ähnliche Vorrichtungen werden uns noch als Quellen der Sexualität begegnen. Der Zustand des Bedürfnisses nach Wiederholung der Befriedigung verrät sich durch zweierlei: durch ein eigentümliches Spannungsgefühl, welches an sich mehr den Charakter der Unlust hat, und durch eine *zentral bedingte*, in die peripherische erogene Zone projizierte Juck- oder Reizempfindung. Man kann das Sexualziel darum auch so formulieren, es käme darauf an, die projizierte Reizempfindung an der erogenen Zone durch denjenigen äußeren Reiz zu ersetzen, welcher die Reizempfindung aufhebt, indem er die Empfindung der Befriedigung hervorruft. Dieser äußere Reiz wird zumeist in einer Manipulation bestehen, die analog dem Saugen ist.

Es ist nur im vollen Einklang mit unserem physiologischen Wissen, wenn es vorkommt, daß das Bedürfnis auch peripherisch,

---

* Weitere Überlegungen und die Verwertung anderer Beobachtungen führen dazu, die Eigenschaft der Erogenität allen Körperstellen und inneren Organen zuzusprechen. Vgl. hiezu weiter unten über den Narzißmus.
** Man kann es in biologischen Erörterungen kaum vermeiden, sich der teleologischen Denkweise zu bedienen, obwohl man weiß, daß man im einzelnen Falle gegen den Irrtum nicht gesichert ist.

durch eine wirkliche Veränderung an der erogenen Zone geweckt wird. Es wirkt nur einigermaßen befremdend, da der eine Reiz zu seiner Aufhebung nach einem zweiten, an derselben Stelle angebrachten, zu verlangen scheint.

Die masturbatorischen Sexualäußerungen

Es kann uns nur höchst erfreulich sein zu finden, daß wir von der Sexualbetätigung des Kindes nicht mehr viel Wichtiges zu lernen haben, nachdem uns der Trieb von einer einzigen erogenen Zone her verständlich geworden ist. Die deutlichsten Unterschiede beziehen sich auf die zur Befriedigung notwendige Vornahme, die für die Lippenzone im Saugen bestand und die je nach Lage und Beschaffenheit der anderen Zonen durch andere Muskelaktionen ersetzt werden muß.

BETÄTIGUNG DER AFTERZONE. Die Afterzone ist ähnlich wie die Lippenzone durch ihre Lage geeignet, eine *Anlehnung* der Sexualität an andere Körperfunktionen zu vermitteln. Man muß sich die erogene Bedeutung dieser Körperstelle als ursprünglich sehr groß vorstellen. Durch die Psychoanalyse erfährt man dann nicht ohne Verwunderung, welche Umwandlungen mit den von hier ausgehenden sexuellen Erregungen normalerweise vorgenommen werden, und wie häufig der Zone noch ein beträchtliches Stück genitaler Reizbarkeit fürs Leben verbleibt.[9] Die so häufigen Darmstörungen der Kinderjahre sorgen dafür, daß es der Zone an intensiven Erregungen nicht fehle. Darmkatarrhe im zartesten Alter machen ›nervös‹, wie man sich ausdrückt; bei späterer neurotischer Erkrankung nehmen sie einen bestimmenden Einfluß auf den symptomatischen Ausdruck der Neurose, welcher sie die ganze Summe von Darmstörungen zur Verfügung stellen. Mit Hinblick auf die wenigstens in Umwandlung erhalten gebliebene erogene Bedeutung der Darmausgangszone darf man auch die hämorrhoidalen Einflüsse nicht verlachen, denen die ältere Medizin für die Erklärung neurotischer Zustände soviel Gewicht beigelegt hat.

Kinder, welche die erogene Reizbarkeit der Afterzone ausnützen, verraten sich dadurch, daß sie die Stuhlmassen zurückhalten, bis dieselben durch ihre Anhäufung heftige Muskelkontraktionen anregen und beim Durchgang durch den After einen starken Reiz auf die Schleimhaut ausüben können. Dabei muß wohl neben der schmerzhaften die Wollustempfindung zustande kommen. Es ist eines der besten Vorzeichen späterer Absonderlichkeit oder Nervosität, wenn ein Säugling sich hartnäckig weigert, den Darm zu entleeren, wenn er auf den Topf gesetzt wird, also wenn es dem Pfleger beliebt, sondern diese Funktion seinem eigenen Belieben vorbehält. Es kommt ihm natürlich nicht darauf an, sein Lager schmutzig zu machen; er sorgt nur, daß ihm der Lustnebengewinn bei der Defäkation nicht entgehe. Die Erzieher ahnen wiederum das Richtige, wenn sie solche Kinder, die sich diese Verrichtungen ›aufheben‹, schlimm nennen.

Der Darminhalt, der als Reizkörper für eine sexuell empfindliche Schleimhautfläche sich wie der Vorläufer eines anderen Organs benimmt, welches erst nach der Kindheitsphase in Aktion treten soll, hat für den Säugling noch andere wichtige Bedeutungen. Er wird offenbar wie ein zugehöriger Körperteil behandelt, stellt das erste ›Geschenk‹ dar, durch dessen Entäußerung die Gefügigkeit, durch dessen Verweigerung der Trotz des kleinen Wesens gegen seine Umgebung ausgedrückt werden kann. Vom ›Geschenk‹ aus gewinnt er dann später die Bedeutung des ›Kindes‹, das nach einer der infantilen Sexualtheorien durch Essen erworben und durch den Darm geboren wird.

Die Zurückhaltung der Fäkalmassen, die also anfangs eine absichtliche ist, um sie zur gleichsam masturbatorischen Reizung der Afterzone zu benützen, oder in der Relation zu den Pflegepersonen zu verwenden, ist übrigens eine der Wurzeln der bei den Neuropathen so häufigen Obstipation. Die ganze Bedeutung der Afterzone spiegelt sich dann in der Tatsache, daß man nur wenige Neurotiker findet, die nicht ihre besonderen skatologischen Gebräuche, Zeremonien und dergleichen hätten, die von ihnen sorgfältig geheimgehalten werden.*

* In einer Arbeit, welche unser Verständnis für die Bedeutung der Analerotik außerordentlich vertieft (›Anal‹ und ›Sexual‹, Imago IV, 1916), hat Lou *Andreas-Salomé* ausgeführt, daß die Geschichte des ersten Verbotes, welches an das Kind herantritt, des Verbotes aus der Analtätigkeit und ihren Produkten Lust zu gewinnen, für seine ganze Entwicklung maßgebend wird. Das kleine Wesen muß bei diesem Anlasse zuerst die seinen Triebregungen feindliche Umwelt ahnen, sein eigenes Wesen von diesem Fremden sondern lernen, und dann die erste ›Verdrängung‹ an seinen Lustmöglichkeiten vollziehen. Das ›Anale‹ bleibt von da an das

Echte masturbatorische Reizung der Afterzone mit Hilfe des Fingers, durch zentral bedingtes oder peripherisch unterhaltenes Jucken hervorgerufen, ist bei älteren Kindern keineswegs selten.

BETÄTIGUNG DER GENITALZONEN. Unter den erogenen Zonen des kindlichen Körpers befindet sich eine, die gewiß nicht die erste Rolle spielt, auch nicht die Trägerin der ältesten sexuellen Regungen sein kann, die aber zu großen Dingen in der Zukunft bestimmt ist. Sie ist beim männlichen wie beim weiblichen Kind in Beziehung zur Harnentleerung gebracht (Eichel, Klitoris) und beim ersteren in einen Schleimhautsack einbezogen, so daß es ihr an Reizungen durch Sekrete, welche die sexuelle Erregung frühzeitig anfachen können, nicht fehlen kann. Die sexuellen Betätigungen dieser erogenen Zone, die den wirklichen Geschlechtsteilen angehört, sind ja der Beginn des später ›normalen‹ Geschlechtslebens.

Durch die anatomische Lage, die Überströmung mit Sekreten, durch die Waschungen und Reibungen der Körperpflege und durch gewisse akzidentelle Erregungen (wie die Wanderungen von Eingeweidewürmern bei Mädchen) wird es unvermeidlich, daß die Lustempfindung, welche diese Körperstelle zu ergeben fähig ist, sich dem Kinde schon im Säuglingsalter bemerkbar mache und ein Bedürfnis nach ihrer Wiederholung erwecke. Überblickt man die Summe der vorliegenden Einrichtungen und bedenkt, daß die Maßregeln zur Reinhaltung kaum anders wirken können als die Verunreinigung, so wird man sich kaum der Auffassung entziehen können, daß durch die Säuglingsonanie, der kaum ein Individuum entgeht, das künftige Primat dieser erogenen Zone für die Geschlechtstätigkeit festgelegt wird. Die den Reiz beseitigende und die Befriedigung auslösende Aktion besteht in einer reibenden Berührung mit der Hand oder in einem gewiß reflektorisch vorgebildeten Druck durch die Hand oder die zusammenschließenden Oberschenkel. Letztere Vornahme ist die beim Mädchen weitaus häufigere. Beim Knaben weist die Bevorzugung der Hand

Symbol für alles zu Verwerfende, vom Leben Abzuscheidende. Der später geforderten reinlichen Scheidung von Anal- und Genitalvorgängen widersetzen sich die nahen anatomischen und funktionellen Analogien und Beziehungen zwischen beiden. Der Genitalapparat bleibt der Kloake benachbart, »ist ihr beim Weibe sogar nur abgemietet«.

bereits darauf hin, welchen wichtigen Beitrag zur männlichen Sexualtätigkeit der Bemächtigungstrieb einst leisten wird.*

Es wird der Klarheit nur förderlich sein, wenn ich angebe, daß man drei Phasen der infantilen Masturbation zu unterscheiden hat. Die erste von ihnen gehört der Säuglingszeit an, die zweite der kurzen Blütezeit der Sexualbetätigung um das vierte Lebensjahr, erst die dritte entspricht der oft ausschließlich gewürdigten Pubertätsonanie.

DIE ZWEITE PHASE DER KINDLICHEN MASTURBATION. Die Säuglingsonanie scheint nach kurzer Zeit zu schwinden, doch kann mit der ununterbrochenen Fortsetzung derselben bis zur Pubertät bereits die erste große Abweichung von der für den Kulturmenschen anzustrebenden Entwicklung gegeben sein. Irgendeinmal in den Kinderjahren nach der Säuglingszeit, gewöhnlich vor dem vierten Jahr, pflegt der Sexualtrieb dieser Genitalzone wieder zu erwachen und dann wiederum eine Zeitlang bis zu einer neuen Unterdrückung anzuhalten oder sich ohne Unterbrechung fortzusetzen. Die möglichen Verhältnisse sind sehr mannigfaltig und können nur durch genauere Zergliederung einzelner Fälle erörtert werden. Aber alle Einzelheiten dieser *zweiten* infantilen Sexualbetätigung hinterlassen die tiefsten (unbewußten) Eindrucksspuren im Gedächtnis der Person, bestimmen die Entwicklung ihres Charakters, wenn sie gesund bleibt, und die Symptomatik ihrer Neurose, wenn sie nach der Pubertät erkrankt.** Im letzteren Falle findet man diese Sexualperiode vergessen, die für sie zeugenden bewußten Erinnerungen verschoben; — ich habe schon erwähnt, daß ich auch die normale infantile Amnesie mit dieser infantilen Sexualbetätigung in Zusammenhang bringen möchte. Durch psychoanalytische Erforschung gelingt es, das Vergessene bewußt zu machen und da-

---

* Ungewöhnliche Techniken bei der Ausübung der Onanie in späteren Jahren scheinen auf den Einfluß eines überwundenen Onanieverbots hinzuweisen.
** Warum das Schuldbewußtsein der Neurotiker regelmäßig, wie noch kürzlich *Bleuler* anerkannt hat, an die erinnerte onanistische Betätigung, meist der Pubertätszeit, anknüpft, harrt noch einer erschöpfenden analytischen Aufklärung. Der gröbste und wichtigste Faktor dieser Bedingtheit dürfte wohl die Tatsache sein, daß die Onanie ja die Exekutive der ganzen infantilen Sexualität darstellt und darum befähigt ist, das dieser anhaftende Schuldgefühl zu übernehmen.

mit einen Zwang zu beseitigen, der vom unbewußten psychischen Material ausgeht.

WIEDERKEHR DER SÄUGLINGSMASTURBATION. Die Sexualerregung der Säuglingszeit kehrt in den bezeichneten Kinderjahren entweder als zentral bedingter Kitzelreiz wieder, der zur onanistischen Befriedigung auffordert, oder als pollutionsartiger Vorgang, der analog der Pollution der Reifezeit die Befriedigung ohne Mithilfe einer Aktion erreicht. Letzterer Fall ist der bei Mädchen und in der zweiten Hälfte der Kindheit häufigere, in seiner Bedingtheit nicht ganz verständlich und scheint oft — nicht regelmäßig — eine Periode früherer aktiver Onanie zur Voraussetzung zu haben. Die Symptomatik dieser Sexualäußerungen ist armselig; für den noch unentwickelten Geschlechtsapparat gibt meist der Harnapparat, gleichsam als sein Vormund, Zeichen. Die meisten sogenannten Blasenleiden dieser Zeit sind sexuelle Störungen; die Enuresis nocturna entspricht, wo sie nicht einen epileptischen Anfall darstellt, einer Pollution.

Für das Wiederauftreten der sexuellen Tätigkeit sind innere Ursachen und äußere Anlässe maßgebend, die beide in neurotischen Erkrankungsfällen aus der Gestaltung der Symptome zu erraten und durch die psychoanalytische Forschung mit Sicherheit aufzudecken sind. Von den inneren Ursachen wird später die Rede sein; die zufälligen äußeren Anlässe gewinnen um diese Zeit eine große und nachhaltige Bedeutung. Voran steht der Einfluß der Verführung, die das Kind vorzeitig als Sexualobjekt behandelt und es unter eindrucksvollen Umständen die Befriedigung von den Genitalzonen kennen lehrt, welche sich onanistisch zu erneuern es dann meist gezwungen bleibt. Solche Beeinflussung kann von Erwachsenen oder anderen Kindern ausgehen; ich kann nicht zugestehen, daß ich in meiner Abhandlung 1896 ›Über die Ätiologie der Hysterie‹ die Häufigkeit oder die Bedeutung desselben überschätzt habe, wenngleich ich damals noch nicht wußte, daß normal gebliebene Individuen in ihren Kinderjahren die nämlichen Erlebnisse gehabt haben können, und darum die Verführung höher wertete als die in der sexuellen Konstitution und Entwicklung gegebenen Faktoren.[10] Es ist selbstverständlich, daß es der Verführung nicht bedarf, um das Sexualleben des Kindes zu wecken, daß solche Erweckung auch spontan aus inneren Ursachen vor sich gehen kann.

POLYMORPH PERVERSE ANLAGE. Es ist lehrreich, daß das Kind unter dem Einfluß der Verführung polymorph pervers werden, zu allen möglichen Überschreitungen verleitet werden kann. Dies zeigt, daß es die Eignung dazu in seiner Anlage mitbringt; die Ausführung findet darum geringe Widerstände, weil die seelischen Dämme gegen sexuelle Ausschreitungen, Scham, Ekel und Moral, je nach dem Alter des Kindes noch nicht aufgeführt oder erst in Bildung begriffen sind. Das Kind verhält sich hierin nicht anders als etwa das unkultivierte Durchschnittsweib, bei dem die nämliche polymorph perverse Veranlagung erhalten bleibt. Dieses kann unter den gewöhnlichen Bedingungen etwa sexuell normal bleiben, unter der Leitung eines geschickten Verführers wird es an allen Perversionen Geschmack finden und dieselben für seine Sexualbetätigung festhalten. Die nämliche polymorphe, also infantile, Anlage beutet dann die Dirne für ihre Berufstätigkeit aus, und bei der riesigen Anzahl der prostituierten Frauen und solcher, denen man die Eignung zur Prostitution zusprechen muß, obwohl sie dem Berufe entgangen sind, wird es endgültig unmöglich, in der gleichmäßigen Anlage zu allen Perversionen nicht das allgemein Menschliche und Ursprüngliche zu erkennen.

PARTIALLIEBE. Im übrigen hilft der Einfluß der Verführung nicht dazu, die anfänglichen Verhältnisse des Geschlechtstriebes zu enthüllen, sondern verwirrt unsere Einsicht in dieselben, indem er dem Kinde vorzeitig das Sexualobjekt zuführt, nach dem der infantile Sexualtrieb zunächst kein Bedürfnis zeigt. Indes müssen wir zugestehen, daß auch das kindliche Sexualleben, bei allem Überwiegen der Herrschaft erogener Zonen, Komponenten zeigt, für welche andere Personen als Sexualobjekte von Anfang an in Betracht kommen. Solcher Art sind die in gewisser Unabhängigkeit von erogenen Zonen auftretenden Triebe der Schau- und Zeigelust und der Grausamkeit, die in ihre innigen Beziehungen zum Genitalleben erst später eintreten, aber schon in den Kinderjahren als zunächst von der erogenen Sexualtätigkeit gesonderte, selbständige Strebungen bemerkbar werden. Das kleine Kind ist vor allem schamlos und zeigt in gewissen frühen Jahren ein unzweideutiges Vergnügen an der Entblößung seines Körpers mit besonderer Hervorhebung der Geschlechtsteile. Das Gegenstück dieser als pervers geltenden Neigung, die Neugierde, Genitalien anderer Personen zu sehen, wird wahrscheinlich erst in etwas spä-

teren Kinderjahren offenkundig, wenn das Hindernis des Scham-
gefühles bereits eine gewisse Entwicklung erreicht hat. Unter dem
Einfluß der Verführung kann die Schauperversion eine große Bedeutung für das Sexualleben des Kindes erreichen. Doch muß ich
aus meinen Erforschungen der Kinderjahre Gesunder wie neurotisch Kranker den Schluß ziehen, daß der Schautrieb beim Kinde
als spontane Sexualäußerung aufzutreten vermag. Kleine Kinder,
deren Aufmerksamkeit einmal auf die eigenen Genitalien — meist
masturbatorisch — gelenkt ist, pflegen den weiteren Fortschritt
ohne fremdes Dazutun zu treffen und lebhaftes Interesse für die
Genitalien ihrer Gespielen zu entwickeln. Da sich die Gelegenheit,
solche Neugierde zu befriedigen, meist nur bei der Befriedigung der
beiden exkrementellen Bedürfnisse ergibt, werden solche Kinder
zu Voyeurs, eifrigen Zuschauern bei der Harn- und Kotentleerung
anderer. Nach eingetretener Verdrängung dieser Neigungen bleibt
die Neugierde, fremde Genitalien (des eigenen oder des anderen
Geschlechtes) zu sehen, als quälender Drang bestehen, der bei
manchen neurotischen Fällen dann die stärkste Triebkraft für die
Symptombildung abgibt.

In noch größerer Unabhängigkeit von der sonstigen, an erogene Zonen gebundenen Sexualbetätigung entwickelt sich beim
Kinde die Grausamkeitskomponente des Sexualtriebes. Grausamkeit liegt dem kindlichen Charakter überhaupt nahe, da das
Hemmnis, welches den Bemächtigungstrieb vor dem Schmerz des
anderen haltmachen läßt, die Fähigkeit zum Mitleiden, sich verhältnismäßig spät ausbildet. Die gründliche psychologische Analyse dieses Triebes ist bekanntlich noch nicht geglückt; wir dürfen
annehmen, daß die grausame Regung vom Bemächtigungstrieb
herstammt und zu einer Zeit im Sexualleben auftritt, da die Genitalien noch nicht ihre spätere Rolle aufgenommen haben. Sie beherrscht dann eine Phase des Sexuallebens, die wir später als prägenitale Organisation beschreiben werden. Kinder, die sich durch
besondere Grausamkeit gegen Tiere und Gespielen auszeichnen,
erwecken gewöhnlich mit Recht den Verdacht auf intensive und
vorzeitige Sexualbetätigung von erogenen Zonen her, und bei
gleichzeitiger Frühreife aller sexuellen Triebe scheint die erogene
Sexualbetätigung doch die primäre zu sein. Der Wegfall der Mit-
leidsschranke bringt die Gefahr mit sich, daß diese in der Kindheit
erfolgte Verknüpfung der grausamen mit den erogenen Trieben
sich späterhin im Leben als unlösbar erweise.

Als eine erogene Wurzel des passiven Triebes zur Grausamkeit (des Masochismus) ist die schmerzhafte Reizung der Gesäßhaut allen Erziehern seit dem Selbstbekenntnis Jean Jacques *Rousseaus* bekannt. Sie haben hieraus mit Recht die Forderung abgeleitet, daß die körperliche Züchtigung, die zumeist diese Körperpartie trifft, bei all den Kindern zu unterbleiben habe, bei denen durch die späteren Anforderungen der Kulturerziehung die Libido auf die kollateralen Wege gedrängt werden mag.*

Die infantile Sexualforschung

DER WISSTRIEB. Um dieselbe Zeit, da das Sexualleben des Kindes seine erste Blüte erreicht, vom dritten bis zum fünften Jahr, stellen sich bei ihm auch die Anfänge jener Tätigkeit ein, die man dem Wiß- oder Forschertrieb zuschreibt. Der Wißtrieb kann weder zu den elementaren Triebkomponenten gerechnet noch ausschließlich der Sexualität untergeordnet werden. Sein Tun entspricht einerseits einer sublimierten Weise der Bemächtigung, anderseits ar-

* Zu den obenstehenden Behauptungen über die infantile Sexualität war ich im Jahre 1905 wesentlich durch die Resultate psychoanalytischer Erforschung von Erwachsenen berechtigt. Die direkte Beobachtung am Kinde konnte damals nicht in vollem Ausmaß benützt werden und hatte nur vereinzelte Winke und wertvolle Bestätigungen ergeben. Seither ist es gelungen, durch die Analyse einzelner Fälle von nervöser Erkrankung im zarten Kindesalter einen direkten Einblick in die infantile Psychosexualität zu gewinnen. Ich kann mit Befriedigung darauf verweisen, daß die direkte Beobachtung die Schlüsse aus der Psychoanalyse voll bekräftigt und somit ein gutes Zeugnis für die Verläßlichkeit dieser letzteren Forschungsmethode abgegeben hat. — Die ›Analyse der Phobie eines fünfjährigen Knaben‹ [Ges. Werke, Bd. VII, S. 241–377] hat überdies manches Neue gelehrt, worauf man von der Psychoanalyse her nicht vorbereitet war, z. B. das Hinaufreichen einer sexuellen Symbolik, einer Darstellung des Sexuellen durch nicht sexuelle Objekte und Relationen bis in diese ersten Jahre der Sprachbeherrschung. Ferner wurde ich auf einen Mangel der obenstehenden Darstellung aufmerksam gemacht, welche im Interesse der Übersichtlichkeit die begriffliche Scheidung der beiden Phasen von *Autoerotismus* und *Objektliebe* auch als eine zeitliche Trennung beschreibt. Man erfährt aber aus den zitierten Analysen (sowie aus den Mitteilungen von *Bell*, s. o.), daß Kinder im Alter von drei bis fünf Jahren einer sehr deutlichen, von starken Affekten begleiteten *Objektwahl* fähig sind.

beitet er mit der Energie der Schaulust. Seine Beziehungen zum Sexualleben sind aber besonders bedeutsame, denn wir haben aus der Psychoanalyse erfahren, daß der Wißtrieb der Kinder unvermutet früh und in unerwartet intensiver Weise von den sexuellen Problemen angezogen, ja vielleicht erst durch sie geweckt wird.

DAS RÄTSEL DER SPHINX. KASTRATIONSKOMPLEX UND PENISNEID. Nicht theoretische, sondern praktische Interessen sind es, die das Werk der Forschertätigkeit beim Kinde in Gang bringen. Die Bedrohung seiner Existenzbedingungen durch die erfahrene oder vermutete Ankunft eines neuen Kindes, die Furcht vor dem mit diesem Ereignis verbundenen Verlust an Fürsorge und Liebe machen das Kind nachdenklich und scharfsinnig. Das erste Problem, mit dem es sich beschäftigt, ist entsprechend dieser Erweckungsgeschichte auch nicht die Frage des Geschlechtsunterschiedes, sondern das Rätsel: Woher kommen die Kinder? In einer Entstellung, die man leicht rückgängig machen kann, ist dies auch das Rätsel, welches die thebanische Sphinx aufzugeben hat. Die Tatsache beider Geschlechter nimmt das Kind vielmehr zunächst ohne Sträuben und Bedenken hin. Es ist dem männlichen Kinde selbstverständlich, eine Genitale wie das seinige bei allen Personen, die es kennt, vorauszusetzen, und unmöglich, den Mangel eines solchen mit seiner Vorstellung dieser anderen zu vereinen. Diese Überzeugung wird vom Knaben energisch festgehalten, gegen die sich bald ergebenden Widersprüche der Beobachtung hartnäckig verteidigt und erst nach schweren inneren Kämpfen (Kastrationskomplex) aufgegeben. Die Ersatzbildungen dieses verloren gegangenen Penis des Weibes spielen in der Gestaltung mannigfacher Perversionen eine große Rolle.*

Die Annahme des nämlichen (männlichen) Genitales bei allen Menschen ist die erste der merkwürdigen und folgenschweren infantilen Sexualtheorien. Es nützt dem Kinde wenig, wenn die biologische Wissenschaft seinem Vorurteile recht geben und die weibliche Klitoris als einen richtigen Penisersatz anerkennen muß.

* Man hat das Recht, auch von einem Kastrationskomplex bei Frauen zu sprechen. Männliche wie weibliche Kinder bilden die Theorie, daß auch das Weib ursprünglich einen Penis hatte, der durch Kastration verloren gegangen ist. Die endlich gewonnene Überzeugung, daß das Weib keinen Penis besitzt, hinterläßt beim männlichen Individuum oft eine dauernde Geringschätzung des anderen Geschlechts.

Das kleine Mädchen verfällt nicht in ähnliche Abweisungen, wenn es das anders gestaltete Genitale des Knaben erblickt. Es ist sofort bereit, es anzuerkennen und es unterliegt dem Penisneide, der in dem für die Folge wichtigen Wunsch, auch ein Bub zu sein, gipfelt.

GEBURTSTHEORIEN. Viele Menschen wissen deutlich zu erinnern, wie intensiv sie sich in der Vorpubertätszeit für die Frage interessiert haben, woher die Kinder kommen. Die anatomischen Lösungen lauteten damals ganz verschiedenartig; sie kommen aus der Brust oder werden aus dem Leib geschnitten oder der Nabel öffnet sich, um sie durchzulassen.* An die entsprechende Forschung der frühen Kinderjahre erinnert man sich nur selten außerhalb der Analyse; sie ist längst der Verdrängung verfallen, aber ihre Ergebnisse waren durchaus einheitliche. Man bekommt die Kinder, indem man etwas Bestimmtes ißt (wie im Märchen), und sie werden durch den Darm wie ein Stuhlabgang geboren. Diese kindlichen Theorien mahnen an Einrichtungen im Tierreiche, speziell an die Kloake der Typen, die niedriger stehen als die Säugetiere.

SADISTISCHE AUFFASSUNG DES SEXUALVERKEHRS. Werden Kinder in so zartem Alter Zuschauer des sexuellen Verkehres zwischen Erwachsenen, wozu die Überzeugung der Großen, das kleine Kind könne noch nichts Sexuelles verstehen, die Anlässe schafft, so können sie nicht umhin, den Sexualakt als eine Art von Mißhandlung oder Überwältigung, also im sadistischen Sinne aufzufassen. Die Psychoanalyse läßt uns auch erfahren, daß ein solcher frühkindlicher Eindruck viel zur Disposition für eine spätere sadistische Verschiebung des Sexualzieles beiträgt. Des weiteren beschäftigen sich Kinder viel mit dem Problem, worin der Geschlechtsverkehr oder, wie sie es erfassen, das Verheiratetsein bestehen mag, und suchen die Lösung des Geheimnisses meist in einer Gemeinschaft, die durch die Harn- oder Kotfunktion vermittelt wird.

DAS TYPISCHE MISSLINGEN DER KINDLICHEN SEXUALFORSCHUNG. Im allgemeinen kann man von den kindlichen Sexualtheorien aussagen, daß sie Abbilder der eigenen sexuellen Konstitution des Kindes sind und trotz ihrer grotesken Irrtümer von mehr Ver-

---

* Der Reichtum an Sexualtheorien ist in diesen späteren Kinderjahren ein sehr großer. Im Text sind hievon nur wenige Beispiele angeführt.

ständnis für die Sexualvorgänge zeugen, als man ihren Schöpfern zugemutet hätte. Die Kinder nehmen auch die Schwangerschaftsveränderungen der Mutter wahr und wissen sie richtig zu deuten; die Storchfabel wird sehr oft vor Hörern erzählt, die ihr ein tiefes, aber meist stummes Mißtrauen entgegenbringen. Aber da der kindlichen Sexualforschung zwei Elemente unbekannt bleiben, die Rolle des befruchtenden Samens und die Existenz der weiblichen Geschlechtsöffnung, — die nämlichen Punkte übrigens, in denen die infantile Organisation noch rückständig ist —, bleibt das Bemühen der infantilen Forscher doch regelmäßig unfruchtbar und endet in einem Verzicht, der nicht selten eine dauernde Schädigung des Wißtriebes zurückläßt. Die Sexualforschung dieser frühen Kinderjahre wird immer einsam betrieben; sie bedeutet einen ersten Schritt zur selbständigen Orientierung in der Welt und setzt eine starke Entfremdung des Kindes von den Personen seiner Umgebung, die vorher sein volles Vertrauen genossen hatten.

Entwicklungsphasen der sexuellen Organisation

Wir haben bisher als Charaktere des infantilen Sexuallebens hervorgehoben, daß es wesentlich autoerotisch ist (sein Objekt am eigenen Leibe findet), und daß seine einzelnen Partialtriebe im ganzen unverknüpft und unabhängig voneinander dem Lusterwerb nachstreben. Den Ausgang der Entwicklung bildet das sogenannte normale Sexualleben des Erwachsenen, in welchem der Lusterwerb in den Dienst der Fortpflanzungsfunktion getreten ist, und die Partialtriebe unter dem Primat einer einzigen erogenen Zone eine feste Organisation zur Erreichung des Sexualzieles an einem fremden Sexualobjekt gebildet haben.

PRÄGENITALE ORGANISATIONEN. Das Studium der Hemmungen und Störungen in diesem Entwicklungsgange mit Hilfe der Psychoanalyse gestattet uns nun Ansätze und Vorstufen einer solchen Organisation der Partialtriebe zu erkennen, die gleichfalls eine Art von sexuellem Regime ergeben. Diese Phasen der Sexualorganisation werden normalerweise glatt durchlaufen, ohne sich durch mehr als Andeutungen zu verraten. Nur in pathologischen Fällen werden sie aktiviert und für grobe Beobachtung kenntlich.

Organisationen des Sexuallebens, in denen die Genitalzonen noch nicht in ihre vorherrschende Rolle eingetreten sind, wollen wir *prägenitale* heißen. Wir haben bisher zwei derselben kennen gelernt, die wie Rückfälle auf frühtierische Zustände anmuten.

Eine erste solche prägenitale Sexualorganisation ist die *orale* oder, wenn wir wollen, *kannibalische*. Die Sexualtätigkeit ist hier von der Nahrungsaufnahme noch nicht gesondert, Gegensätze innerhalb derselben nicht differenziert. Das Objekt der einen Tätigkeit ist auch das der anderen, das Sexualziel besteht in der *Einverleibung* des Objektes, dem Vorbild dessen, was späterhin als *Identifizierung* eine so bedeutsame physische Rolle spielen wird. Als Rest dieser fiktiven, uns durch die Pathologie aufgenötigten Organisationsphase kann das Lutschen angesehen werden, in dem die Sexualtätigkeit, von der Ernährungstätigkeit abgelöst, das fremde Objekt gegen eines am eigenen Körper aufgegeben hat.*

Eine zweite prägenitale Phase ist die der *sadistisch-analen* Organisation. Hier ist die Gegensätzlichkeit, welche das Sexualleben durchzieht, bereits ausgebildet; sie kann aber noch nicht *männlich* und *weiblich*, sondern muß *aktiv* und *passiv* benannt werden. Die Aktivität wird durch den Bemächtigungstrieb von seiten der Körpermuskulatur hergestellt, als Organ mit passivem Sexualziel macht sich vor allem die erogene Darmschleimhaut geltend; für beide Strebungen sind Objekte vorhanden, die aber nicht zusammenfallen. Daneben betätigen sich andere Partialtriebe in autoerotischer Weise. In dieser Phase sind also die sexuelle Polarität und das fremde Objekt bereits nachweisbar. Die Organisation und die Unterordnung unter die Fortpflanzungsfunktion stehen noch aus.**

---

* Vgl. über die Reste dieser Phase bei erwachsenen Neurotikern die Arbeit von *Abraham*, Untersuchungen über die früheste prägenitale Entwicklungsstufe der Libido (Intern. Zeitschr. f. Psychoanalyse IV, 1916). In einer späteren Arbeit (Versuch einer Entwicklungsgeschichte der Libido, 1924) hat Abraham sowohl die orale als auch die spätere sadistisch-anale Phase in zwei Unterabteilungen zerlegt, für welche das verschiedene Verhalten zum Objekt charakteristisch ist.

** *Abraham* macht (im letzterwähnten Aufsatze) darauf aufmerksam, daß der After aus dem *Urmund* der embryonalen Anlagen hervorgeht, was wie ein biologisches Vorbild der psychosexuellen Entwicklung erscheint.

AMBIVALENZ. Diese Form der Sexualorganisation kann sich bereits durchs Leben erhalten und ein großes Stück der Sexualbetätigung dauernd an sich reißen. Die Vorherrschaft des Sadismus und die Kloakenrolle der analen Zone geben ihr ein exquisit archaisches Gepräge. Als weiterer Charakter gehört ihr an, daß die Trieb-gegensatzpaare in annähernd gleicher Weise ausgebildet sind, welches Verhalten mit dem glücklichen, von *Bleuler* eingeführten Namen *Ambivalenz* bezeichnet wird.

Die Annahme der prägenitalen Organisationen des Sexual-lebens ruht auf der Analyse der Neurosen und ist unabhängig von deren Kenntnis kaum zu würdigen. Wir dürfen erwarten, daß die fortgesetzte analytische Bemühung uns noch weit mehr Auf-schlüsse über Aufbau und Entwicklung der normalen Sexual-funktion vorbereitet.

Um das Bild des infantilen Sexuallebens zu vervollständigen, muß man hinzunehmen, daß häufig oder regelmäßig bereits in den Kinderjahren eine Objektwahl vollzogen wird, wie wir sie als charakteristisch für die Entwicklungsphase der Pubertät hin-gestellt haben, in der Weise, daß sämtliche Sexualbestrebungen die Richtung auf eine einzige Person nehmen, an der sie ihre Ziele erreichen wollen. Dies ist dann die größte Annäherung an die de-finitive Gestaltung des Sexuallebens nach der Pubertät, die in den Kinderjahren möglich ist. Der Unterschied von letzterer liegt nur noch darin, daß die Zusammenfassung der Partialtriebe und deren Unterordnung unter das Primat der Genitalien in der Kindheit nicht oder nur sehr unvollkommen durchgesetzt wird. Die Her-stellung dieses Primats im Dienste der Fortpflanzung ist also die letzte Phase, welche die Sexualorganisation durchläuft.*

* Diese Darstellung habe ich später (1923) selbst dahin verändert, daß ich nach den beiden prägenitalen Organisationen in die Kindheitsent-wicklung eine dritte Phase einschaltete, welche bereits den Namen einer genitalen verdient, ein Sexualobjekt und ein Maß von Konvergenz der Sexualstrebungen auf dies Objekt zeigt, sich aber in einem wesentlichen Punkt von der definitiven Organisation der Geschlechtsreife unterschei-det. Sie kennt nämlich nur eine Art von Genitale, das männliche. Ich habe sie darum die *phallische* Organisationsstufe genannt [Die infantile Genitalorganisation. Intern. Zeitschr. f. Psychoanalyse, IX, 1923; Ges. Werke, Bd. XIII, S. 291–298]. Ihr biologisches Vorbild ist nach *Abraham* din indifferente für beide Geschlechter gleichartige Genitalanlage des Embryos.

ZWEIZEITIGE OBJEKTWAHL. Man kann es als ein typisches Vorkommnis ansprechen, daß die Objektwahl zweizeitig, in zwei Schüben erfolgt. Der erste Schub nimmt in den Jahren zwischen zwei und fünf seinen Anfang und wird durch die Latenzzeit zum Stillstand oder zur Rückbildung gebracht; er ist durch die infantile Natur seiner Sexualziele ausgezeichnet. Der zweite setzt mit der Pubertät ein und bestimmt die definitive Gestaltung des Sexuallebens.

Die Tatsache der zweizeitigen Objektwahl, die sich im wesentlichen auf die Wirkung der Latenzzeit reduziert, wird aber höchst bedeutungsvoll für die Störung dieses Endzustandes. Die Ergebnisse der infantilen Objektwahl ragen in die spätere Zeit hinein; sie sind entweder als solche erhalten geblieben oder sie erfahren zur Zeit der Pubertät selbst eine Auffrischung. Infolge der Verdrängungsentwicklung, welche zwischen beiden Phasen liegt, erweisen sie sich als unverwendbar. Ihre Sexualziele haben eine Milderung erfahren, und sie stellen nun das dar, was wir als *zärtliche* Strömung des Sexuallebens bezeichnen können. Est die psychoanalytische Untersuchung kann nachweisen, daß sich hinter dieser Zärtlichkeit, Verehrung und Hochachtung die alten, jetzt unbrauchbar gewordenen Sexualstrebungen der infantilen Partialtriebe verbergen. Die Objektwahl der Pubertätszeit muß auf die infantilen Objekte verzichten und als *sinnliche* Strömung von neuem beginnen. Das Nichtzusammentreffen der beiden Strömungen hat oft genug die Folge, daß eines der Ideale des Sexuallebens, die Vereinigung aller Begehrungen in einem Objekt, nicht erreicht werden kann.

Quellen der infantilen Sexualität

In dem Bemühen, die Ursprünge des Sexualtriebes zu verfolgen, haben wir bisher gefunden, daß die sexuelle Erregung entsteht *a)* als Nachbildung einer im Anschluß an andere organische Vorgänge erlebten Befriedigung, *b)* durch geeignete peripherische Reizung erogener Zonen, *c)* als Ausdruck einiger uns in ihrer Herkunft noch nicht voll verständlicher ›Triebe‹ wie der Schautrieb und der Trieb der Grausamkeit. Die aus späterer Zeit auf die Kindheit zurückgreifende psychoanalytische Forschung und die gleichzeitige Beobachtung des Kindes wirken nun zusammen, um uns noch andere regelmäßig fließende Quellen für die sexuelle Erregung aufzuzeigen. Die Kindheitsbeobachtung hat den Nachteil, daß sie leicht mißzuverstehende Objekte bearbeitet, die Psychoanalyse wird dadurch erschwert, daß sie zu ihren Objekten wie zu ihren Schlüssen nur auf großen Umwegen gelangen kann; in ihrem Zusammenwirken erzielen aber beide Methoden einen genügenden Grad von Sicherheit der Erkenntnis.

Bei der Untersuchung der erogenen Zonen haben wir bereits gefunden, daß diese Hautstellen bloß eine besondere Steigerung einer Art von Reizbarkeit zeigen, welche in gewissem Grade der ganzen Hautoberfläche zukommt. Wir werden also nicht erstaunt sein zu erfahren, daß gewissen Arten allgemeiner Hautreizung sehr deutliche erogene Wirkungen zuzuschreiben sind. Unter diesen heben wir vor allem die Temperaturreize hervor; vielleicht wird so auch unser Verständnis für die therapeutische Wirkung warmer Bäder vorbereitet.

MECHANISCHE ERREGUNGEN. Ferner müssen wir hier die Erzeugung sexueller Erregung durch rhythmische mechanische Erschütterungen des Körpers anreihen, an denen wir dreierlei Reizeinwirkungen zu sondern haben, die auf den Sinnesapparat der Vestibularnerven, die auf die Haut und auf die tiefen Teile (Muskeln, Gelenkapparate). Wegen der dabei entstehenden Lustempfindungen — es ist der Hervorhebung wert, daß wir hier eine ganze Strecke weit ›sexuelle Erregung‹ und ›Befriedigung‹ unterschiedslos gebrauchen dürfen, und legt uns die Pflicht auf, später nach einer Erklärung zu suchen; — es ist also ein Beweis für die durch gewisse mechanische Körpererschütterungen erzeugte Lust, daß Kinder passive Bewegungsspiele, wie Schaukeln und Fliegenlassen, so sehr lieben und unaufhörlich nach Wiederholung davon verlangen.* Das Wiegen wird bekanntlich zur Einschläferung unruhiger Kinder regelmäßig angewendet. Die Erschütterungen der Wagenfahrt und später der Eisenbahnfahrt üben eine so faszinierende Wirkung auf ältere Kinder aus, daß wenigstens alle Knaben irgend einmal im Leben Kondukteure und Kutscher werden wollen. Den Vorgängen auf der Eisenbahn pflegen sie ein rätselhaftes Inter-

---

* Manche Personen wissen sich zu erinnern, daß sie beim Schaukeln den Anprall der bewegten Luft an den Genitalien direkt als sexuelle Lust verspürt haben.

esse von außerordentlicher Höhe zuzuwenden und dieselben im Alter der Phantasietätigkeit (kurz vor der Pubertät) zum Kern einer exquisit sexuellen Symbolik zu machen. Der Zwang zu solcher Verknüpfung des Eisenbahnfahrens mit der Sexualität geht offenbar von dem Lustcharakter der Bewegungsempfindungen aus. Kommt dann die Verdrängung hinzu, die so vieles von den kindlichen Bevorzugungen ins Gegenteil umschlagen läßt, so werden dieselben Personen als Heranwachsende oder Erwachsene auf Wiegen und Schaukeln mit Übelkeit reagieren, durch eine Eisenbahnfahrt furchtbar erschöpft werden oder zu Angstanfällen auf der Fahrt neigen und sich durch *Eisenbahnangst* vor der Wiederholung der peinlichen Erfahrung schützen.

Hier reiht sich dann — noch unverstanden — die Tatsache an, daß durch Zusammentreffen von Schreck und mechanischer Erschütterung die schwere hysteriforme traumatische Neurose erzeugt wird. Man darf wenigstens annehmen, daß diese Einflüsse, die in geringen Intensitäten zu Quellen sexueller Erregung werden, in übergroßem Maße einwirkend eine tiefe Zerrüttung des sexuellen Mechanismus oder Chemismus hervorrufen.

MUSKELTÄTIGKEIT. Daß ausgiebige aktive Muskeltätigkeit für das Kind ein Bedürfnis ist, aus dessen Befriedigung es außerordentliche Lust schöpft, ist bekannt. Ob diese Lust etwas mit der Sexualität zu tun hat, ob sie selbst sexuelle Befriedigung einschließt oder Anlaß zu sexueller Erregung werden kann, das mag kritischen Erwägungen unterliegen, die sich ja auch wohl gegen die im vorigen enthaltene Aufstellung richten werden, daß die Lust durch die Empfindungen passiver Bewegung sexueller Art ist oder sexuell erregend wirkt. Tatsache ist aber, daß eine Reihe von Personen berichten, sie hätten die ersten Zeichen der Erregtheit an ihren Genitalien während des Raufens oder Ringens mit ihren Gespielen erlebt, in welcher Situation außer der allgemeinen Muskelanstrengung noch die ausgiebige Hautberührung mit dem Gegner wirksam wird. Die Neigung zum Muskelstreit mit einer bestimmten Person, wie in späteren Jahren zum Wortstreit (»Was sich liebt, das neckt sich«), gehört zu den guten Vorzeichen der auf diese Person gerichteten Objektwahl. In der Beförderung der sexuellen Erregung durch Muskeltätigkeit wäre eine der Wurzeln des sadistischen Triebes zu erkennen. Für viele Individuen wird die infantile Verknüpfung zwischen Raufen und sexueller Erregung mitbestimmend für die später bevorzugte Richtung ihres Geschlechtstriebes.*

AFFEKTVORGÄNGE. Minderem Zweifel unterliegen die weiteren Quellen sexueller Erregung beim Kinde. Es ist leicht, durch gleichzeitige Beobachtung wie durch spätere Erforschung festzustellen, daß alle intensiveren Affektvorgänge, selbst die schreckhaften Erregungen auf die Sexualität übergreifen, was übrigens einen Beitrag zum Verständnis der pathogenen Wirkung solcher Gemütsbewegungen liefern kann. Beim Schulkinde kann die Angst, geprüft zu werden, die Spannung einer sich schwer lösenden Aufgabe, für den Durchbruch sexueller Äußerungen wie für das Verhältnis zur Schule bedeutsam werden, indem unter solchen Umständen häufig genug ein Reizgefühl auftritt, welches zur Berührung der Genitalien auffordert, oder ein pollutionsartiger Vorgang mit all seinen verwirrenden Folgen. Das Benehmen der Kinder in der Schule, welches den Lehrern Rätsel genug aufgibt, verdient überhaupt in Beziehung zur keimenden Sexualität derselben gesetzt zu werden. Die sexuell erregende Wirkung mancher an sich unlustigen Affekte, des Ängstigens, Schauderns, Grausens erhält sich bei einer großen Anzahl Menschen auch durchs reife Leben und ist wohl die Erklärung dafür, daß soviel Personen der Gelegenheit zu solchen Sensationen nachjagen, wenn nur gewisse Nebenumstände (die Angehörigkeit zu einer Scheinwelt, Lektüre, Theater) den Ernst der Unlustempfindung dämpfen.

Ließe sich annehmen, daß auch intensiven schmerzhaften Empfindungen die gleiche erogene Wirkung zukommt, zumal wenn der Schmerz durch eine Nebenbedingung abgetönt oder ferner gehalten wird, so läge in diesem Verhältnis eine der Hauptwurzeln für den masochistisch-sadistischen Trieb, in dessen vielfältige Zusammengesetztheit wir so allmählich Einblick gewinnen.**

---

* Die Analyse der Fälle von neurotischer Gehstörung und Raumangst hebt den Zweifel an der sexuellen Natur der Bewegungslust auf. Die moderne Kulturerziehung bedient sich bekanntlich des Sports im großen Umfang, um die Jugend von der Sexualbetätigung abzulenken; richtiger wäre es zu sagen, sie ersetzt ihr den Sexualgenuß durch die Bewegungslust und drängt die Sexualbetätigung auf eine ihrer autoerotischen Komponenten zurück.

** Der sogenannte ›erogene‹ Masochismus.

INTELLEKTUELLE ARBEIT. Endlich ist es unverkennbar, daß die Konzentration der Aufmerksamkeit auf eine intellektuelle Leistung und geistige Anspannung überhaupt bei vielen jugendlichen wie reiferen Personen eine sexuelle Miterregung zur Folge hat, die wohl als die einzig berechtigte Grundlage für die sonst so zweifelhafte Ableitung nervöser Störungen von geistiger ›Überarbeitung‹ zu gelten hat.

Überblicken wir nun nach diesen weder vollständig noch vollzählig mitgeteilten Proben und Andeutungen die Quellen der kindlichen Sexualerregung, so lassen sich folgende Allgemeinheiten ahnen oder erkennen: Es scheint auf die ausgiebigste Weise dafür gesorgt, daß der Prozeß der Sexualerregung — dessen Wesen uns nun freilich recht rätselhaft geworden ist — in Gang gebracht werde. Es sorgen dafür vor allem in mehr oder minder direkter Weise die Erregungen der sensiblen Oberflächen — Haut und Sinnesorgane —, am unmittelbarsten die Reizwirkungen auf gewisse als erogene Zonen zu bezeichnende Stellen. Bei diesen Quellen der Sexualerregung ist wohl die Qualität der Reize das Maßgebende, wenngleich das Moment der Intensität (beim Schmerz) nicht völlig gleichgültig ist. Aber überdies sind Veranstaltungen im Organismus vorhanden, welche zur Folge haben, daß die Sexualerregung als Nebenwirkung bei einer großen Reihe innerer Vorgänge entsteht, sobald die Intensität dieser Vorgänge nur gewisse quantitative Grenzen überstiegen hat. Was wir die Partialtriebe der Sexualität genannt haben, leitet sich entweder direkt aus diesen inneren Quellen der Sexualerregung ab oder setzt sich aus Beiträgen von solchen Quellen und von erogenen Zonen zusammen. Es ist möglich, daß nichts Bedeutsameres im Organismus vorfällt, was nicht seine Komponente zur Erregung des Sexualtriebes abzugeben hätte.

Es scheint mir derzeit nicht möglich, diese allgemeinen Sätze zu größerer Klarheit und Sicherheit zu bringen, und ich mache dafür zwei Momente verantwortlich, erstens die Neuheit der ganzen Betrachtungsweise und zweitens den Umstand, daß uns das Wesen der Sexualerregung völlig unbekannt ist. Doch möchte ich auf zwei Bemerkungen nicht verzichten, welche Ausblicke ins Weite zu eröffnen versprechen:

a) VERSCHIEDENE SEXUALKONSTITUTIONEN. So wie wir vorhin einmal die Möglichkeit sahen, eine Mannigfaltigkeit der angeborenen sexuellen Konstitutionen durch die verschiedenartige Ausbildung der erogenen Zonen zu begründen, so können wir nun das gleiche mit Einbeziehung der indirekten Quellen der Sexualerregung versuchen. Wir dürfen annehmen, daß diese Quellen zwar bei allen Individuen Zuflüsse liefern, aber nicht alle bei allen Personen gleich starke, und daß in der bevorzugten Ausbildung der einzelnen Quellen zur Sexualerregung ein weiterer Beitrag zur Differenzierung der verschiedenen Sexualkonstitutionen gelegen sein wird.*

b) WEGE WECHSELSEITIGER BEEINFLUSSUNG. Indem wir die solange festgehaltene figürliche Ausdrucksweise fallenlassen, in der wir von ›Quellen‹ der Sexualerregung sprachen, können wir auf die Vermutung gelangen, daß alle die Verbindungswege, die von anderen Funktionen her zur Sexualität führen, auch in umgekehrter Richtung gangbar sein müssen. Ist wie zum Beispiel der beiden Funktionen gemeinsame Besitz der Lippenzone der Grund dafür, daß bei der Nahrungsaufnahme Sexualbefriedigung entsteht, so vermittelt uns dasselbe Moment auch das Verständnis der Störungen in der Nahrungsaufnahme, wenn die erogenen Funktionen der gemeinsamen Zone gestört sind. Wissen wir einmal, daß Konzentration der Aufmerksamkeit Sexualerregung hervorzurufen vermag, so wird uns die Annahme nahegelegt, daß durch Einwirkung auf demselben Wege, nur in umgekehrter Richtung, der Zustand der Sexualerregung die Verfügbarkeit über die lenkbare Aufmerksamkeit beeinflußt. Ein gutes Stück der Symptomatologie der Neurosen, die ich von Störungen der Sexualvorgänge ableite, äußert sich in Störungen der anderen nicht sexuellen Körperfunktionen, und diese bisher unverständliche Einwirkung wird minder rätselhaft, wenn sie nur das Gegenstück zu den Beeinflussungen darstellt, unter denen die Produktion der Sexualerregung steht.

Die nämlichen Wege aber, auf denen Sexualstörungen auf die übrigen Körperfunktionen übergreifen, müßten auch in der Ge-

---

* Als unabweisbare Folgerung aus den obigen Ausführungen ergibt sich, daß jedem Individuum eine Oral-, Anal-, Harnerotik usw. zugesprochen werden muß, und daß die Konstatierung der diesen entsprechenden seelischen Komplexe kein Urteil auf Abnormität oder Neurose bedeutet. Die Unterschiede, die das Normale vom Abnormen trennen, können nur in der relativen Stärke der einzelnen Komponenten des Sexualtriebes und in der Verwendung liegen, die sie im Laufe der Entwicklung erfahren.

sundheit einer anderen wichtigen Leistung dienen. Auf ihnen müßte sich die Heranziehung der sexuellen Triebkräfte zu anderen als sexuellen Zielen, also die Sublimierung der Sexualität vollziehen. Wir müssen mit dem Eingeständnis schließen, daß über diese gewiß vorhandenen, wahrscheinlich nach beiden Richtungen gangbaren Wege noch sehr wenig Sicheres bekannt ist.

III

DIE UMGESTALTUNGEN DER PUBERTÄT

Mit dem Eintritt der Pubertät setzen die Wandlungen ein, welche das infantile Sexualleben in seine endgültige normale Gestaltung überführen sollen. Der Sexualtrieb war bisher vorwiegend autoerotisch, er findet nun das Sexualobjekt. Er betätigte sich bisher von einzelnen Trieben und erogenen Zonen aus, die unabhängig voneinander eine gewisse Lust als einziges Sexualziel suchten. Nun wird ein neues Sexualziel gegeben, zu dessen Erreichung alle Partialtriebe zusammenwirken, während die erogenen Zonen sich dem Primat der Genitalzone unterordnen.* Da das neue Sexualziel den beiden Geschlechtern sehr verschiedene Funktionen anweist, geht deren Sexualentwicklung nun weit auseinander. Die des Mannes ist die konsequentere, auch unserem Verständnis leichter zugängliche, während beim Weibe sogar eine Art Rückbildung auftritt. Die Normalität des Geschlechtslebens wird nur durch das exakte Zusammentreffen der beiden auf Sexualobjekt und Sexualziel gerichteten Strömungen, der zärtlichen und der sinnlichen, gewährleistet, von denen die erstere in sich faßt, was von der infantilen Frühblüte der Sexualität erübrigt. Es ist wie der Durchschlag eines Tunnels von beiden Seiten her.

Das neue Sexualziel besteht beim Manne in der Entladung der Geschlechtsprodukte; es ist dem früheren, der Erreichung von Lust keineswegs fremd, vielmehr ist der höchste Betrag von Lust

* Die im Text gegebene schematische Darstellung will die Differenzen hervorheben. Inwieweit sich die infantile Sexualität durch ihre Objektwahl und die Ausbildung der phallischen Phase der definitiven Sexualorganisation annähert, ist vorhin S. 71 ausgeführt worden.

an diesen Endakt des Sexualvorganges geknüpft. Der Sexualtrieb stellt sich jetzt in den Dienst der Fortpflanzungsfunktion; er wird sozusagen altruistisch. Soll diese Umwandlung gelingen, so muß beim Vorgang derselben mit den ursprünglichen Anlagen und allen Eigentümlichkeiten der Triebe gerechnet werden.

Wie bei jeder anderen Gelegenheit, wo im Organismus neue Verknüpfungen und Zusammensetzungen zu komplizierten Mechanismen stattfinden sollen, ist auch hier die Gelegenheit zu krankhaften Störungen durch Unterbleiben dieser Neuordnungen gegeben. Alle krankhaften Störungen des Geschlechtslebens sind mit gutem Rechte als Entwicklungshemmungen zu betrachten.

Das Primat der Genitalzonen und die Vorlust

Von dem beschriebenen Entwicklungsgang liegen Ausgang und Endziel klar vor unseren Augen. Die vermittelnden Übergänge sind uns noch vielfach dunkel; wir werden an ihnen mehr als ein Rätsel bestehen lassen müssen.

Man hat das Auffälligste an den Pubertätsvorgängen zum Wesentlichen derselben gewählt, das manifeste Wachstum der äußeren Genitalien, an denen sich die Latenzperiode der Kindheit durch relative Wachstumshemmung geäußert hatte. Gleichzeitig ist die Entwicklung der inneren Genitalien so weit vorgeschritten, daß sie Geschlechtsprodukte zu liefern, respektive zur Gestaltung eines neuen Lebewesens aufzunehmen vermögen. Ein höchst komplizierter Apparat ist so fertig geworden, der seiner Inanspruchnahme harrt.

Dieser Apparat soll durch Reize in Gang gebracht werden, und nun läßt uns die Beobachtung erkennen, daß Reize ihn auf dreierlei Wegen angreifen können, von der Außenwelt her durch Erregung der uns schon bekannten erogenen Zonen, von dem organischen Innern her auf noch zu erforschenden Wegen und von dem Seelenleben aus, welches selbst eine Aufbewahrungsstätte äußerer Eindrücke und eine Aufnahmestelle innerer Erregungen darstellt. Auf allen drei Wegen wird das nämliche hervorgerufen, ein Zustand, der als ›sexuelle Erregtheit‹ bezeichnet wird und sich durch zweierlei Zeichen kundgibt, seelische und somatische. Das seelische Anzeichen besteht in einem eigentümlichen Spannungsgefühl von höchst drängendem Charakter; unter den mannigfaltigen körperlichen steht an erster Stelle eine Reihe von Veränderungen an den Genitalien, die einen unzweifelhaften Sinn haben, den der Bereitschaft, der Vorbereitung zum Sexualakt. (Die Erektion des männlichen Gliedes, das Feuchtwerden der Scheide.)

DIE SEXUALSPANNUNG. An den Spannungscharakter der sexuellen Erregtheit knüpft ein Problem an, dessen Lösung ebenso schwierig wie für die Auffassung der Sexualvorgänge bedeutsam wäre. Trotz aller in der Psychologie darüber herrschenden Meinungsverschiedenheiten muß ich daran festhalten, daß ein Spannungsgefühl den Unlustcharakter an sich tragen muß. Für mich ist entscheidend, daß ein solches Gefühl den Drang nach Veränderung der psychischen Situation mit sich bringt, treibend wirkt, was dem Wesen der empfundenen Lust völlig fremd ist. Rechnet man aber die Spannung der sexuellen Erregtheit zu den Unlustgefühlen, so stößt man sich an der Tatsache, daß dieselbe unzweifelhaft lustvoll empfunden wird. Überall ist bei der durch die Sexualvorgänge erzeugten Spannung Lust dabei; selbst bei den Vorbereitungsveränderungen der Genitalien ist eine Art von Befriedigungsgefühl deutlich. Wie hängen nun diese Unlustspannung und dies Lustgefühl zusammen?

Alles, was mit dem Lust- und Unlustproblem zusammenhängt, rührt an eine der wundesten Stellen der heutigen Psychologie. Wir wollen versuchen, möglichst aus den Bedingungen des uns vorliegenden Falles zu lernen und es vermeiden, dem Problem in seiner Gänze näherzutreten.[11] Werfen wir zunächst einen Blick auf die Art, wie die erogenen Zonen sich der neuen Ordnung einfügen. Ihnen fällt eine wichtige Rolle bei der Einleitung der sexuellen Erregung zu. Die dem Sexualobjekt vielleicht entlegenste, das Auge, kommt unter den Verhältnissen der Objektwerbung am häufigsten in die Lage, durch jene besondere Qualität der Erregung, deren Anlaß wir am Sexualobjekt als Schönheit bezeichnen, gereizt zu werden. Die Vorzüge des Sexualobjektes werden darum auch ›Reize‹ geheißen. Mit dieser Reizung ist einerseits bereits Lust verbunden, andererseits ist eine Steigerung der sexuellen Erregtheit oder ein Hervorrufen derselben, wo sie noch fehlt, ihre Folge. Kommt die Erregung einer anderen erogenen Zone, zum Beispiel der tastenden Hand hinzu, so ist der Effekt der gleiche, Lustempfindung einerseits, die sich bald durch die Lust aus den Bereitschaftsveränderungen verstärkt, weitere Steigerung der Sexualspannung andererseits, die bald in deutlichste Unlust übergeht, wen ihr nicht gestattet wird, weitere Lust herbeizuführen. Durchsichtiger ist vielleicht noch ein anderer Fall, wenn zum Beispiel bei einer sexuell nicht erregten Person eine erogene Zone, etwa die Brusthaut eines Weibes, durch Berührung gereizt wird. Diese Berührung ruft bereits ein Lustgefühl hervor, ist aber gleichzeitig wie nichts anderes geeignet, die sexuelle Erregung zu wecken, die nach einem Mehr von Lust verlangt. Wie es zugeht, daß die empfundene Lust das Bedürfnis nach größerer Lust hervorruft, das ist eben das Problem.

VORLUST-MECHANISMUS. Die Rolle aber, die dabei den erogenen Zonen zufällt, ist klar. Was für eine galt, gilt für alle. Sie werden sämtlich dazu verwendet, durch ihre geeignete Reizung einen gewissen Betrag von Lust zu liefern, von dem die Steigerung der Spannung ausgeht, welche ihrerseits die nötige motorische Energie aufzubringen hat, um den Sexualakt zu Ende zu führen. Das vorletzte Stück desselben ist wiederum die geeignete Reizung einer erogenen Zone, der Genitalzone selbst an der Glans Penis, durch das dazu geeignetste Objekt, die Schleimhaut der Scheide, und unter der Lust, welche diese Erregung gewährt, wird diesmal auf reflektorischem Wege die motorische Energie gewonnen, welche die Herausbeförderung der Geschlechtsstoffe besorgt. Diese letzte Lust ist ihrer Intensität nach die höchste, in ihrem Mechanismus von der früheren verschieden. Sie wird ganz durch Entlastung hervorgerufen, ist ganz Befriedigungslust und mit ihr erlischt zeitweilig die Spannung der Libido.

Es scheint mir nicht unberechtigt, diesen Unterschied in dem Wesen der Lust durch Erregung erogener Zonen und der anderen bei Entleerung der Sexualstoffe durch eine Namengebung zu fixieren. Die erstere kann passend als *Vorlust* bezeichnet werden im Gegensatz zur *Endlust* oder Befriedigungslust der Sexualtätigkeit. Die Vorlust ist dann dasselbe, was bereits der infantile Sexualtrieb, wenngleich in verjüngtem Maße, ergeben konnte; die Endlust ist neu, also wahrscheinlich an Bedingungen geknüpft, die erst mit der Pubertät eingetreten sind. Die Formel für die neue Funktion der erogenen Zonen lautete nun: Sie werden dazu verwendet, um mittels der von ihnen wie im infantilen Leben zu gewinnenden Vorlust die Herbeiführung der größeren Befriedigungslust zu ermöglichen.

Ich habe vor kurzem ein anderes Beispiel, aus einem ganz verschiedenen Gebiet des seelischen Geschehens erläutern können, in welchem gleichfalls ein größerer Lusteffekt vermöge einer geringfügigeren Lustempfindung, die dabei wie eine Verlockungsprämie wirkt, erzielt wird. Dort ergab sich auch die Gelegenheit, auf das Wesen der Lust näher einzugehen.[12]

GEFAHREN DER VORLUST. Der Zusammenhang der Vorlust aber mit dem infantilen Sexualleben wird durch die pathogene Rolle, die ihr zufallen kann, bekräftigt. Aus dem Mechanismus, in dem die Vorlust aufgenommen ist, ergibt sich für die Erreichung des normalen Sexualzieles offenbar eine Gefahr, die dann eintritt, wenn an irgendeiner Stelle der vorbereitenden Sexualvorgänge die Vorlust zu groß, ihr Spannungsanteil zu gering ausfallen sollte. Dann entfällt die Triebkraft, um den Sexualvorgang weiter fortzusetzen, der ganze Weg verkürzt sich, die betreffende vorbereitete Aktion tritt an Stelle des normalen Sexualziels. Dieser schädliche Fall hat erfahrungsgemäß zur Bedingung, daß die betreffende erogene Zone oder der entsprechende Partialtrieb schon im infantilen Leben in ungewöhnlichem Maße zur Lustgewinnung beigetragen hatte. Kommen noch Momente hinzu, welche auf die Fixierung hinwirken, so entsteht leicht fürs spätere Leben ein Zwang, welcher sich der Einordnung dieser einen Vorlust in einen neuen Zusammenhang widersetzt. Solcherart ist in der Tat der Mechanismus vieler Perversionen, die ein Verweilen bei vorbereitenden Akten des Sexualvorganges darstellen.

Das Fehlschlagen der Funktion des Sexualmechanismus durch die Schuld der Vorlust wird am ehesten vermieden, wenn das Primat der Genitalzonen gleichfalls bereits im infantilen Leben vorgezeichnet ist. Dazu scheinen die Anstalten wirklich in der zweiten Hälfte der Kinderzeit (von acht Jahren bis zur Pubertät) getroffen zu sein. Die Genitalzonen benehmen sich in diesen Jahren bereits in ähnlicher Weise wie zur Zeit der Reife, sie werden der Sitz von Erregungssensationen und Bereitschaftsveränderungen, wenn irgendwelche Lust durch Befriedigung anderer erogener Zonen empfunden wird, obwohl dieser Effekt noch zwecklos bleibt, das heißt nicht dazu beiträgt, den Sexualvorgang fortzusetzen. Es entsteht also bereits in den Kinderjahren neben der Befriedigungslust ein gewisser Betrag von Sexualspannung, obwohl minder konstant und weniger ausgiebig, und nun können wir verstehen, warum wir bei der Erörterung der Quellen der Sexualität mit ebenso gutem Recht sagen konnten, der betreffende Vorgang wirke sexuell befriedigend, wie er wirke sexuell erregend. Wir merken, daß wir auf dem Wege zur Erkenntnis uns die Unterschiede des infantilen und des reifen Sexuallebens zunächst übertrieben groß vorgestellt haben, und tragen nun die Korrektur nach. Nicht nur die Abweichungen vom normalen Sexualleben, sondern auch die normale Gestaltung desselben wird durch die infantilen Äußerungen der Sexualität bestimmt.

Das Problem der Sexualerregung

Es ist uns durchaus unaufgeklärt geblieben, woher die Sexualspannung rührt, die bei der Befriedigung erogener Zonen gleichzeitig mit der Lust entsteht, und welches das Wesen derselben ist.* Die nächste Vermutung, diese Spannung ergebe sich irgendwie aus der Lust selbst, ist nicht nur an sich sehr unwahrscheinlich, sie wird auch hinfällig, da bei der größten Lust, die an die Entleerung der Geschlechtsprodukte geknüpft ist, keine Spannung erzeugt, sondern alle Spannung aufgehoben wird. Lust und Sexualspannung können also nur in indirekter Weise zusammenhängen.

ROLLE DER SEXUALSTOFFE. Außer der Tatsache, daß normalerweise allein die Entlastung von den Sexualstoffen der Sexualerregung ein Ende macht, hat man noch andere Anhaltspunkte, die Sexualspannung in Beziehung zu den Sexualprodukten zu bringen. Bei enthaltsamem Leben pflegt der Geschlechtsapparat in wechselnden, aber nicht regellosen Perioden nächtlicherweise sich unter Lustempfindung und während der Traumhalluzination eines sexuellen Aktes der Sexualstoffe zu entledigen, und für diesen Vorgang — die nächtliche Pollution — ist die Auffassung schwer abzuweisen, daß die Sexualspannung, die den kurzen halluzinato-

---

* Es ist überaus lehrreich, daß die deutsche Sprache der im Text erwähnten Rolle der vorbereitenden sexuellen Erregungen, welche gleichzeitig einen Anteil Befriedigung und einen Beitrag zur Sexualspannung liefern, im Gebrauche des Wortes ›Lust‹ Rechnung trägt. ›Lust‹ ist doppelsinnig und bezeichnet ebensowohl die Empfindung der Sexualspannung (Ich habe Lust = ich möchte, ich verspüre den Drang) als auch die der Befriedigung.

rischen Weg zum Ersatz des Aktes zu finden weiß, eine Funktion der Samenanhäufung in den Reservoirs für die Geschlechtsprodukte sei. Im gleichen Sinne sprechen die Erfahrungen, die man über die Erschöpfbarkeit des sexuellen Mechanismus macht. Bei entleertem Samenvorrat ist nicht nur die Ausführung des Sexualaktes unmöglich, es versagt auch die Reizbarkeit der erogenen Zonen, deren geeignete Erregung dann keine Lust hervorrufen kann. Wir erfahren so nebenbei, daß ein gewisses Maß sexueller Spannung selbst für die Erregbarkeit der erogenen Zonen erforderlich ist.

Man würde so zur Annahme gedrängt, die, wenn ich nicht irre, ziemlich allgemein verbreitet ist, daß die Anhäufung der Sexualstoffe die Sexualspannung schafft und unterhält, etwa indem der Druck dieser Produkte auf die Wandung ihrer Behälter als Reiz auf ein spinales Zentrum wirkt, dessen Zustand von höheren Zentren wahrgenommen wird und dann für das Bewußtsein die bekannte Spannungsempfindung ergibt. Wenn die Erregung erogener Zonen die Sexualspannung steigert, so könnte dies nur so zugehen, daß die erogenen Zonen in vorgebildeter anatomischer Verbindung mit diesen Zentren stehen, den Tonus der Erregung daselbst erhöhen, bei genügender Sexualspannung den sexuellen Akt in Gang bringen und bei ungenügender die Produktion der Geschlechtsstoffe anregen.

Die Schwäche dieser Lehre, die man z. B. in *v. Krafft-Ebings* Darstellung der Sexualvorgänge angenommen findet, liegt darin, daß sie, für die Geschlechtstätigkeit des reifen Mannes geschaffen, auf dreierlei Verhältnisse wenig Rücksicht nimmt, deren Aufklärung sie gleichfalls liefern sollte. Es sind dies die Verhältnisse beim Kinde, beim Weibe und beim männlichen Kastraten. In allen drei Fällen ist von einer Anhäufung von Geschlechtsprodukten im gleichen Sinne wie beim Manne nicht die Rede, was die glatte Anwendung des Schemas erschwert; doch ist ohneweiters zuzugeben, daß sich Auskünfte finden ließen, welche die Unterordnung auch dieser Fälle ermöglichen würden. Auf jeden Fall bleibt die Warnung bestehen, dem Faktor der Anhäufung der Geschlechtsprodukte nicht Leistungen aufzubürden, deren er unfähig scheint.

EINSCHÄTZUNG DER INNEREN GESCHLECHTSTEILE. Daß die Sexualerregung in beachtenswertem Grade unabhängig von der Produktion der Geschlechtsstoffe sein kann, scheinen die Beobachtungen an männlichen Kastraten zu ergeben, bei denen gelegentlich die Libido der Beeinträchtigung durch die Operation entgeht, wenngleich das entgegengesetzte Verhalten, das ja die Operation motiviert, die Regel ist. Überdies weiß man ja längst, daß Krankheiten, welche die Produktion der männlichen Geschlechtszellen vernichtet haben, die Libido und Potenz des nun sterilen Individuums ungeschädigt lassen. Es ist dann keineswegs so verwunderlich, wie *C. Rieger* es hinstellt, daß der Verlust der männlichen Keimdrüsen im reiferen Alter ohne weiteren Einfluß auf das seelische Verhalten des Individuums bleiben kann. Die im zarten Alter vor der Pubertät vorgenommene Kastration nähert sich zwar in ihrer Wirkung dem Ziel einer Aufhebung der Geschlechtscharaktere, allein auch dabei könnte außer dem Verlust der Geschlechtsdrüsen an sich eine mit deren Wegfall verknüpfte Entwicklungshemmung anderer Faktoren in Betracht kommen.

CHEMISCHE THEORIE. Tierversuche mit Entfernung der Keimdrüsen (Hoden und Ovarien) und entsprechend variierter Einpflanzung neuer solcher Organe bei Wirbeltieren (s. das zitierte Werk von *Lipschütz*, S. 13) haben endlich ein partielles Licht auf die Herkunft der Sexualerregung geworfen und dabei die Bedeutung einer etwaigen Anhäufung der zelligen Geschlechtsprodukte noch weiter zurückgedrängt. Es ist dem Experiment möglich geworden *(E. Steinach)*, ein Männchen in ein Weibchen und umgekehrt ein Weibchen in eine Männchen zu verwandeln, wobei sich das psychosexuelle Verhalten des Tieres entsprechend den somatischen Geschlechtscharakteren und gleichzeitig mit ihnen änderte. Dieser geschlechtsbestimmende Einfluß soll aber nicht dem Anteil der Keimdrüse zukommen, welcher die spezifischen Geschlechtszellen (Samenfäden und Ei) erzeugt, sondern dem interstitiellen Gewebe derselben, welches darum von den Autoren als ›Pubertätsdrüse‹ hervorgehoben wird. Es ist sehr wohl möglich, daß weitere Untersuchungen ergeben, die Pubertätsdrüse sei normalerweise zwittrig angelegt, wodurch die Lehre von der Bisexualität der höheren Tiere anatomisch begründet würde, und es ist schon jetzt wahrscheinlich, daß sie nicht das einzige Organ ist, welches mit der Produktion der Sexualerregung und der Geschlechtscharaktere zu tun hat. Jedenfalls schließt dieser neue biologische Fund an das an, was wir schon vorher über die Rolle der Schilddrüse für die Sexualität erfahren haben. Wir dürfen nun glauben, daß im interstiti-

ellen Anteil der Keimdrüsen besondere chemische Stoffe erzeugt
werden, die vom Blutstrom aufgenommen die Ladung bestimmter
Anteile des Zentralnervensystems mit sexueller Spannung zustande kommen lassen, wie wir ja solche Umsetzung eines toxischen Reizes in einen besonderen Organreiz von anderen dem Körper als fremd eingeführten Giftstoffen kennen. Wie die Sexualerregung durch Reizung erogener Zonen bei vorheriger Ladung der
zentralen Apparate entsteht, und welche Verwicklungen von rein
toxischen und physiologischen Reizwirkungen sich bei diesen
Sexualvorgängen ergeben, das auch nur hypothetisch zu behan-
deln, kann keine zeitgemäße Aufgabe sein. Es genüge uns als wesentlich an dieser Auffassung der Sexualvorgänge, die Annahme
besonderer, dem Sexualstoffwechsel entstammender Stoffe festzuhalten. Denn diese anscheinend willkürliche Aufstellung wird
durch eine wenig beachtete, aber höchst beachtenswerte Einsicht
unterstützt. Die Neurosen, welche sich nur auf Störungen des
Sexuallebens zurückführen lassen, zeigen die größte klinische
Ähnlichkeit mit den Phänomenen der Intoxikation und Abstinenz,
welche sich durch die habituelle Einführung Lust erzeugender
Giftstoffe (Alkaloide) ergeben.

Die Libidotheorie

Mit diesen Vermutungen über die chemische Grundlage der
Sexualerregung stehen in guter Übereinstimmung die Hilfsvor-
stellungen, die wir uns zur Bewältigung der psychischen Äußerungen des Sexuallebens geschaffen haben. Wir haben uns den
Begriff der *Libido* festgelegt als einer quantitativ veränderlichen
Kraft, welche Vorgänge und Umsetzungen auf dem Gebiete der
Sexualerregung messen könnte. Diese Libido sondern wir von
der Energie, die den seelischen Prozessen allgemein unterzulegen
ist, mit Beziehung auf ihren besonderen Ursprung und verleihen
ihr so auch einen qualitativen Charakter. In der Sonderung von
libidinöser und anderer psychischer Energie drücken wir die Voraussetzung aus, daß sich die Sexualvorgänge des Organismus
durch einen besonderen Chemismus von den Ernährungsvorgän-
gen unterscheiden. Die Analyse der Perversionen und Psychoneurosen hat uns zur Einsicht gebracht, daß diese Sexualerregung nicht
von den sogenannten Geschlechtsteilen allein, sondern von allen

Körperorganen geliefert wird. Wir bilden uns also die Vorstellung eines Libidoquantums, dessen psychische Vertretung wir die *Ichlibido* heißen, dessen Produktion, Vergrößerung oder Verminderung, Verteilung und Verschiebung uns die Erklärungsmöglichkeiten für die beobachteten psychosexuellen Phänomene bieten soll.

Dem analytischen Studium bequem zugänglich wird diese Ichlibido aber nur, wenn sie die psychische Verwendung zur Besetzung von Sexualobjekten gefunden hat, also zur *Objektlibido* geworden ist. Wir sehen sie dann sich auf Objekte konzentrieren, an ihnen fixieren oder aber diese Objekte verlassen, von ihnen auf andere übergehen und von diesen Positionen aus die Sexualbetätigung des Individuums lenken, die zur Befriedigung, das heißt zum partiellen und zeitweisen Erlöschen der Libido führt. Die Psychoanalyse der sogenannten Übertragungsneurosen (Hysterie und Zwangsneurose) gestattet uns hier einen sicheren Einblick.

Von den Schicksalen der Objektlibido können wir noch erkennen, daß sie von den Objekten abgezogen, in besonderen Spannungszuständen schwebend erhalten und endlich ins Ich zurückgeholt wird, so daß sie wieder zur Ichlibido geworden ist. Die Ichlibido heißen wir im Gegensatz zur Objektlibido auch *narzißtische* Libido. Von der Psychoanalyse aus schauen wir wie über eine Grenze, deren Überschreitung uns nicht gestattet ist, in das Getriebe der narzißtischen Libido hinein und bilden uns eine Vorstellung von dem Verhältnis der beiden.* Die narzißtische oder Ichlibido erscheint uns als das große Reservoir, aus welchem die Objektbesetzungen ausgeschickt und in welches sie wieder einbezogen werden, die narzißtische Libidobesetzung des Ichs als der in der ersten Kindheit realisierte Urzustand, welcher durch die späteren Aussendungen der Libido nur verdeckt wird, im Grunde hinter denselben erhalten geblieben ist.

Die Aufgabe einer Libidotheorie der neurotischen und psychotischen Störungen müßte sein, alle beobachteten Phänomene und erschlossenen Vorgänge in den Terminis der Libidoökonomie auszudrücken. Es ist leicht zu erraten, daß den Schicksalen der Ichlibido dabei die größere Bedeutung zufallen wird, besonders wo

* Diese Beschränkung hat nicht mehr ihre frühere Giltigkeit, seitdem auch andere als die ›Übertragungsneurosen‹ der Psychoanalyse in größerem Ausmaße zugänglich geworden sind.

es sich um die Erklärung der tieferen psychotischen Störungen handelt. Die Schwierigkeit liegt dann darin, daß das Mittel unserer Untersuchung, die Psychoanalyse, uns vorläufig nur über die Wandlungen an der Objektlibido sichere Auskunft bringt*, die Ichlibido aber von den anderen im Ich wirkenden Energien nicht ohneweiters zu scheiden vermag.[13] Eine Fortführung der Libidotheorie ist deshalb vorläufig nur auf dem Wege der Spekulation möglich. Man verzichtet aber auf allen Gewinn aus der bisherigen psychoanalytischen Beobachtung, wenn man nach dem Vorgang von C. G. *Jung* den Begriff der Libido selbst verflüchtigt, indem man sie mit der psychischen Triebkraft überhaupt zusammenfallen läßt.

Die Sonderung der sexuellen Triebregungen von den anderen und somit die Einschränkung des Begriffes Libido auf diese ersteren findet eine starke Unterstützung in der vorhin erörterten Annahme eines besonderen Chemismus der Sexualfunktion.

Differenzierung von Mann und Weib

Es ist bekannt, daß erst mit der Pubertät sich die scharfe Sonderung des männlichen und weiblichen Charakters herstellt, ein Gegensatz, der dann wie kein anderer die Lebensgestaltung der Menschen entscheidend beeinflußt. Männliche und weibliche Anlage sind allerdings schon im Kindesalter gut kenntlich; die Entwicklung der Sexualitätshemmungen (Scham, Ekel, Mitleid usw.) erfolgt beim kleinen Mädchen frühzeitiger und gegen geringeren Widerstand als beim Knaben; die Neigung zur Sexualverdrängung erscheint überhaupt größer; wo sich Partialtriebe der Sexualität bemerkbar machen, bevorzugen sie die passive Form. Die autoerotische Betätigung der erogenen Zonen ist aber bei beiden Geschlechtern die nämliche und durch diese Übereinstimmung ist die Möglichkeit eines Geschlechtsunterschiedes, wie er sich nach der Pubertät herstellt, für die Kindheit aufgehoben. Mit Rücksicht auf die autoerotischen und masturbatorischen Sexualäußerungen könnte man den Satz aufstellen, die Sexualität der kleinen Mädchen habe durchaus männlichen Charakter. Ja, wüßte man den Begriffen ›männlich und weiblich‹ einen bestimmteren Inhalt zu geben, so ließe sich auch die Behauptung vertreten, die Libido sei

* Siehe obige Anmerkung.

regelmäßig und gesetzmäßig männlicher Natur, ob sie nun beim Manne oder beim Weibe vorkomme und abgesehen von ihrem Objekt, mag dies der Mann oder das Weib sein.*

Seitdem ich mit dem Gesichtspunkte der Bisexualität bekannt geworden bin, halte ich dieses Moment für das hier maßgebende und meine, ohne der Bisexualität Rechnung zu tragen, wird man kaum zum Verständnis der tatsächlich zu beobachtenden Sexualäußerungen von Mann und Weib gelangen können.

LEITZONEN BEI MANN UND WEIB. Von diesen abgesehen, kann ich nur noch folgendes hinzufügen: Die leitende erogene Zone ist auch beim weiblichen Kinde an der Klitoris gelegen, der männlichen Genitalzone an der Eichel also homolog. Alles, was ich über Masturbation bei kleinen Mädchen in Erfahrung bringen konnte, betraf die Klitoris und nicht die für die späteren Geschlechtsfunk-

* Es ist unerläßlich, sich klar zu machen, daß die Begriffe ›männlich‹ und ›weiblich‹, deren Inhalt der gewöhnlichen Meinung so unzweideutig erscheint, in der Wissenschaft zu den verworrensten gehören und nach mindestens *drei* Richtungen zu zerlegen sind. Man gebraucht männlich und weiblich bald im Sinne von *Aktivität* und *Passivität*, bald im *biologischen* und dann auch im *soziologischen* Sinne. Die erste dieser drei Bedeutungen ist die wesentliche und die in der Psychoanalyse zumeist verwertbare. Ihr entspricht es, wenn die Libido oben im Text als männlich bezeichnet wird, denn der Trieb ist immer aktiv, auch wo er sich ein passives Ziel gesetzt hat. Die zweite, biologische Bedeutung von männlich und weiblich ist die, welche die klarste Bestimmung zuläßt. Männlich und weiblich sind hier durch die Anwesenheit der Samen-, respektive Eizelle und durch die von ihnen ausgehenden Funktionen charakterisiert. Die Aktivität und ihre Nebenäußerungen, stärkere Muskelentwicklung, Aggression, größere Intensität der Libido, sind in der Regel mit der biologischen Männlichkeit verlötet, aber nicht notwendigerweise verknüpft, denn es gibt Tiergattungen, bei denen diese Eigenschaften vielmehr dem Weibchen zugeteilt sind. Die dritte, soziologische Bedeutung erhält ihren Inhalt durch die Beobachtung der wirklich existierenden männlichen und weiblichen Individuen. Diese ergibt für den Menschen, daß weder im psychologischen noch im biologischen Sinne eine reine Männlichkeit oder Weiblichkeit gefunden wird. Jede Einzelperson weist vielmehr eine Vermengung ihres biologischen Geschlechtscharakters mit biologischen Zügen des anderen Geschlechts und eine Vereinigung von Aktivität und Passivität auf, sowohl insofern diese psychischen Charakterzüge von den biologischen abhängen als auch insoweit sie unabhängig von ihnen sind.

tionen bedeutsamen Partien des äußeren Genitales. Ich zweifle selbst daran, daß das weibliche Kind unter dem Einflusse der Verführung zu etwas anderem als zur Klitorismasturbation gelangen kann, es sei denn ganz ausnahmsweise. Die gerade bei kleinen Mädchen so häufigen Spontanentladungen der sexuellen Erregtheit äußern sich in Zuckungen der Klitoris, und die häufigen Erektionen derselben ermöglichen es den Mädchen, die Sexualäußerungen des anderen Geschlechts auch ohne Unterweisung richtig zu beurteilen, indem sie einfach die Empfindungen der eigenen Sexualvorgänge auf die Knaben übertragen.

Will man das Weibwerden des kleinen Mädchens verstehen, so muß man die weiteren Schicksale dieser Klitoriserregbarkeit verfolgen. Die Pubertät, welche dem Knaben jenen großen Vorstoß der Libido bringt, kennzeichnet sich für das Mädchen durch eine neuerliche Verdrängungswelle, von der gerade die Klitorissexualität betroffen wird. Es ist ein Stück männlichen Sexuallebens, was dabei der Verdrängung verfällt. Die bei dieser Pubertätsverdrängung des Weibes geschaffene Verstärkung der Sexualhemmnisse ergibt dann einen Reiz für die Libido des Mannes und nötigt dieselbe zur Steigerung ihrer Leistungen: mit der Höhe der Libido steigt dann auch die Sexualüberschätzung, die nur für das sich weigernde, seine Sexualität verleugnende Weib im vollen Maße zu haben ist. Die Klitoris behält dann die Rolle, wenn sie beim endlich zugelassenen Sexualakt selbst erregt wird, diese Erregung an die benachbarten weiblichen Teile weiterzuleiten, etwa wie ein Span Kienholz dazu benützt werden kann, das härtere Brennholz in Brand zu setzen. Es nimmt oft eine gewisse Zeit in Anspruch, bis sich diese Übertragung vollzogen hat, während welcher dann das junge Weib anästhetisch ist. Diese Anästhesie kann eine dauernde werden, wenn die Klitoriszone ihre Erregbarkeit abzugeben sich weigert, was gerade durch ausgiebige Betätigung im Kinderleben vorbereitet wird. Es ist bekannt, daß die Anästhesie der Frauen häufig nur eine scheinbare, eine lokale ist. Sie sind anästhetisch am Scheideneingang, aber keineswegs unerregbar von der Klitoris oder selbst von anderen Zonen aus. Zu diesen erogenen Anlässen der Anästhesie gesellen sich dann noch die psychischen, gleichfalls durch Verdrängung bedingten.

Ist die Übertragung der erogenen Reizbarkeit von der Klitoris auf den Scheideneingang gelungen, so hat damit das Weib seine für die spätere Sexualbetätigung leitende Zone gewechselt, während der Mann die seinige von der Kindheit an beibehalten hat. In diesem Wechsel der leitenden erogenen Zone sowie in dem Verdrängungsschub der Pubertät, der gleichsam die infantile Männlichkeit beiseite schafft, liegen die Hauptbedingungen für die Bevorzugung des Weibes zur Neurose, insbesondere zur Hysterie. Diese Bedingungen hängen also mit dem Wesen der Weiblichkeit innigst zusammen.

Die Objektfindung

Während durch die Pubertätsvorgänge das Primat der Genitalzonen festgelegt wird und das Vordrängen des erigiert gewordenen Gliedes beim Manne gebieterisch auf das neue Sexualziel hinweist, auf das Eindringen in eine die Genitalzone erregende Körperhöhle, vollzieht sich von psychischer Seite her die Objektfindung, für welche von der frühesten Kindheit an vorgearbeitet worden ist. Als die anfänglichste Sexualbefriedigung noch mit der Nahrungsaufnahme verbunden war, hatte der Sexualtrieb ein Sexualobjekt außerhalb des eigenen Körpers in der Mutterbrust. Er verlor es nur später, vielleicht gerade zur Zeit, als es dem Kinde möglich wurde, die Gesamtvorstellung der Person, welcher das ihm Befriedigung spendende Organ angehörte, zu bilden. Der Geschlechtstrieb wird dann in der Regel autoerotisch und erst nach Überwindung der Latenzzeit stellt sich das ursprüngliche Verhältnis wieder her. Nicht ohne guten Grund ist das Saugen des Kindes an der Brust der Mutter vorbildlich für jede Liebesbeziehung geworden. Die Objektfindung ist eigentlich eine Wiederfindung.*

SEXUALOBJEKT DER SÄUGLINGSZEIT. Aber von dieser ersten und wichtigsten aller sexuellen Beziehungen bleibt auch nach der Abtrennung der Sexualtätigkeit von der Nahrungsaufnahme ein wichtiges Stück übrig, welches die Objektwahl vorbereiten, das verlorene Glück also wiederherstellen hilft. Die ganze Latenzzeit über

---

* Die Psychoanalyse lehrt, daß es zwei Wege der Objektfindung gibt, erstens die im Text besprochene, die in *Anlehnung* an die frühinfantilen Vorbilder vor sich geht, und zweitens die *narzißtische*, die das eigene Ich sucht und im anderen wiederfindet. Diese letztere hat eine besonders große Bedeutung für die pathologischen Ausgänge, fügt sich aber nicht in den hier behandelten Zusammenhang.

lernt das Kind andere Personen, die seiner Hilflosigkeit abhelfen und seine Bedürfnisse befriedigen, *lieben*, durchaus nach dem Muster und in Fortsetzung seines Säuglingsverhältnisses zur Amme. Man wird sich vielleicht sträuben wollen, die zärtlichen Gefühle und die Wertschätzung des Kindes für seine Pflegepersonen mit der geschlechtlichen Liebe zu identifizieren, allein ich meine, eine genauere psychologische Untersuchung wird diese Identität über jeden Zweifel hinaus feststellen können. Der Verkehr des Kindes mit seiner Pflegeperson ist für dasselbe eine unaufhörlich fließende Quelle sexueller Erregung und Befriedigung von erogenen Zonen aus, zumal da letztere — in der Regel doch die Mutter — das Kind selbst mit Gefühlen bedenkt, die aus ihrem Sexualleben stammen, es streichelt, küßt und wiegt und ganz deutlich zum Ersatz für ein vollgültiges Sexualobjekt nimmt.* Die Mutter würde wahrscheinlich erschrecken, wenn man ihr die Aufklärung gäbe, daß sie mit all ihren Zärtlichkeiten den Sexualtrieb ihres Kindes weckt und dessen spätere Intensität vorbereitet. Sie hält ihr Tun für asexuelle ›reine‹ Liebe, da sie es doch sorgsam vermeidet, den Genitalien des Kindes mehr Erregungen zuzuführen, als bei der Körperpflege unumgänglich ist. Aber der Geschlechtstrieb wird nicht nur durch Erregung der Genitalzone geweckt, wie wir ja wissen; was wir Zärtlichkeit heißen, wird unfehlbar eines Tages seine Wirkung auch auf die Genitalzonen äußern. Verstünde die Mutter mehr von der hohen Bedeutung der Triebe für das gesamte Seelenleben, für alle ethischen und psychischen Leistungen, so würde sie sich übrigens auch nach der Aufklärung alle Selbstvorwürfe ersparen. Sie erfüllt nur ihre Aufgabe, wenn sie das Kind lieben lehrt; es soll ja ein tüchtiger Mensch mit energischem Sexualbedürfnis werden und in seinem Leben all das vollbringen, wozu der Trieb den Menschen drängt. Ein Zuviel von elterlicher Zärtlichkeit wird freilich schädlich werden, indem es die sexuelle Reifung beschleunigt, auch dadurch, daß es das Kind ›verwöhnt‹, es unfähig macht, im späteren Leben auf Liebe zeitweilig zu verzichten oder sich mit einem geringeren Maß davon zu begnügen. Es ist eines der besten Vorzeichen späterer Nervosität, wenn das Kind sich unersättlich in seinem Verlangen nach Zärtlichkeit der Eltern erweist, und anderseits werden gerade neuropathische Eltern, die ja meist

* Wem diese Auffassung ›frevelhaft‹ dünkt, der lese die fast gleichsinnige Behandlung des Verhältnisses zwischen Mutter und Kind bei *Havelock Ellis* nach. (Das Geschlechtsgefühl, S. 16).

zur maßlosen Zärtlichkeit neigen, durch ihre Liebkosungen die Dispositionen des Kindes zur neurotischen Erkrankung am ehesten erwecken. Man ersieht übrigens aus diesem Beispiel, daß es für neurotische Eltern direktere Wege als den der Vererbung gibt, ihre Störung auf die Kinder zu übertragen.

INFANTILE ANGST. Die Kinder selbst benehmen sich von frühen Jahren an, als sei ihre Anhänglichkeit an ihre Pflegeperson von der Natur der sexuellen Liebe. Die Angst der Kinder ist ursprünglich nichts anderes als der Ausdruck dafür, daß sie die geliebte Person vermissen; sie kommen darum jedem Fremden mit Angst entgegen; sie fürchten sich in der Dunkelheit, weil man in dieser die geliebte Person nicht sieht, und lassen sich beruhigen, wenn sie dieselbe in der Dunkelheit bei der Hand fassen können. Man überschätzt die Wirkung aller Kinderschrecken und gruseligen Erzählungen der Kinderfrauen, wenn man diesen Schuld gibt, daß sie die Ängstlichkeit der Kinder erzeugen. Kinder, die zur Ängstlichkeit neigen, nehmen nur solche Erzählungen auf, die an anderen durchaus nicht haften wollen; und zur Ängstlichkeit neigen nur Kinder mit übergroßem oder vorzeitig entwickeltem oder durch Verzärtelung anspruchsvoll gewordenem Sexualtrieb. Das Kind benimmt sich hierbei wie der Erwachsene, indem es seine Libido in Angst verwandelt, sowie es sie nicht zur Befriedigung zu bringen vermag, und der Erwachsene wird sich dafür, wenn er durch unbefriedigte Libido neurotisch geworden ist, in seiner Angst wie ein Kind benehmen, sich zu fürchten beginnen, sowie er allein, das heißt ohne eine Person ist, deren Liebe er sicher zu sein glaubt, und diese seine Angst durch die kindischsten Maßregeln beschwichtigen wollen.*

* Die Aufklärung über die Herkunft der kindlichen Angst verdanke ich einem dreijährigen Knaben, den ich einmal aus einem dunklen Zimmer bitten hörte: »Tante, sprich mit mir; ich fürchte mich, weil es so dunkel ist.« Die Tante rief ihn an: »Was hast du denn davon? Du siehst mich ja nicht.« »Das macht nichts«, antwortete das Kind, »wenn jemand spricht, wird es hell.« — Er fürchtete sich also nicht vor der Dunkelheit, sondern weil er eine geliebte Person vermißte, und konnte versprechen sich zu beruhigen, sobald er einen Beweis von deren Anwesenheit empfangen hatte. — Daß die neurotische Angst aus der Libido entsteht, ein Umwandlungsprozeß derselben darstellt, sich also etwa so zu ihr verhält, wie der Essig zum Wein, ist eines der bedeutsamsten Resultate der

Wenn die Zärtlichkeit der Eltern zum Kinde es glücklich vermieden hat, den Sexualtrieb desselben vorzeitig, das heißt ehe die körperlichen Bedingungen der Pubertät gegeben sind, in solcher Stärke zu wecken, daß die seelische Erregung in unverkennbarer Weise zum Genitalsystem durchbricht, so kann sie ihre Aufgabe erfüllen, dieses Kind im Alter der Reife bei der Wahl des Sexualobjekts zu leiten. Gewiß läge es dem Kinde am nächsten, diejenigen Personen selbst zu Sexualobjekten zu wählen, die es mit einer sozusagen abgedämpften Libido seit seiner Kindheit liebt.* Aber durch den Aufschub der sexuellen Reifung ist die Zeit gewonnen worden, neben anderen Sexualhemmnissen die Inzestschranke aufzurichten, jene moralischen Vorschriften in sich aufzunehmen, welche die geliebten Personen der Kindheit als Blutsverwandte ausdrücklich von der Objektwahl ausschließen. Die Beachtung dieser Schranke ist vor allem eine Kulturforderung der Gesellschaft, welche sich gegen die Aufzehrung von Interessen durch die Familie wehren muß, die sie für die Herstellung höherer sozialer Einheiten braucht, und darum mit allen Mitteln dahin wirkt, bei jedem einzelnen, speziell beim Jüngling, den in der Kindheit allein maßgebenden Zusammenhang mit seiner Familie zu lockern.**
Die Objektwahl wird aber zunächst in der Vorstellung vollzogen und das Geschlechtsleben der eben reifenden Jugend hat kaum einen anderen Spielraum, als sich in Phantasien, das heißt in nicht zur Ausführung bestimmten Vorstellungen zu ergehen.*** In die-

psychoanalytischen Forschung. Eine weitere Diskussion dieses Problems siehe in meinen ›Vorlesungen zur Einführung in die Psychoanalyse‹, 1917 [Ges. Werke, Bd. XI], woselbst wohl auch nicht die endgültige Aufklärung erreicht worden ist.
* Vgl. hierzu das auf S. 72 über die Objektwahl des Kindes Gesagte: die ›zärtliche Strömung‹.
** Die Inzestschranke gehört wahrscheinlich zu den historischen Erwerbungen der Menschheit und dürfte wie andere Moraltabu bereits bei vielen Individuen durch organische Vererbung fixiert sein. (Vgl. meine Schrift: ›Totem und Tabu‹, 1913. [Ges. Werke, Bd. IX]). Doch zeigt die psychoanalytische Untersuchung, wie intensiv noch der einzelne in seinen Entwicklungszeiten mit der Inzestversuchung ringt, und wie häufig er sie in Phantasien und selbst in der Realität übertritt.
*** Die Phantasien der Pubertätszeit knüpfen an die in der Kindheit verlassene infantile Sexualforschung an, reichen wohl auch ein Stück in die Latenzzeit zurück. Sie können ganz oder zum großen Teil unbewußt

sen Phantasien treten bei allen Menschen die infantilen Neigungen, nun durch den somatischen Nachdruck verstärkt, wieder auf, und unter ihnen in gesetzmäßiger Häufigkeit und an erster Stelle die meist bereits durch die Geschlechtsanziehung differenzierte Sexualregung des Kindes für die Eltern, des Sohnes für die Mutter und der Tochter für den Vater.[14] Gleichzeitig mit der Überwindung und Verwerfung dieser deutlich inzestuösen Phantasien wird eine der bedeutsamsten, aber auch schmerzhaftesten, psychischen Leistungen der Pubertätszeit vollzogen, die Ablösung von der Autorität der Eltern, durch welche erst der für den Kulturfortschritt so wichtige Gegensatz der neuen Generation zur alten geschaffen wird. Auf jeder der Stationen des Entwicklungsganges, den die Individuen durchmachen sollen, wird eine Anzahl derselben zurückgehalten, und so gibt es auch Personen, welche die Autorität der Eltern nie überwunden und ihre Zärtlichkeit von denselben nicht oder nur sehr unvollständig zurückgezogen haben. Es sind zumeist Mädchen, die so zur Freude der Eltern weit über die Pubertät hinaus bei der vollen Kinderliebe verbleiben, und da wird es dann sehr lehrreich zu finden, daß es diesen Mädchen in ihrer späteren Ehe an dem Vermögen gebricht, ihren Männern das Gebührende zu schenken. Sie werden kühle Ehefrauen und bleiben sexuell anästhetisch. Man lernt daraus, daß die anscheinend nicht sexuelle Liebe zu den Eltern und die geschlechtliche Liebe aus

gehalten werden, entziehen sich darum häufig einer genauen Datierung. Sie haben große Bedeutung für die Entstehung mannigfaltiger Symptome, indem sie geradezu die Vorstufen derselben abgeben, also die Formen herstellen, in denen die verdrängten Libidokomponenten ihre Befriedigung finden. Ebenso sind sie die Vorlagen der nächtlichen Phantasien, die als Träume bewußt werden. Träume sind häufig nichts anderes als Wiederbelebungen solcher Phantasien unter dem Einfluß und in Anlehnung an einen aus dem Wachleben erübrigten Tagesreiz (›Tagesreste‹). — Unter den sexuellen Phantasien der Pubertätszeit ragen einige hervor, welche durch allgemeinstes Vorkommen und weitgehende Unabhängigkeit vom Erleben des Einzelnen ausgezeichnet sind. So die Phantasien von der Belauschung des elterlichen Geschlechtsverkehrs, von der frühen Verführung durch geliebte Personen, von der Kastrationsdrohung, die Mutterleibsphantasien, deren Inhalt Verweilen und selbst Erlebnisse im Mutterleib sind, und der sogenannte ›Familienroman‹, in welchem der Heranwachsende auf den Unterschied seiner Einstellung zu den Eltern jetzt und in der Kindheit reagiert. Die nahen Beziehungen denselben Quellen gespeist werden, das heißt, daß die erstere nur einer infantilen Fixierung der Libido entspricht.

Je mehr man sich den tieferen Störungen der psychosexuellen Entwicklung nähert, desto unverkennbarer tritt die Bedeutung der inzestuösen Objektwahl hervor. Bei den Psychoneurotikern verbleibt infolge von Sexualablehnung ein großes Stück oder das Ganze der psychosexuellen Tätigkeit zur Objektfindung im Unbewußten. Für die Mädchen mit übergroßem Zärtlichkeitsbedürfnis und ebensolchem Grausen vor den realen Anforderungen des Sexuallebens wird es zu einer unwiderstehlichen Versuchung, sich einerseits das Ideal der asexuellen Liebe im Leben zu verwirklichen und andererseits ihre Libido hinter einer Zärtlichkeit, die sie ohne Selbstvorwurf äußern dürfen, zu verbergen, indem sie die infantile, in der Pubertät aufgefrischte Neigung zu Eltern oder Geschwistern fürs Leben festhalten. Die Psychoanalyse kann solchen Personen mühelos nachweisen, daß sie in diese ihre Blutsverwandten im gemeinverständlichen Sinne des Wortes *verliebt* sind, indem sie mit Hilfe der Symptome und anderen Krankheitsäußerungen ihre unbewußten Gedanken aufspürt und in bewußte übersetzt. Auch wo ein vorerst Gesunder nach einer unglücklichen Liebeserfahrung erkrankt ist, kann man als den Mechanismus solcher Erkrankung die Rückwendung seiner Libido auf die infantil bevorzugten Personen mit Sicherheit aufdecken.

dieser Phantasien zum Mythus hat für das letzte Beispiel *O. Rank* in seiner Schrift ›Der Mythus von der Geburt des Helden‹, 1909, aufgezeigt.

Man sagt mit Recht, daß der Ödipuskomplex der Kernkomplex der Neurosen ist, das wesentliche Stück im Inhalt der Neurose darstellt. In ihm gipfelt die infantile Sexualität, welche durch ihre Nachwirkungen die Sexualität des Erwachsenen entscheidend beeinflußt. Jedem menschlichen Neuankömmling ist die Aufgabe gestellt, den Ödipuskomplex zu bewältigen; wer es nicht zustande bringt, ist der Neurose verfallen. Der Fortschritt der psychoanalytischen Arbeit hat diese Bedeutung des Ödipuskomplexes immer schärfer gezeichnet; seine Anerkennung ist das Schiboleth geworden, welches die Anhänger der Psychoanalyse von ihren Gegnern scheidet.

In einer anderen Schrift (Das Trauma der Geburt, 1924) hat *Rank* die Mutterbindung auf die embryonale Vorzeit zurückgeführt und so die biologische Grundlage des Ödipuskomplexes aufgezeigt. Die Inzestschranke leitet er abweichend vom Vorstehenden von dem traumatischen Eindruck der Geburtsangst ab.

NACHWIRKUNG DER INFANTILEN OBJEKTWAHL. Auch wer die inzestuöse Fixierung seiner Libido glücklich vermieden hat, ist dem Einfluß derselben nicht völlig entzogen. Es ist ein deutlicher Nachklang dieser Entwicklungsphase, wenn die erste ernsthafte Verliebtheit des jungen Mannes, wie so häufig, einem reifen Weibe, die des Mädchens einem älteren, mit Autorität ausgestatteten Manne gilt, die ihnen das Bild der Mutter und des Vaters beleben können.[15] In freierer Anlehnung an diese Vorbilder geht wohl die Objektwahl überhaupt vor sich. Vor allem sucht der Mann nach dem Erinnerungsbild der Mutter, wie es ihn seit den Anfängen der Kindheit beherrscht; im vollen Einklang steht es damit, wenn sich die noch lebende Mutter gegen diese ihre Erneuerung sträubt und ihr mit Feindseligkeit begegnet. Bei solcher Bedeutung der kindlichen Beziehungen zu den Eltern für die spätere Wahl des Sexualobjektes ist es leicht zu verstehen, daß jede Störung dieser Kindheitsbeziehungen die schwersten Folgen für das Sexualleben nach der Reife zeitigt; auch die Eifersucht des Liebenden ermangelt nie der infantilen Wurzel oder wenigstens der infantilen Verstärkung. Zwistigkeiten zwischen den Eltern selbst, unglückliche Ehe derselben, bedingen die schwerste Prädisposition für gestörte Sexualentwicklung oder neurotische Erkrankung der Kinder.

Die infantile Neigung zu den Eltern ist wohl die wichtigste, aber nicht die einzige der Spuren, die, in der Pubertät aufgefrischt, dann der Objektwahl den Weg weisen. Andere Ansätze derselben Herkunft gestatten dem Manne noch immer in Anlehnung an seine Kindheit mehr als eine einzige *Sexualreihe* zu entwickeln, ganz verschiedene Bedingungen für die Objektwahl auszubilden.*

VERHÜTUNG DER INVERSION. Eine bei der Objektwahl sich ergebende Aufgabe liegt darin, das entgegengesetzte Geschlecht nicht zu verfehlen. Sie wird, wie bekannt, nicht ohne einiges Tasten gelöst. Die ersten Regungen nach der Pubertät gehen häufig genug — ohne dauernden Schaden — irre. *Dessoir* hat mit Recht darauf aufmerksam gemacht, welche Gesetzmäßigkeit sich in den schwärmerischen Freundschaften von Jünglingen und Mädchen für ihresgleichen verrät. Die größte Macht, welche eine dauernde Inversion

---

* Ungezählte Eigentümlichkeiten des menschlichen Liebeslebens sowie das Zwanghafte der Verliebtheit selbst sind überhaupt nur durch die Rückbeziehung auf die Kindheit und als Wirkungsreste derselben zu verstehen.

des Sexualobjektes abwehrt, ist gewiß die Anziehung, welche die entgegengesetzten Geschlechtscharaktere für einander äußern; zur Erklärung derselben kann im Zusammenhange dieser Erörterungen nichts gegeben werden.[16] Aber dieser Faktor reicht für sich allein nicht hin, die Inversion auszuschließen; es kommen wohl allerlei unterstützende Momente hinzu. Vor allem die Autoritätshemmung der Gesellschaft; wo die Inversion nicht als Verbrechen betrachtet wird, da kann man die Erfahrung machen, daß sie den sexuellen Neigungen nicht weniger Individuen voll entspricht. Ferner darf man für den Mann annehmen, daß die Kindererinnerung an die Zärtlichkeit der Mutter und anderer weiblicher Personen, denen er als Kind überantwortet war, energisch mithilft, seine Wahl auf das Weib zu lenken, während die von seiten des Vaters erfahrene frühzeitige Sexualeinschüchterung und die Konkurrenzeinstellung zu ihm vom gleichen Geschlechte ablenkt. Beide Momente gelten aber auch für das Mädchen, dessen Sexualbetätigung unter der besonderen Obhut der Mutter steht. Es ergibt sich so eine feindliche Beziehung zum eigenen Geschlecht, welche die Objektwahl entscheidend in dem für normal geltenden Sinn beeinflußt. Die Erziehung der Knaben durch männliche Personen (Sklaven in der antiken Welt) scheint die Homosexualität zu begünstigen; beim heutigen Adel wird die Häufigkeit der Inversion wohl durch die Verwendung männlicher Dienerschaft wie durch die geringere persönliche Fürsorge der Mütter für ihre Kinder um etwas verständlicher. Bei manchen Hysterischen ergibt sich, daß der frühzeitige Wegfall einer Person des Elternpaares (durch Tod, Ehescheidung, Entfremdung), worauf dann die übrigbleibende die ganze Liebe des Kindes an sich gezogen hatte, die Bedingung für das Geschlecht der später zum Sexualobjekt gewählten Person festgestellt und damit auch die dauernde Inversion ermöglicht hat.

ZUSAMMENFASSUNG

Es ist an der Zeit, eine Zusammenfassung zu versuchen. Wir sind von den Abirrungen des Geschlechtstriebes in bezug auf sein Objekt und sein Ziel ausgegangen, haben die Fragestellung vorgefunden, ob diese aus angeborener Anlage entspringen oder infolge der Einflüsse des Lebens erworben werden. Die Beantwor-

tung dieser Frage ergab sich uns aus der Einsicht in die Verhältnisse des Geschlechtstriebes bei den Psychoneurotikern, einer zahlreichen und den Gesunden nicht ferne stehenden Menschengruppe,
welche Einsicht wir durch psychoanalytische Untersuchung gewonnen hatten. Wir fanden so, daß bei diesen Personen die Neigungen zu allen Perversionen als unbewußte Mächte nachweisbar
sind und sich als Symptombilder verraten, und konnten sagen, die
Neurose sei gleichsam ein Negativ der Perversion. Angesichts der
nun erkannten großen Verbreitung der Perversionsneigungen
drängte sich uns der Gesichtspunkt auf, daß die Anlage zu den
Perversionen die ursprüngliche allgemeine Anlage des menschlichen Geschlechtstriebes sei, aus welcher das normale Sexualverhalten infolge organischer Veränderungen und psychischer Hemmungen im Laufe der Reifung entwickelt werde. Die ursprüngliche Anlage hofften wir im Kindesalter aufzeigen zu können;
unter den die Richtung des Sexualtriebes einschränkenden Mäch-
ten hoben wir Scham, Ekel, Mitleid und die sozialen Konstruktionen der Moral und Autorität hervor. So mußten wir in jeder
fixierten Abirrung vom normalen Geschlechtsleben ein Stück Entwicklungshemmung und Infantilismus erblicken. Die Bedeutung
der Variationen der ursprünglichen Anlage mußte wir in den Vordergrund stellen, zwischen ihnen und den Einflüssen des Lebens
aber ein Verhältnis von Kooperation und nicht von Gegensätzlichkeit annehmen. Anderseits erschien uns, da die ursprüngliche Anlage eine komplexe sein mußte, der Geschlechtstrieb selbst als etwas
aus vielen Faktoren Zusammengesetztes, das in den Perversionen
gleichsam in seine Komponenten zerfällt. Somit erwiesen sich die
Perversionen einerseits als Hemmungen, andererseits als Dissozia-
tionen der normalen Entwicklung. Beide Auffassungen vereinig-
ten sich in der Annahme, daß der Geschlechtstrieb des Erwachsenen
durch die Zusammenfassung vielfacher Regungen des Kinderlebens
zu einer Einheit, einer Strebung mit einem einzigen Ziel entstehe.

Wir fügten noch die Aufklärung für das Überwiegen der perversen Neigungen bei den Psychoneurotikern bei, indem wir dieses als kollaterale Füllung von Nebenbahnen bei Verlegung des
Hauptstrombettes durch die ›Verdrängung‹ erkannten, und wand-
ten uns dann der Betrachtung des Sexuallebens im Kindesalter zu.*

* Dies gilt nicht nur für die in der Neurose ›negativ‹ auftretenden Perversionsneigungen, sondern ebenso für die positiven, eigentlich so benannten Perversionen. Die letzteren sind also nicht bloß auf die Fixie-

Wir fanden es bedauerlich, daß man dem Kindesalter den Sexualtrieb abgesprochen und die nicht selten zu beobachtenden Sexualäußerungen des Kindes als regelwidrige Vorkommnisse beschrieben hat. Es schien uns vielmehr, daß das Kind Keime von Sexualtätigkeit mit zur Welt bringt und schon bei der Nahrungsaufnahme sexuelle Befriedigung mitgenießt, die es sich dann in der gut gekannten Tätigkeit des ›Ludelns‹ immer wieder zu verschaffen sucht. Die Sexualbetätigung des Kindes entwickle sich aber nicht im gleichen Schritt wie seine sonstigen Funktionen, sondern trete nach einer kurzen Blüteperiode vom zweiten bis zum fünften Jahre in die sogenannte Latenzperiode ein. In derselben würde die Produktion sexueller Erregung keineswegs eingestellt, sondern halte an und liefere einen Vorrat von Energie, der großenteils zu anderen als sexuellen Zwecken verwendet werde, nämlich einerseits zur Abgabe der sexuellen Komponenten für soziale Gefühle, anderseits (vermittels Verdrängung und Reaktionsbildung) zum Aufbau der späteren Sexualschranken. Demnach würden die Mächte, die dazu bestimmt sind, den Sexualtrieb in gewissen Bahnen zu erhalten, im Kindesalter auf Kosten der großenteils perversen Sexualregungen und unter Mithilfe der Erziehung aufgebaut. Ein anderer Teil der infantilen Sexualregungen entgehe diesen Verwendungen und könne sich als Sexualbetätigung äußern. Man könne dann erfahren, daß die Sexualerregung des Kindes aus vielerlei Quellen fließe. Vor allem entstehe Befriedigung durch die geeignete sensible Erregung sogenannter erogener Zonen, als welche wahrscheinlich jede Hautstelle und jedes Sinnesorgan, wahrscheinlich jedes Organ, fungieren könne, während gewisse ausgezeichnete erogene Zonen existieren, deren Erregung durch gewisse organische Vorrichtungen von Anfang an gesichert sei. Ferner entstehe sexuelle Erregung gleichsam als Nebenprodukt bei einer großen Reihe von Vorgängen im Organismus, sobald dieselben nur eine gewisse Intensität erreichen, ganz besonders bei allen stärkeren Gemütsbewegungen, seien sie auch peinlicher Natur. Die Erregungen aus all diesen Quellen setzten sich noch nicht zusammen, sondern verfolgten jede vereinzelt ihr Ziel, welches bloß der Gewinn einer gewissen Lust ist. Der Geschlechtstrieb sei also

rung der infantilen Neigungen zurückzuführen, sondern auch auf die Regression zu denselben infolge der Verlegung anderer Bahnen der Sexualströmung. Darum sind auch die positiven Perversionen der psychoanalytischen Therapie zugänglich.

im Kindesalter *nicht zentriert* und zunächst objektlos, *autoerotisch.*

Noch während der Kinderjahre beginne die erogene Zone der Genitalien sich bemerkbar zu machen, entweder in der Art, daß sie wie jede andere erogene Zone auf geeignete sensible Reizung Befriedigung ergebe, oder indem auf nicht ganz verständliche Weise mit der Befriedigung von anderen Quellen her gleichzeitig eine Sexualerregung erzeugt werde, die zu der Genitalzone eine besondere Beziehung erhalte. Wir haben es bedauern müssen, daß eine genügende Aufklärung des Verhältnisses zwischen Sexualbefriedigung und Sexualerregung sowie zwischen der Tätigkeit der Genitalzone und der übrigen Quellen der Sexualität nicht zu erreichen war.

Durch das Studium der neurotischen Störungen haben wir gemerkt, daß sich im kindlichen Sexualleben von allem Anfang an Ansätze zu einer Organisation der sexuellen Triebkomponenten erkennen lassen. In einer ersten, sehr frühen Phase steht die *Oral*erotik im Vordergrunde; eine zweite dieser ›prägenitalen‹ Organisationen wird durch die Vorherrschaft des *Sadismus* und der *Anal*erotik charakterisiert, erst in einer dritten Phase (die sich beim Kind nur bis zum Primat des Phallus entwickelt) wird das Sexualleben durch den Anteil der eigentlichen Genitalzonen mitbestimmt.

Wir haben dann als eine der überraschendsten Ermittlungen feststellen müssen, daß diese Frühblüte des infantilen Sexuallebens (zwei bis fünf Jahre) auch eine Objektwahl mit all den reichen, seelischen Leistungen zeigt, so daß die daran geknüpfte, ihr entsprechende Phase trotz der mangelnden Zusammenfassung der einzelnen Triebkomponenten und der Unsicherheit des Sexualzieles als bedeutsamer Vorläufer der späteren endgültigen Sexualorganisation einzuschätzen ist.

Die Tatsache des *zweizeitigen Ansatzes* der Sexualentwicklung beim Menschen, also die Unterbrechung dieser Entwicklung durch die Latenzzeit, erschien uns besonderer Beachtung würdig. Sie scheint eine der Bedingungen für die Eignung des Menschen zur Entwicklung einer höheren Kultur, aber auch für seine Neigung zur Neurose zu enthalten. Bei der tierischen Verwandtschaft des Menschen ist unseres Wissens etwas Analoges nicht nachweisbar. Die Ableitung der Herkunft dieser menschlichen Eigenschaft müßte man in der Urgeschichte der Menschenart suchen.

Welches Maß von sexueller Betätigung im Kindesalter noch als normal, der weiteren Entwicklung nicht abträglich, bezeichnet werden darf, konnten wir nicht sagen. Der Charakter der Sexualäußerungen erwies sich als vorwiegend masturbatorisch. Wir stellten ferner durch Erfahrungen fest, daß die äußeren Einflüsse der Verführung vorzeitige Durchbrüche der Latenzzeit bis zur Aufhebung derselben hervorrufen können, und daß sich dabei der Geschlechtstrieb des Kindes in der Tat als polymorph pervers bewährt; ferner, daß jede solche frühzeitige Sexualtätigkeit die Erziehbarkeit des Kindes beeinträchtigt.

Trotz der Lückenhaftigkeit unserer Einsichten in das infantile Sexualleben mußten wir dann den Versuch machen, die durch das Auftreten der Pubertät gesetzten Veränderungen desselben zu studieren. Wir griffen zwei derselben als die maßgebenden heraus, die Unterordnung aller sonstigen Ursprünge der Sexualerregung unter das Primat der Genitalzonen und den Prozeß der Objektfindung. Beide sind im Kinderleben bereits vorgebildet. Die erstere vollzieht sich durch den Mechanismus der Ausnützung der Vorlust, wobei die sonst selbständigen sexuellen Akte, die mit Lust und Erregung verbunden sind, zu vorbereitenden Akten für das neue Sexualziel, die Entleerung der Geschlechtsprodukte werden, dessen Erreichung unter riesiger Lust der Sexualerregung ein Ende macht. Wir hatten dabei die Differenzierung des geschlechtlichen Wesens zu Mann und Weib zu berücksichtigen und fanden, daß zum Weibwerden eine neuerliche Verdrängung erforderlich ist, welche ein Stück infantiler Männlichkeit aufhebt und das Weib für den Wechsel der leitenden Genitalzone vorbereitet. Die Objektwahl endlich fanden wir geleitet durch die infantilen, zur Pubertät aufgefrischten Andeutungen sexueller Neigung des Kindes zu seinen Eltern una Pflegepersonen und durch die mittlerweile aufgerichtete Inzestschranke von diesen Personen weg auf ihnen ähnliche gelenkt. Fügen wir endlich noch hinzu, daß während der Übergangszeit der Pubertät die somatischen und die psychischen Entwicklungsvorgänge eine Weile unverknüpft nebeneinander hergehen, bis mit dem Durchbruch einer intensiven seelischen Liebesregung zur Innervation der Genitalien die normalerweise erforderte Einheit der Liebesfunktion hergestellt wird.

ENTWICKLUNGSSTÖRENDE MOMENTE. Jeder Schritt auf diesem langen Entwicklungswege kann zur Fixierungsstelle, jede Fuge dieser verwickelten Zusammensetzung zum Anlaß der Dissoziation des Geschlechtstriebes werden, wie wir bereits an verschiedenen Beispielen erörtert haben. Es erübrigt uns noch, eine Übersicht der verschiedenen, die Entwicklung störenden, inneren und äußeren Momente zu geben und beizufügen, an welcher Stelle des Mechanismus die von ihnen ausgehende Störung angreift. Was wir da in einer Reihe anführen, kann freilich unter sich nicht gleichwertig sein, und wir müssen auf Schwierigkeiten rechnen, den einzelnen Momenten die ihnen gebührende Abschätzung zuzuteilen.

KONSTITUTION UND HEREDITÄT. An erster Stelle ist hier die angeborene *Verschiedenheit der sexuellen Konstitution* zu nennen, auf die wahrscheinlich das Hauptgewicht entfällt, die aber, wie begreiflich, nur aus ihren späteren Äußerungen und dann nicht immer mit großer Sicherheit zu erschließen ist. Wir stellen uns unter ihr ein Überwiegen dieser oder jener der mannigfachen Quellen der Sexualerregung vor und glauben, daß solche Verschiedenheit der Anlagen in dem Endergebnis jedenfalls zum Ausdruck kommen muß, auch wenn dies sich innerhalb der Grenzen des Normalen zu halten vermag. Gewiß sind auch solche Variationen der ursprünglichen Anlage denkbar, welche notwendigerweise und ohne weitere Mithilfe zur Ausbildung eines abnormen Sexuallebens führen müssen. Man kann dieselben dann ›degenerative‹ heißen und als Ausdruck ererbter Verschlechterung betrachten. Ich habe in diesem Zusammenhange eine merkwürdige Tatsache zu berichten. Bei mehr als der Hälfte meiner psychotherapeutisch behandelten schweren Fälle von Hysterie, Zwangsneurose usw. ist mir der Nachweis der vor der Ehe überstandenen Syphilis der Väter sicher gelungen, sei es, daß diese an Tabes oder progressiver Paralyse gelitten hatten, sei es, daß deren luetische Erkrankung sich anderswie anamnestisch feststellen ließ. Ich bemerke ausdrücklich, daß die später neurotischen Kinder keine körperlichen Zeichen von hereditärer Lues an sich trugen, so daß eben die abnorme sexuelle Konstitution als der letzte Ausläufer der luetischen Erbschaft zu betrachten war. So fern es mir nun liegt, die Abkunft von syphilitischen Eltern als regelmäßige oder unentbehrliche ätiologische Bedingung der neuropathischen Konstitution hinzustellen, so halte ich doch das von mir beobachtete Zusammentreffen nicht für zufällig und nicht bedeutungslos.

Die hereditären Verhältnisse der positiv Perversen sind minder gut bekannt, weil dieselben sich der Erkundung zu entziehen wissen. Doch hat man Grund anzunehmen, daß bei den Perversionen ähnliches wie bei den Neurosen gilt. Nicht selten findet man nämlich Perversionen und Psychoneurose in denselben Familien auf die verschiedenen Geschlechter so verteilt, daß die männlichen Mitglieder oder eines derselben positiv pervers, die weiblichen aber der Verdrängungsneigung ihres Geschlechts entsprechend negativ pervers, hysterisch sind, ein guter Beleg für die von uns gefundenen Wesensbeziehungen zwischen den beiden Störungen.

WEITERE VERARBEITUNG. Man kann indes den Standpunkt nicht vertreten, als ob mit dem Ansatz der verschiedenen Komponenten in der sexuellen Konstitution die Entscheidung über die Gestaltung des Sexuallebens eindeutig bestimmt wäre. Die Bedingtheit setzt sich vielmehr fort und weitere Möglichkeiten ergeben sich je nach dem Schicksal, welches die aus den einzelnen Quellen stammenden Sexualitätszuflüsse erfahren. Diese *weitere Verarbeitung* ist offenbar das endgültig Entscheidende, während die der Beschreibung nach gleiche Konstitution zu drei verschiedenen Endausgängen führen kann. Wenn sich alle die Anlagen in ihrem, als abnorm angenommenen, relativen Verhältnis erhalten und mit der Reifung verstärken, so kann nur ein perverses Sexualleben das Endergebnis sein. Die Analyse solcher abnormer konstitutioneller Anlagen ist noch nicht ordentlich in Angriff genommen worden, doch kennen wir bereits Fälle, die in solchen Annahmen mit Leichtigkeit ihre Erklärung finden. Die Autoren meinen zum Beispiel von einer ganzen Reihe von Fixationsperversionen, dieselben hätten eine angeborene Schwäche des Sexualtriebes zur notwendigen Voraussetzung. In dieser Form scheint mir die Aufstellung unhaltbar; sie wird aber sinnreich, wenn eine konstitutionelle Schwäche des einen Faktors des Sexualtriebes, der genitalen Zone, gemeint ist, welche Zone späterhin die Zusammenfassung der einzelnen Sexualbetätigungen zum Ziel der Fortpflanzung als Funktion übernimmt. Diese in der Pubertät geforderte Zusammenfassung muß dann mißlingen und die stärkste der anderen Sexualitätskomponenten wird ihre Betätigung als Perversion durchsetzen.*

* Man sieht dabei häufig, daß in der Pubertät zunächst eine normale Sexualströmung einsetzt, welche aber infolge ihrer inneren Schwäche

VERDRÄNGUNG. Ein anderer Ausgang ergibt sich, wenn im Laufe der Entwicklung einzelne der überstark angelegten Komponenten den Prozeß der *Verdrängung* erfahren, von dem man festhalten muß, daß er einer Aufhebung nicht gleichkommt. Die betreffenden Erregungen werden dabei wie sonst erzeugt, aber durch psychische Verhinderung von der Erreichung ihres Zieles abgehalten und auf mannigfache andere Wege gedrängt, bis sie sich als Symptome zum Ausdruck gebracht haben. Das Ergebnis kann ein annähernd normales Sexualleben sein, — meist ein eingeschränktes, — aber ergänzt durch psychoneurotische Krankheit. Gerade diese Fälle sind uns durch die psychoanalytische Erforschung Neurotischer gut bekannt geworden. Das Sexualleben solcher Personen hat wie das der Perversen begonnen, ein ganzes Stück ihrer Kindheit ist mit perverser Sexualtätigkeit ausgefüllt, die sich gelegentlich weit über die Reifezeit erstreckt; dann erfolgt aus inneren Ursachen — meist noch vor der Pubertät, aber hie und da sogar spät nachher — ein Verdrängungsumschlag, und von nun an tritt, ohne daß die alten Regungen erlöschen, Neurose an die Stelle der Perversion. Man wird an das Sprichwort »Junge Hure, alte Betschwester« erinnert, nur daß die Jugend hier allzu kurz ausgefallen ist. Diese Ablösung der Perversion durch die Neurose im Leben derselben Person muß man ebenso wie die vorhin angeführte Verteilung von Perversion und Neurose auf verschiedene Personen derselben Familie mit der Einsicht, daß die Neurose das Negativ der Perversion ist, zusammenhalten.

SUBLIMIERUNG. Der dritte Ausgang bei abnormer konstitutioneller Anlage wird durch den Prozeß der ›Sublimierung‹ ermöglicht, bei welchem den überstarken Erregungen aus einzelnen Sexualitätsquellen Abfluß und Verwendung auf andere Gebiete eröffnet wird, so daß eine nicht unerhebliche Steigerung der psychischen Leistungsfähigkeit aus der an sich gefährlichen Veranlagung resultiert. Eine der Quellen der Kunstbetätigung ist hier zu finden und, je nachdem solche Sublimierung eine vollständige oder unvollständige ist, wird die Charakteranalyse hochbegabter, insbesondere künstlerisch veranlagter Personen jedes Mengungsverhältnis zwischen Leistungsfähigkeit, Perversion und Neurose ergeben. Eine Unterart der Sublimierung ist wohl die Unterdrückung durch

vor den ersten äußeren Hindernissen zusammenbricht und dann von der Regression auf die perverse Fixierung abgelöst wird.

Reaktionsbildung, die, wie wir gefunden haben, bereits in der Latenzzeit des Kindes beginnt, um sich im günstigen Falle durchs ganze Leben fortzusetzen. Was wir den ›Charakter‹ eines Menschen heißen, ist zum guten Teil mit dem Material sexueller Erregungen aufgebaut und setzt sich aus seit der Kindheit fixierten Trieben, aus durch Sublimierung gewonnenen und aus solchen Konstruktionen zusammen, die zur wirksamen Niederhaltung perverser, als unverwendbar erkannter Regungen bestimmt sind.* Somit kann die allgemein perverse Sexualanlage der Kindheit als die Quelle einer Reihe unserer Tugenden geschätzt werden, insofern sie durch Reaktionsbildung zur Schaffung derselben Anstoß gibt.**

AKZIDENTELL ERLEBTES. Gegenüber den Sexualentbindungen, Verdrängungsschüben und Sublimierungen, letztere beide Vorgänge, deren innere Bedingungen uns völlig unbekannt sind, treten alle anderen Einflüsse weit an Bedeutung zurück. Wer Verdrängungen und Sublimierungen mit zur konstitutionellen Anlage rechnet, als die Lebensäußerungen derselben betrachtet, der hat allerdings das Recht zu behaupten, daß die Endgestaltung des Sexuallebens vor allem das Ergebnis der angeborenen Konstitution ist. Indes wird kein Einsichtiger bestreiten, daß in solchem Zusammenwirken von Faktoren auch Raum für die modifizierenden Einflüsse des akzidentell in der Kindheit und späterhin Erlebten bleibt. Es ist nicht leicht, die Wirksamkeit der konstitutionellen und der akzidentellen Faktoren in ihrem Verhältnis zueinander abzuschätzen. In der Theorie neigt man immer zur Überschätzung der ersteren; die therapeutische Praxis hebt die Bedeutsamkeit der letzteren hervor. Man sollte auf keinen Fall vergessen, daß zwischen den beiden ein

---

* Bei einigen Charakterzügen ist selbst ein Zusammenhang mit bestimmten erogenen Komponenten erkannt worden. So leiten sich Trotz, Sparsamkeit und Ordentlichkeit aus der Verwendung der Analerotik ab. Der Ehrgeiz wird durch eine starke urethralerotische Anlage bestimmt.
** Ein Menschenkenner wie E. *Zola* schildert in ›La Joie de vivre‹ ein Mädchen, das in heiterer Selbstentäußerung alles, was es besitzt und beanspruchen könnte, sein Vermögen und seine Lebenswünsche geliebten Personen ohne Entlohnung zum Opfer bringt. Die Kindheit dieses Mädchens ist von einem unersättlichen Zärtlichkeitsbedürfnis beherrscht, das sie bei einer Gelegenheit von Zurücksetzung gegen eine andere in Grausamkeit verfallen läßt.

Verhältnis von Kooperation und nicht von Ausschließung besteht. Das konstitutionelle Moment muß auf Erlebnisse warten, die es zur Geltung bringen, das akzidentelle bedarf einer Anlehnung an die Konstitution, um zur Wirkung zu kommen. Man kann sich für die Mehrzahl der Fälle eine sogenannte ›Ergänzungsreihe‹ vorstellen, in welcher die fallenden Intensitäten des einen Faktors durch die steigenden des anderen ausgeglichen werden, hat aber keinen Grund, die Existenz extremer Fälle an den Enden der Reihe zu leugnen.

Der psychoanalytischen Forschung entspricht es noch besser, wenn man den Erlebnissen der frühen Kindheit unter den akzidentellen Momenten eine Vorzugsstellung einräumt. Die eine ätiologische Reihe zerlegt sich dann in zwei, die man die *dispositionelle* und die *definitive* heißen kann. In der ersteren wirken Konstitution und akzidentelle Kindheitserlebnisse ebenso zusammen, wie in der zweiten Disposition und spätere traumatische Erlebnisse. Alle die Sexualentwicklung schädigenden Momente äußern ihre Wirkung in der Weise, daß sie eine *Regression*, eine Rückkehr zu einer früheren Entwicklungsphase hervorrufen.

Wir setzen hier unsere Aufgabe fort, die uns als einflußreich für die Sexualentwicklung bekannt gewordenen Momente aufzuzählen, sei es, daß diese wirksame Mächte oder bloß Äußerungen solcher darstellen.

FRÜHREIFE. Ein solches Moment ist die spontane sexuelle *Frühreife*, die wenigstens in der Ätiologie der Neurosen mit Sicherheit nachweisbar ist, wenngleich sie so wenig wie andere Momente für sich allein zur Verursachung hinreicht. Sie äußert sich in Durchbrechung, Verkürzung oder Aufhebung der infantilen Latenzzeit und wird zur Ursache von Störungen, indem sie Sexualäußerungen veranlaßt, die einerseits wegen des unfertigen Zustandes der Sexualhemmungen, andererseits infolge des unentwickelten Genitalsystems nur den Charakter von Perversionen an sich tragen können. Diese Perversionsneigungen mögen sich nun als solche erhalten oder nach eingetretenen Verdrängungen zu Triebkräften neurotischer Symptome werden; auf alle Fälle erschwert die sexuelle Frühreife die wünschenswerte spätere Beherrschung des Sexualtriebes durch die höheren seelischen Instanzen und steigert den zwangartigen Charakter, den die psychischen Vertretungen des Triebes ohnedies in Anspruch nehmen. Die sexuelle Frühreife geht häufig vorzeitiger intellektueller Entwicklung parallel; als solche findet sie sich in der Kindheitsgeschichte der bedeutendsten und leistungsfähigsten Individuen; sie scheint dann nicht ebenso pathogen zu wirken, wie wenn sie isoliert auftritt.

ZEITLICHE MOMENTE. Ebenso wie die Frühreife fordern andere Momente Berücksichtigung, die man als ›zeitliche‹ mit der Frühreife zusammenfassen kann. Es scheint phylogenetisch festgelegt, in welcher Reihenfolge die einzelnen Triebregungen aktiviert werden, und wie lange sie sich äußern können, bis sie dem Einfluß einer neu auftretenden Triebregung oder einer typischen Verdrängung unterliegen. Allein sowohl in dieser zeitlichen Aufeinanderfolge wie in der Zeitdauer derselben scheinen Variationen vorzukommen, die auf das Endergebnis einen bestimmenden Einfluß üben müssen. Es kann nicht gleichgültig sein, ob eine gewisse Strömung früher oder später auftritt als ihre Gegenströmung, denn die Wirkung einer Verdrängung ist nicht rückgängig zu machen: eine zeitliche Abweichung in der Zusammensetzung der Komponenten ergibt regelmäßig eine Änderung des Resultats. Andererseits nehmen besonders intensiv auftretende Triebregungen oft einen überraschend schnellen Ablauf, z. B. die heterosexuelle Bindung der später manifest Homosexuellen. Die am heftigsten einsetzenden Strebungen der Kinderjahre rechtfertigen nicht die Befürchtung, daß sie den Charakter des Erwachsenen dauernd beherrschen werden; man darf ebensowohl erwarten, daß sie verschwinden werden, um ihrem Gegenteil Platz zu machen. (Gestrenge Herren regieren nicht lange.) Worauf solche zeitliche Verwirrungen der Entwicklungsvorgänge rückführbar sind, vermögen wir auch nicht in Andeutungen anzugeben. Es eröffnet sich hier ein Ausblick auf eine tiefere Phalanx von biologischen, vielleicht auch historischen Problemen, denen wir uns noch nicht auf Kampfesweite angenähert haben.

HAFTBARKEIT. Die Bedeutung aller frühzeitigen Sexualäußerungen wird durch einen psychischen Faktor unbekannter Herkunft gesteigert, den man derzeit freilich nur als eine psychologische Vorläufigkeit hinstellen kann. Ich meine die erhöhte *Haftbarkeit* oder *Fixierbarkeit* dieser Eindrücke des Sexuallebens, die man bei späteren Neurotikern wie bei Perversen zur Ergänzung des Tatbestandes hinzunehmen muß, da die gleichen vorzeitigen Sexualäußerungen bei anderen Personen sich nicht so tief einprägen können, daß sie zwangartig auf Wiederholung hinwirken und dem Sexualtrieb für alle Lebenszeit seine Wege vorzuschreiben vermögen. Vielleicht liegt ein Stück der Aufklärung für diese Haftbarkeit in einem anderen psychischen Moment, welches wir in der Verursachung der Neurosen nicht missen können, nämlich in dem Übergewicht, welches im Seelenleben den Erinnerungsspuren im Vergleich mit den rezenten Eindrücken zufällt. Dieses Moment ist offenbar von der intellektuellen Ausbildung abhängig und wächst mit der Höhe der persönlichen Kultur. Im Gegensatz hiezu ist der Wilde als das ›unglückselige Kind des Augenblickes‹ charakterisiert worden.* Wegen der gegensätzlichen Beziehung zwischen Kultur und freier Sexualitätsentwicklung, deren Folgen weit in die Gestaltung unseres Lebens verfolgt werden können, ist es auf niedriger Kultur- oder Gesellschaftsstufe so wenig, auf höherer so sehr für das spätere Leben bedeutsam, wie das sexuelle Leben des Kindes verlaufen ist.

FIXIERUNG. Die Begünstigung durch die eben erwähnten psychischen Momente kommt nun den akzidentell erlebten Anregungen der kindlichen Sexualität zugute. Die letzteren (Verführung durch andere Kinder oder Erwachsene in erster Linie) bringen das Material bei, welches mit Hilfe der ersteren zur dauernden Störung fixiert werden kann. Ein guter Teil der später beobachteten Abweichungen vom normalen Sexualleben ist so bei Neurotikern wie bei Perversen durch die Eindrücke der angeblich sexualfreien Kindheitsperiode von Anfang an festgelegt. In die Verursachung teilen sich das Entgegenkommen der Konstitution, die Frühreife, die Eigenschaft der erhöhten Haftbarkeit und die zufällige Anregung des Sexualtriebes durch fremden Einfluß.

Der unbefriedigende Schluß aber, der sich aus diesen Untersuchungen über die Störungen des Sexuallebens ergibt, geht dahin, daß wir von den biologischen Vorgängen, in denen das Wesen der Sexualität besteht, lange nicht genug wissen, um aus unseren vereinzelten Einsichten eine zum Verständnis des Normalen wie des Pathologischen genügende Theorie zu gestalten.

---

* Möglicherweise ist die Erhöhung der Haftbarkeit auch der Erfolg einer besonders intensiven somatischen Sexualäußerung früherer Jahre.

VERWANDTE SCHRIFTEN

(1906—1931)

ZUR SEXUELLEN AUFKLÄRUNG DER KINDER

Offener Brief an Dr. M. Fürst

Geehrter Herr Kollege!

Wenn Sie von mir eine Äußerung über die ›sexuelle Aufklärung der Kinder‹ verlangen, so nehme ich an, daß Sie keine regelrechte und förmliche Abhandlung mit Berücksichtigung der ganzen, über Gebühr angewachsenen Literatur erwarten, sondern das selbständige Urteil eines einzelnen Arztes hören wollen, dem seine Berufstätigkeit besondere Anregung geboten hat, sich mit den sexuellen Problemen zu beschäftigen. Ich weiß, daß Sie meine wissenschaftlichen Bemühungen mit Interesse verfolgt haben und mich nicht wie viele andere Kollegen darum ohne Prüfung abweisen, weil ich in der psychosexuellen Konstitution und in Schädlichkeiten des Sexuallebens die wichtigsten Ursachen der so häufigen neurotischen Erkrankungen erblicke; auch meine ›Drei Abhandlungen zur Sexualtheorie‹, in denen ich die Zusammensetzung des Geschlechtstriebes und die Störungen in der Entwicklung des Geschlechtstriebes zur Sexualfunktion darlege, haben kürzlich eine freundliche Erwähnung in Ihrer Zeitschrift gefunden.

Ich soll Ihnen also die Fragen beantworten, ob man den Kindern überhaupt Aufklärungen über die Tatsachen des Geschlechtslebens geben darf, in welchem Alter dies geschehen kann und in welcher Weise. Nehmen Sie nun gleich zu Anfang mein Geständnis entgegen, daß ich eine Diskussion über den zweiten und dritten Punkt ganz begreiflich finde, daß es aber für meine Einsicht völlig unfaßbar ist, wie der erste dieser Fragepunkte ein Gegenstand von Meinungsverschiedenheit werden konnte. Was will man denn erreichen, wenn man den Kindern — oder sagen wir der Jugend — solche Aufklärungen über das menschliche Geschlechtsleben vorenthält? Fürchtet man, ihr Interesse für diese Dinge vorzeitig zu wecken, ehe es sich in ihnen selbst regt? Hofft man, durch solche Verhehlung den Geschlechtstrieb überhaupt zurückzuhalten bis zur Zeit, da er in die ihm von der bürgerlichen Gesellschaftsordnung allein geöffneten Bahnen einlenken kann? Meint man, daß die Kinder für die Tatsachen und Rätsel des Geschlechtslebens kein Interesse oder kein Verständnis zeigten, wenn sie nicht von fremder Seite darauf hingewiesen würden? Hält man es für möglich, daß ihnen die Kenntnis, welche man ihnen versagt, nicht auf anderen Wegen zugeführt wird? Oder verfolgt man wirklich und ernsthaft die Absicht, daß sie späterhin alles Geschlechtliche als etwas Niedriges und Verabscheuenswertes beurteilen mögen, von dem ihre Eltern und Erzieher sie so lange als möglich fernhalten wollten?

Ich weiß wirklich nicht, in welcher dieser Absichten ich das Motiv für das tatsächlich geübte Verstecken des Sexuellen vor den Kindern erblicken soll; ich weiß nur, daß sie alle gleich töricht sind, und daß es mir schwer fällt, sie durch ernsthafte Widerlegungen auszuzeichnen. Ich erinnere mich aber, daß ich in den Familienbriefen des großen Denkers und Menschenfreundes *Multatuli* einige Zeilen gefunden habe, die als Antwort mehr als bloß genügen können.[1]

»Im allgemeinen werden einzelne Dinge nach meinem Gefühl zu sehr umschleiert. Man tut recht, die Phantasie der Kinder reinzuhalten, aber diese Reinheit wird nicht bewahrt durch Unwissenheit. Ich glaube eher, daß das Verdecken von etwas den Knaben und das Mädchen um so mehr die Wahrheit argwöhnen läßt. Man spürt aus Neugierde Dingen nach, die uns, wenn sie uns ohne viel Umstände mitgeteilt würden, wenig oder kein Interesse einflößen würden. Wäre diese Unwissenheit noch zu bewahren, so könnte ich mich damit versöhnen, aber das ist nicht möglich; das Kind kommt in Berührung mit anderen Kindern, es bekommt Bücher in die Hände, die es zum Nachdenken bringen; gerade die Geheimtuerei, womit das dennoch Begriffene von den Eltern behandelt wird, erhöht das Verlangen, mehr zu wissen. Dieses Verlangen, nur zum Teil, nur heimlich befriedigt, erhitzt das Herz und verdirbt die Phantasie, das Kind sündigt bereits, und die Eltern meinen noch, daß es nicht weiß, was Sünde ist.«

Ich weiß nicht, was man hierüber Besseres sagen könnte, aber vielleicht läßt sich einiges hinzufügen. Es ist gewiß nichts anderes als die gewohnte Prüderie und das eigene schlechte Gewissen in Sachen der Sexualität, was die Erwachsenen zur ›Geheimtuerei‹ vor den Kindern veranlaßt; aber möglicherweise wirkt da auch ein Stück theoretischer Unwissenheit mit, dem man durch die Aufklärung der Erwachsenen entgegentreten kann. Man meint nämlich, daß den Kindern der Geschlechtstrieb fehle und sich erst zur Pubertätszeit mit der Reife der Geschlechtsorgane bei ihnen einstelle. Das ist ein grober, für die Kenntnis wie für die Praxis folgenschwerer Irrtum. Es ist so leicht, ihn durch die Beobachtung zu korrigieren, daß man sich verwundern muß, wie er überhaupt entstehen konnte. In Wahrheit bringt das Neugeborene Sexualität mit auf die Welt, gewisse Sexualempfindungen begleiten seine Entwicklung durch die Säuglings- und Kinderzeiten, und die wenigsten Kinder dürften sexuellen Betätigungen und Empfindungen vor ihrer Pubertät entgehen. Wer die ausführliche Darlegung dieser Behauptungen kennen lernen will, möge sie in meinen erwähnten ›Drei Abhandlungen zur Sexualtheorie‹, Wien 1905, aufsuchen. Er wird dort erfahren, daß die eigentlichen Reproduktionsorgane nicht die einzigen Körperteile sind, welche sexuelle Lustempfindungen vermitteln, und daß die Natur es recht zwingend so eingerichtet hat, daß selbst Reizungen der Genitalien während der Kinderzeit unvermeidlich sind. Man bezeichnet diese Lebenszeit, in welcher durch die Erregung verschiedener Hautstellen (*erogener* Zonen), durch die Betätigung gewisser biologischer Triebe und als Miterregung bei vielen affektiven Zuständen ein gewisser Betrag von sicher sexueller Lust erzeugt wird, mit einem von *Havelock Ellis* eingeführten Ausdrucke als die Periode des *Autoerotismus*. Die Pubertät leistet nichts anderes, als daß sie unter allen lusterzeugenden Zonen und Quellen den Genitalien das Primat verschafft und dadurch die Erotik in den Dienst der Fortpflanzungsfunktion zwingt, ein Prozeß, der natürlich gewissen Hemmungen unterliegen kann und sich bei vielen Personen, den späteren Perversen und Neurotikern, nur in unvollkommener Weise vollzieht. Anderseits ist das Kind der meisten psychischen Leistungen des Liebeslebens (der Zärtlichkeit, der Hingebung, der Eifersucht) lange vor erreichter Pubertät fähig, und oft genug stellt sich auch der Durchbruch dieser seelischen Zustände zu den körperlichen Empfindungen der Sexualerregung her, so daß das Kind über die Zusammengehörigkeit der beiden nicht im Zweifel bleiben kann. Kurz gesagt, das Kind ist lange vor der Pubertät ein bis auf die Fortpflanzungsfähigkeit fertiges Liebeswesen, und man darf es aussprechen, daß man ihm mit jener ›Geheimtuerei‹ nur die Fähigkeit zur intellektuellen Bewältigung solcher Leistungen vorenthält, für die es psychisch vorbereitet und somatisch eingestellt ist.

Das intellektuelle Interesse des Kindes für die Rätsel des Geschlechtslebens, seine sexuelle Wißbegierde äußert sich denn auch zu einer unvermutet frühen Lebenszeit. Es muß wohl so zugehen, daß die Eltern für dieses Interesse des Kindes wie mit Blindheit geschlagen sind oder sich sofort bemühen, es zu ersticken, falls sie es nicht übersehen können, wenn Beobachtungen wie die nun mitzuteilende nicht häufiger gemacht werden können. Ich kenne da einen prächtigen Jungen von jetzt vier Jahren, dessen verständige Eltern darauf verzichten, ein Stück der Entwicklung des Kindes gewaltsam zu unterdrücken. Der kleine Hans, der sicherlich keinem verführenden Einflusse von seiten einer Warteperson unterlegen ist, zeigt schon seit einiger Zeit das lebhafteste Interesse für jenes Stück seines Körpers, das er als ›Wiwimacher‹ zu bezeichnen pflegt. Schon mit drei Jahren hat er die Mutter gefragt :»Mama, hast du auch einen Wiwimacher?« Worauf die Mama geantwortet: »Natürlich, was hast du denn gedacht?« Dieselbe Frage hat er zu wiederholten Malen an den Vater gerichtet. Im selben Alter zuerst in einen Stall geführt, hat er beim Melken einer Kuh zugeschaut und dann verwundert ausgerufen: »Schau, aus dem Wiwimacher kommt Milch.« Mit dreidreiviertel Jahren ist er auf dem Wege, durch seine Beobachtungen selbständig richtige Kategorien zu entdecken. Er sieht, wie aus einer Lokomotive Wasser ausgelassen wird und sagt: »Schau, die Lokomotive macht Wiwi; wo hat sie denn den Wiwimacher?« Später setzt er nachdenklich hinzu: »Ein Hund und ein Pferd hat einen Wiwimacher; ein Tisch und ein Sessel nicht.« Vor kurzem hat er zugesehen, wie man sein einwöchiges Schwesterchen badet, und dabei bemerkt: »Aber ihr Wiwimacher ist noch klein. Wenn sie wächst, wird er schon größer werden.« (Dieselbe Stellung zum Problem der Geschlechtsunterschiede ist mir auch von anderen Knaben gleichen Alters berichtet worden.) Ich möchte ausdrücklich bestreiten, daß der kleine Hans ein sinnliches oder gar ein pathologisch veranlagtes Kind sei; ich meine nur, er ist nicht eingeschüchtert worden, wird nicht vom Schuldbewußtsein geplagt und gibt darum arglos von seinen Denkvorgängen Kunde.[2]

Das zweite große Problem, welches dem Denken der Kinder — wohl erst in etwas späteren Jahren — Aufgaben stellt, ist die Frage nach der Herkunft der Kinder, die zumeist an die unerwünschte Erscheinung eines neuen kleinen Bruders oder Schwesterchens anknüpft. Es ist dies die älteste und brennendste Frage der jungen Menschheit; wer Mythen und Überlieferungen zu deuten versteht, kann sie aus dem Rätsel heraushören, welches die thebaische

Sphinx dem Ödipus aufgibt. Durch die in der Kinderstube gebräuchlichen Antworten wird der ehrliche Forschertrieb des Kindes verletzt, meist auch dessen Vertrauen zu seinen Eltern zum erstenmal erschüttert; von da an beginnt es zumeist den Erwachsenen zu mißtrauen und seine intimsten Interessen vor ihnen geheimzuhalten. Ein kleines Dokument mag zeigen, wie quälend sich gerade diese Wißbegierde oft bei älteren Kindern gestaltet, der Brief eines mutterlosen, elfeinhalbjährigen Mädchens, welches über das Problem mit seiner jüngeren Schwester spekuliert hat:

»Liebe Tante Mali!«

»Ich bitte Dich, sei so gut und schreibe mir, wie Du die Christel oder den Paul bekommen hast. Du mußt es ja wissen, da Du verheiratet bist. Wir haben uns nämlich gestern abend darüber gestritten und wünschen die Wahrheit zu wissen. Wir haben ja sonst niemanden, den wir fragen könnten. Wann kommt Ihr denn nach Salzburg? Weißt Du, liebe Tante Mali, wir können halt nicht begreifen, wie der Storch die Kinder bringt. Trudel hat geglaubt, der Storch bringt sie im Hemde. Dann möchten wir auch wissen, ob er sie aus dem Teiche nimmt und warum man die Kinder nie im Teich sieht. Ich bitte Dich, sag' mir auch, wieso man vorher weiß, wann man sie bekommt. Schreibe mir darüber ausführlich Antwort.

Mit tausend Grüßen und Küssen von uns allen

Deine neugierige Lilli.«

Ich glaube nicht, daß dieser rührende Brief den beiden Schwestern die geforderte Aufklärung brachte. Die Schreiberin ist später an jener Neurose erkrankt, die sich von unbeantworteten unbewußten Fragen ableitet, an Zwangsgrübelsucht.*

Ich glaube nicht, daß nur ein einziger Grund vorliegt, um Kindern die Aufklärung, nach der ihre Wißbegierde verlangt, zu verweigern. Freilich, wenn es die Absicht der Erzieher ist, die Fähigkeit der Kinder zum selbständigen Denken möglichst frühzeitig zugunsten der so hochgeschätzten ›Bravheit‹ zu ersticken, so kann dies nicht besser als durch Irreführung auf sexuellem und durch Einschüchterung auf religiösem Gebiet versucht werden. Die stärkeren Naturen widerstehen allerdings diesen Beeinflussungen und werden zu Rebellen gegen die elterliche und später gegen jede

---

* Die Grübelsucht macht aber nach Jahren einer Dementia praecox Platz.

andere Autorität. Erhalten die Kinder jene Aufklärungen nicht, um die sie sich an Ältere gewendet haben, so quälen sie sich im Geheimen mit dem Problem weiter und bringen Lösungsversuche zustande, in denen das geahnte Richtige auf die merkwürdigste Weise mit grotesk Unrichtigem vermengt ist, oder sie flüstern einander Mitteilungen zu, in welchen zufolge des Schuldbewußtseins der jugendlichen Forscher dem Sexualleben das Gepräge des Gräßlichen und Ekelhaften aufgedrückt wird. Diese kindlichen Sexualtheorien wären wohl einer Sammlung und Würdigung wert. Meist haben die Kinder von diesem Zeitpunkte an die einzig richtige Stellung zu den Fragen des Geschlechts verloren, und viele unter ihnen finden sie überhaupt nicht wieder.

Es scheint, daß die überwiegende Mehrheit männlicher und weiblicher Autoren, welche über die sexuelle Aufklärung der Jugend geschrieben haben, sich im bejahenden Sinn entscheiden. Aber aus dem Ungeschick der meisten Vorschläge, wann und wie dies zu geschehen hat, ist man versucht zu schließen, daß dies Zugeständnis den Betreffenden nicht leicht geworden ist. Ganz vereinzelt steht nach meiner Literaturkenntnis jener reizende Aufklärungsbrief da, den eine Frau Emma *Eckstein* an ihren etwa zehnjährigen Sohn zu schreiben vorgibt.[3] Wie man es sonst macht, daß man den Kindern die längste Zeit jede Kenntnis des Sexuellen vorenthält, um ihnen dann einmal in schwülstig-feierlichen Worten eine auch nur halb aufrichtige Eröffnung zu schenken, die überdies meist zu spät kommt, das ist offenbar nicht ganz das Richtige. Die meisten Beantwortungen der Frage ›Wie sag's ich meinem Kinde?‹ machen mir wenigstens einen so kläglichen Eindruck, daß ich vorziehen würde, wenn die Eltern sich überhaupt nicht um die Aufklärung bekümmern würden. Es kommt vielmehr darauf an, daß die Kinder niemals auf die Idee geraten, man wolle ihnen aus den Tatsachen des Geschlechtslebens eher ein Geheimnis machen als aus anderem, was ihrem Verständnisse noch nicht zugänglich ist. Und um dies zu erzielen, ist es erforderlich, daß das Geschlechtliche von allem Anfange an gleich wie anderes Wissenswerte behandelt werde. Vor allem ist es Aufgabe der Schule, der Erwähnung des Geschlechtlichen nicht auszuweichen, die großen Tatsachen der Fortpflanzung beim Unterrichte über die Tierwelt in ihre Bedeutung einzusetzen und sogleich zu betonen, daß der Mensch alles Wesentliche seiner Organisation mit den höheren Tieren teilt. Wenn dann das Haus nicht auf Denkabschreckung hinarbeitet, wird es sich wohl öfter ereignen, was ich einmal in einer Kinderstube belauscht habe, daß ein Knabe seinem jüngeren Schwesterchen vorhält: »Aber wie kannst du denken, daß der Storch die kleinen Kinder bringt. Du weißt ja, daß der Mensch ein Säugetier ist, und glaubst du denn, daß der Storch den *anderen* Säugetieren die Jungen bringt?« Die Neugierde des Kindes wird dann nie einen hohen Grad erreichen, wenn sie auf jeder Stufe des Lernens die entsprechende Befriedigung findet. Die Aufklärung über die spezifisch menschlichen Verhältnisse des Geschlechtslebens und der Hinweis auf die soziale Bedeutung desselben hätte sich dann am Schlusse des Volksschulunterrichtes (und vor Eintritt in die Mittelschule), also nicht nach dem Alter von zehn Jahren, anzuschließen. Endlich würde sich der Zeitpunkt der Konfirmation wie kein anderer dazu eignen, dem bereits über alles Körperliche aufgeklärten Kinde die sittlichen Verpflichtungen, welche an die Ausübung des Triebes geknüpft sind, darzulegen. Eine solche stufenweise fortschreitende und eigentlich zu keiner Zeit unterbrochene Aufklärung über das Geschlechtsleben, zu welcher die Schule die Initiative ergreift, erscheint mir als die einzige, welche der Entwicklung des Kindes Rechnung trägt und darum die vorhandene Gefahr glücklich vermeidet.

Ich halte es für den bedeutsamsten Fortschritt in der Kindererziehung, daß der französische Staat an Stelle des Katechismus ein Elementarbuch eingeführt hat, welches dem Kinde die ersten Kenntnisse seiner staatsbürgerlichen Stellung und der ihm dereinst zufallenden ethischen Pflichten vermittelt. Aber dieser Elementarunterricht ist in arger Weise unvollständig, wenn er nicht das Gebiet des Geschlechtslebens mit umschließt. Hier ist die Lücke, deren Ausfüllung Erzieher und Reformer in Angriff nehmen sollten! In Staaten, welche die Kindererziehung ganz oder teilweise in den Händen der Geistlichkeit belassen haben, darf man allerdings solche Forderung nicht erheben. Der Geistliche wird die Wesensgleichheit von Mensch und Tier nie zugeben, da er auf die unsterbliche Seele nicht verzichten kann, die er braucht, um die Moralforderung zu begründen. So bewährt es sich denn wieder einmal, wie unklug es ist, einem zerlumpten Rock einen einzigen seidenen Lappen aufzunähen, wie unmöglich es ist, eine vereinzelte Reform durchzuführen, ohne an den Grundlagen des Systems zu ändern!

DIE ›KULTURELLE‹ SEXUALMORAL UND DIE MODERNE NERVOSITÄT

In seiner kürzlich veröffentlichten *Sexualethik*[1] verweilt *v. Ehrenfels* bei der Unterscheidung der ›natürlichen‹ und der ›kulturellen‹ Sexualmoral. Als natürliche Sexualmoral sei diejenige zu verstehen, unter deren Herrschaft ein Menschenstamm sich andauernd bei Gesundheit und Lebenstüchtigkeit zu erhalten vermag, als kulturelle diejenige, deren Befolgung die Menschen vielmehr zu intensiver und produktiver Kulturarbeit anspornt. Dieser Gegensatz werde am besten durch die Gegenüberstellung von *konstitutivem* und *kulturellem* Besitz eines Volkes erläutert. Indem ich für die weitere Würdigung dieses bedeutsamen Gedankenganges auf die Schrift von *v. Ehrenfels* selbst verweise, will ich aus ihr nur soviel herausheben, als es für die Anknüpfung meines eigenen Beitrages bedarf.

Die Vermutung liegt nahe, daß unter der Herrschaft einer kulturellen Sexualmoral Gesundheit und Lebenstüchtigkeit der einzelnen Menschen Beeinträchtigungen ausgesetzt sein können, und daß endlich diese Schädigung der Individuen durch die ihnen auferlegten Opfer einen so hohen Grad erreiche, daß auf diesem Umwege auch das kulturelle Endziel in Gefahr geriete. *v. Ehrenfels* weist auch wirklich der unsere gegenwärtige abendländische Gesellschaft beherrschenden Sexualmoral eine Reihe von Schäden nach, für die er sie verantwortlich machen muß, und obwohl er ihre hohe Eignung zur Förderung der Kultur voll anerkennt, gelangt er dazu, sie als reformbedürftig zu verurteilen. Für die uns beherrschende kulturelle Sexualmoral sei charakteristisch die Übertragung femininer Anforderungen auf das Geschlechtsleben des Mannes und die Verpönung eines jeden Sexualverkehres mit Ausnahme des ehelich-monogamen. Die Rücksicht auf die natürliche Verschiedenheit der Geschlechter nötige dann allerdings dazu, Vergehungen des Mannes minder rigoros zu ahnden und somit tatsächlich eine *doppelte* Moral für den Mann zuzulassen. Eine Gesellschaft aber, die sich auf diese doppelte Moral einläßt, kann es in »Wahrheitsliebe, Ehrlichkeit und Humanität«[2] nicht über ein bestimmtes, eng begrenztes Maß hinausbringen, muß ihre Mitglieder zur Verhüllung der Wahrheit, zur Schönfärberei, zum Selbstbetruge wie zum Betrügen anderer anleiten. Noch schädlicher wirkt die kulturelle Sexualmoral, indem sie durch die Ver-

herrlichung der Monogamie den Faktor der *virilen Auslese* lahm-
legt, durch dessen Einfluß allein eine Verbesserung der Konstitution zu gewinnen sei, da die *vitale Auslese* bei den Kulturvölkern
durch Humanität und Hygiene auf ein Minimum herabgedrückt
werde.[3]

Unter den der kulturellen Sexualmoral zur Last gelegten Schädigungen vermißt nun der Arzt die eine, deren Bedeutung hier
ausführlich erörtert werden soll. Ich meine die auf sie zurückzu-
führende Förderung der modernen, das heißt in unserer gegenwärtigen Gesellschaft sich rasch ausbreitenden Nervosität. Gelegentlich macht ein nervöser Kranker selbst den Arzt auf den in der
Verursachung des Leidens zu beachtenden Gegensatz von Konstitution und Kulturanforderung aufmerksam, indem er äußert:
»Wir in unserer Familie sind alle nervös geworden, weil wir etwas
Besseres sein wollten, als wir nach unserer Herkunft sein können.«
Auch wird der Arzt häufig genug durch die Beobachtung nachdenklich gemacht, daß gerade die Nachkommen solcher Väter der
Nervosität verfallen, die, aus einfachen und gesunden ländlichen
Verhältnissen stammend, Abkömmlinge roher aber kräftiger Familien, als Eroberer in die Großstadt kommen und ihre Kinder in
einem kurzen Zeitraum auf ein kulturell hohes Niveau sich erheben lassen. Vor allem aber haben die Nervenärzte selbst laut
den Zusammenhang der ›wachsenden Nervosität‹ mit dem modernen Kulturleben proklamiert. Worin sie die Begründung dieser
Abhängigkeit suchen, soll durch einige Auszüge aus Äußerungen
hervorragender Beobachter dargetan werden.

W. Erb:[4] »Die ursprünglich gestellte Frage lautet nun dahin, ob
die Ihnen vorgeführten Ursachen der Nervosität in unserem modernen Dasein in so gesteigertem Maße gegeben sind, daß sie eine
erhebliche Zunahme derselben erklärlich machen — und diese
Frage darf wohl unbedenklich bejaht werden, wie ein flüchtiger
Blick auf unser modernes Leben und seine Gestaltung zeigen
wird.«

»Schon aus einer Reihe allgemeiner Tatsachen geht dies deutlich
hervor: die außerordentlichen Errungenschaften der Neuzeit, die
Entdeckungen und Erfindungen auf allen Gebieten, die Erhaltung
des Fortschrittes gegenüber der wachsenden Konkurrenz sind nur
erworben worden durch große geistige Arbeit und können nur mit
solcher erhalten werden. Die Ansprüche an die Leistungsfähigkeit
des einzelnen im Kampfe ums Dasein sind erheblich gestiegen,

und nur mit Aufbietung all seiner geistigen Kräfte kann er sie befriedigen; zugleich sind die Bedürfnisse des einzelnen, die Ansprüche an Lebensgenuß in allen Kreisen gewachsen, ein unerhörter Luxus hat sich auf Bevölkerungsschichten ausgebreitet, die früher davon ganz unberührt waren; die Religionslosigkeit, die Unzufriedenheit und Begehrlichkeit haben in weiten Volkskreisen zugenommen; durch den ins Ungemessene gesteigerten Verkehr, durch die weltumspannenden Drahtnetze des Telegraphen und Telephons haben sich die Verhältnisse in Handel und Wandel total verändert: alles geht in Hast und Aufregung vor sich, die Nacht wird zum Reisen, der Tag für die Geschäfte benützt, selbst die ›Erholungsreisen‹ werden zu Strapazen für das Nervensystem; große politische, industrielle, finanzielle Krisen tragen ihre Aufregung in viel weitere Bevölkerungskreise als früher; ganz allgemein ist die Anteilnahme am politischen Leben geworden: politische, religiöse, soziale Kämpfe, das Parteitreiben, die Wahlagitationen, das ins Maßlose gesteigerte Vereinswesen erhitzen die Köpfe und zwingen die Geister zu immer neuen Anstrengungen und rauben die Zeit zur Erholung, Schlaf und Ruhe; das Leben in den großen Städten ist immer raffinierter und unruhiger geworden. Die erschlafften Nerven suchen ihre Erholung in gesteigerten Reizen, in stark gewürzten Genüssen, um dadurch noch mehr zu ermüden; die moderne Literatur beschäftigt sich vorwiegend mit den bedenklichsten Problemen, die alle Leidenschaften aufwühlen, die Sinnlichkeit und Genußsucht, die Verachtung aller ethischen Grundsätze und aller Ideale fördern; sie bringt pathologische Gestalten, psychopathisch-sexuelle, revolutionäre und andere Probleme vor den Geist des Lesers; unser Ohr wird von einer in großen Dosen verabreichten, aufdringlichen und lärmenden Musik erregt und überreizt, die Theater nehmen alle Sinne in ihren aufregenden Darstellungen gefangen; auch die bildenden Künste wenden sich mit Vorliebe dem Abstoßenden, Häßlichen und Aufregenden zu und scheuen sich nicht, auch das Gräßlichste, was die Wirklichkeit bietet, in abstoßender Realität vor unser Auge zu stellen.«

»So zeigt dies allgemeine Bild schon eine Reihe von Gefahren in unserer modernen Kulturentwicklung; es mag im einzelnen noch durch einige Züge vervollständigt werden!«

Binswanger:[5] »Man hat speziell die Neurasthenie als eine durchaus moderne Krankheit bezeichnet, und *Beard*, dem wir zuerst eine übersichtliche Darstellung derselben verdanken, glaubte, daß er eine neue, speziell auf amerikanischem Boden erwachsene Nervenkrankheit entdeckt habe. Diese Annahme war natürlich eine irrige; wohl aber kennzeichnet die Tatsache, daß zuerst ein *amerikanischer* Arzt die eigenartigen Züge dieser Krankheit auf Grund einer reichen Erfahrung erfassen und festhalten konnte, die nahen Beziehungen, welche das moderne Leben, das ungezügelte Hasten und Jagen nach Geld und Besitz, die ungeheuren Forschritte auf technischem Gebiet, welche alle zeitlichen und räumlichen Hindernisse des Verkehrslebens illusorisch gemacht haben, zu dieser Krankheit aufweisen.«

v. Krafft-Ebing:[6]»Die Lebensweise unzähliger Kulturmenschen weist heutzutage eine Fülle von antihygienischen Momenten auf, die es ohne weiteres begreifen lassen, daß die Nervosität in fataler Weise um sich greift, denn diese schädlichen Momente wirken zunächst und zumeist aufs Gehirn. In den politischen und sozialen, speziell den merkantilen, industriellen, agrarischen Verhältnissen der Kulturnationen haben sich eben im Laufe der letzten Jahrzehnte Änderungen vollzogen, die Beruf, bürgerliche Stellung, Besitz gewaltig umgeändert haben, und zwar auf Kosten des Nervensystems, das gesteigerten sozialen und wirtschaftlichen Anforderungen durch vermehrte Verausgabung an Spannkraft bei vielfach ungenügender Erholung gerecht werden muß.«

Ich habe an diesen – und vielen anderen ähnlich klingenden – Lehren auszusetzen, nicht daß sie irrtümlich sind, sondern daß sie sich unzulänglich erweisen, die Einzelheiten in der Erscheinung der nervösen Störungen aufzuklären, und daß sie gerade das bedeutsamste der ätiologisch wirksamen Momente außer acht lassen. Sieht man von den unbestimmteren Arten, ›nervös‹ zu sein, ab und faßt die eigentlichen Formen des nervösen Krankseins ins Auge, so reduziert sich der schädigende Einfluß der Kultur im wesentlichen auf die schädliche Unterdrückung des Sexuallebens der Kulturvölker (oder Schichten) durch die bei ihnen herrschende ›kulturelle‹ Sexualmoral.

Den Beweis für diese Behauptung habe ich in einer Reihe fachmännischer Arbeiten zu erbringen gesucht[7]; er kann hier nicht wiederholt werden, doch will ich die wichtigsten Argumente aus meinen Untersuchungen auch an dieser Stelle anführen.

Geschärfte klinische Beobachtung gibt uns das Recht, von den nervösen Krankheitszuständen zwei Gruppen zu unterscheiden, die eigentlichen *Neurosen* und die *Psychoneurosen*. Bei den ersteren scheinen die Störungen (Symptome), mögen sie sich in den körperlichen oder in den seelischen Leistungen äußern, *toxischer* Natur zu sein: sie verhalten sich ganz ähnlich wie die Erscheinungen bei übergroßer Zufuhr oder bei Entbehrung gewisser Nervengifte. Diese Neurosen — meist als Neurasthenie zusammengefaßt — können nun, ohne daß die Mithilfe einer erblichen Belastung erforderlich wäre, durch gewisse schädliche Einflüsse des Sexuallebens erzeugt werden, und zwar korrespondiert die Form der Erkrankung mit der Art dieser Schädlichkeiten, so daß man oft genug das klinische Bild ohne weiteres zum Rückschluß auf die besondere sexuelle Ätiologie verwenden kann. Eine solche regelmäßige Entsprechung wird aber zwischen der Form der nervösen Erkrankung und den anderen schädigenden Kultureinflüssen, welche die Autoren als krankmachend anklagen, durchaus vermißt. Man darf also den sexuellen Faktor für den wesentlichen in der Verursachung der eigentlichen Neurosen erklären.

Bei den Psychoneurosen ist der hereditäre Einfluß bedeutsamer, die Verursachung minder durchsichtig. Ein eigentümliches Untersuchungsverfahren, das als Psychoanalyse bekannt ist, hat aber gestattet zu erkennen, daß die Symptome dieser Leiden (der Hysterie, Zwangsneurose usw.) *psychogen* sind, von der Wirksamkeit unbewußter (verdrängter) Vorstellungskomplexe abhängen. Dieselbe Methode hat uns aber auch diese unbewußten Komplexe kennen gelehrt und uns gezeigt, daß sie, ganz allgemein gesprochen, sexuellen Inhalt haben; sie entspringen den Sexualbedürfnissen unbefriedigter Menschen und stellen für sie eine Art von Ersatzbefriedigung dar. Somit müssen wir in allen Momenten, welche das Sexualleben schädigen, seine Betätigung unterdrücken, seine Ziele verschieben, pathogene Faktoren auch der Psychoneurosen erblicken.

Der Wert der theoretischen Unterscheidung zwischen den toxischen und den psychogenen Neurosen wird natürlich durch die Tatsache nicht beeinträchtigt, daß an den meisten nervösen Personen Störungen von beiderlei Herkunft zu beobachten sind.

Wer nun mit mir bereit ist, die Ätiologie der Nervosität vor allem in schädigenden Einwirkungen auf das Sexualleben zu suchen, der wird auch den nachstehenden Erörterungen folgen wollen, welche das Thema der wachsenden Nervosität in einen allgemeineren Zusammenhang einzufügen bestimmt sind.

Unsere Kultur ist ganz allgemein auf der Unterdrückung von Trieben aufgebaut. Jeder einzelne hat ein Stück seines Besitzes, seiner Machtvollkommenheit, der aggressiven und vindikativen Neigungen seiner Persönlichkeit abgetreten; aus diesen Beiträgen ist der gemeinsame Kulturbesitz an materiellen und ideellen Gütern entstanden. Außer der Lebensnot sind es wohl die aus der Erotik abgeleiteten Familiengefühle, welche die einzelnen Individuen zu diesem Verzichte bewogen haben. Der Verzicht ist ein im Laufe der Kulturentwicklung progressiver gewesen; die einzelnen Fortschritte desselben wurden von der Religion sanktioniert; das Stück Triebbefriedigung, auf das man verzichtet hatte, wurde der Gottheit zum Opfer gebracht; das so erworbene Gemeingut für ›heilig‹ erklärt. Wer kraft seiner unbeugsamen Konstitution diese Triebunterdrückung nicht mitmachen kann, steht der Gesellschaft als ›Verbrecher‹, als ›outlaw‹ gegenüber, insofern nicht seine soziale Position und seine hervorragenden Fähigkeiten ihm gestatten, sich in ihr als großer Mann, als ›Held‹ durchzusetzen.

Der Sexualtrieb — oder richtiger gesagt: die Sexualtriebe, denn eine analytische Untersuchung lehrt, daß der Sexualtrieb aus vielen Komponenten, Partialtrieben, zusammengesetzt ist — ist beim Menschen wahrscheinlich stärker ausgebildet als bei den meisten höheren Tieren und jedenfalls stetiger, da er die Periodizität fast völlig überwunden hat, an die er sich bei den Tieren gebunden zeigt. Er stellt der Kulturarbeit außerordentlich große Kraftmengen zur Verfügung, und dies zwar infolge der bei ihm besonders ausgeprägten Eigentümlichkeit, sein Ziel verschieben zu können, ohne wesentlich an Intensität abzunehmen. Man nennt diese Fähigkeit, das ursprünglich sexuelle Ziel gegen ein anderes, nicht mehr sexuelles, aber psychisch mit ihm verwandtes, zu vertauschen, die Fähigkeit zur *Sublimierung*. Im Gegensatze zu dieser Verschiebbarkeit, in welcher sein kultureller Wert besteht, kommt beim Sexualtrieb auch besonders hartnäckige Fixierung vor, durch die er unverwertbar wird und gelegentlich zu den sogenannten Abnormitäten entartet. Die ursprüngliche Stärke des Sexualtriebes ist wahrscheinlich bei den einzelnen Individuen verschieden groß; sicherlich schwankend ist der von ihm zur Sublimierung geeignete Betrag. Wir stellen uns vor, daß es zunächst durch die mitgebrachte Organisation entschieden ist, ein wie großer Anteil des Sexualtriebes sich beim einzelnen als sublimierbar und verwertbar erweisen wird; außerdem gelingt es den Einflüssen des Lebens und der intellektuellen Beeinflussung des seelischen Apparates einen weiteren Anteil zur Sublimierung zu bringen. Ins Unbegrenzte fortzusetzen ist dieser Verschiebungsprozeß aber sicherlich nicht, so wenig wie die Umsetzung der Wärme in mechanische Arbeit bei unseren Maschinen. Ein gewisses Maß direkter sexueller Befriedigung scheint für die allermeisten Organisationen unerläßlich, und die Versagung dieses individuell variablen Maßes straft sich durch Erscheinungen, die wir infolge ihrer Funktionsschädlichkeit und ihres subjektiven Unlustcharakters zum Kranksein rechnen müssen.

Weitere Ausblicke eröffnen sich, wenn wir die Tatsache in Betracht ziehen, daß der Sexualtrieb des Menschen ursprünglich gar nicht den Zwecken der Fortpflanzung dient, sondern bestimmte Arten der Lustgewinnung zum Ziele hat.* Er äußert sich so in der Kindheit des Menschen, wo er sein Ziel der Lustgewinnung nicht nur an den Genitalien, sondern auch an anderen Körperstellen (erogenen Zonen) erreicht und darum von anderen als diesen bequemen Objekten absehen darf. Wir heißen dieses Stadium das des *Autoerotismus* und weisen der Erziehung die Aufgabe, es einzuschränken, zu, weil das Verweilen bei demselben den Sexualtrieb für später unbeherrschbar und unverwertbar machen würde. Die Entwicklung des Sexualtriebes geht dann vom Autoerotismus zur Objektliebe und von der Autonomie der erogenen Zonen zur Unterordnung derselben unter das Primat der in den Dienst der Fortpflanzung gestellten Genitalien. Während dieser Entwicklung wird ein Anteil der vom eigenen Körper gelieferten Sexualerregung als unbrauchbar für die Fortpflanzungsfunktion gehemmt und im günstigen Falle der Sublimierung zugeführt. Die für die Kulturarbeit verwertbaren Kräfte werden so zum großen Teile durch die Unterdrückung der sogenannt *perversen* Anteile der Sexualerregung gewonnen.

Mit Bezug auf diese Entwicklungsgeschichte des Sexualtriebes könnte man also drei Kulturstufen unterscheiden: Eine erste, auf welcher die Betätigung des Sexualtriebes auch über die Ziele der Fortpflanzung hinaus frei ist; eine zweite, auf welcher alles am Sexualtrieb unterdrückt ist bis auf das, was der Fortpflanzung dient, und eine dritte, auf welcher nur die legitime Fortpflanzung

* Drei Abhandlungen zur Sexualtheorie. Wien 1905. [Ges. Werke, Bd. V, S. 27–145; S. 57 f. dieser Ausgabe.]

als Sexualziel zugelassen wird. Dieser dritten Stufe entspricht unsere gegenwärtige ›kulturelle‹ Sexualmoral.

Nimmt man die zweite dieser Stufen zum Niveau, so muß man zunächst konstatieren, daß eine Anzahl von Personen aus Gründen der Organisation den Anforderungen derselben nicht genügt. Bei ganzen Reihen von Individuen hat sich die erwähnte Entwicklung des Sexualtriebes vom Autoerotismus zur Objektliebe mit dem Ziel der Vereinigung der Genitalien nicht korrekt und nicht genug durchgreifend vollzogen, und aus diesen Entwicklungsstörungen ergeben sich zweierlei schädliche Abweichungen von der normalen, das heißt kulturförderlichen Sexualität, die sich zueinander nahezu wie positiv und negativ verhalten. Es sind dies zunächst — abgesehen von den Personen mit überstarkem und unhemmbarem Sexualtrieb überhaupt — die verschiedenen Gattungen der *Perversen*, bei denen eine infantile Fixierung auf ein vorläufiges Sexualziel das Primat der Fortpflanzungsfunktion aufgehalten hat, und die *Homosexuellen* oder *Invertierten*, bei denen auf noch nicht ganz aufgeklärte Weise das Sexualziel vom entgegengesetzten Geschlecht abgelenkt worden ist. Wenn die Schädlichkeit dieser beiden Arten von Entwicklungsstörung geringer ausfällt, als man hätte erwarten können, so ist diese Erleichterung gerade auf die komplexe Zusammensetzung des Sexualtriebes zurückzuführen, welche auch dann noch eine brauchbare Endgestaltung des Sexuallebens ermöglicht, wenn ein oder mehrere Komponenten des Triebes sich von der Entwicklung ausgeschlossen haben. Die Konstitution der von der Inversion Betroffenen, der Homosexuellen, zeichnet sich sogar häufig durch eine besondere Eignung des Sexualtriebes zur kulturellen Sublimierung aus.

Stärkere und zumal exklusive Ausbildungen der Perversionen und der Homosexualität machen allerdings deren Träger sozial unbrauchbar und unglücklich, so daß selbst die Kulturanforderungen der zweiten Stufe als eine Quelle des Leidens für einen gewissen Anteil der Menschheit anerkannt werden müssen. Das Schicksal dieser konstitutiv von den anderen abweichenden Personen ist ein mehrfaches, je nachdem sie einen absolut starken oder schwächeren Geschlechtstrieb mitbekommen haben. Im letzteren Falle, bei allgemein schwachem Sexualtrieb, gelingt den Perversen die völlige Unterdrückung jener Neigungen, welche sie in Konflikt mit der Moralforderung ihrer Kulturstufe bringen. Aber dies bleibt auch, ideell betrachtet, die einzige Leistung, die ihnen gelingt, denn für diese Unterdrückung ihrer sexuellen Triebe verbrauchen sie die Kräfte, die sie sonst an die Kulturarbeit wenden würden. Sie sind gleichsam in sich gehemmt und nach außen gelähmt. Es trifft für sie zu, was wir später von der Abstinenz der Männer und Frauen, die auf der dritten Kulturstufe gefordert wird, wiederholen werden.

Bei intensiverem, aber perversem Sexualtrieb sind zwei Fälle des Ausgangs möglich. Der erste, weiter nicht zu betrachtende, ist der, daß die Betroffenen pervers bleiben und die Konsequenzen ihrer Abweichung vom Kulturniveau zu tragen haben. Der zweite Fall ist bei weitem interessanter — er besteht darin, daß unter dem Einflusse der Erziehung und der sozialen Anforderungen allerdings eine Unterdrückung der perversen Triebe erreicht wird, aber einer Art von Unterdrückung, die eigentlich keine solche ist, die besser als ein Mißglücken der Unterdrückung bezeichnet werden kann. Die gehemmten Sexualtriebe äußern sich zwar dann nicht als solche: darin besteht der Erfolg — aber sie äußern sich auf andere Weisen, die für das Individuum genau ebenso schädlich sind und es für die Gesellschaft ebenso unbrauchbar machen wie die unveränderte Befriedigung jener unterdrückten Triebe: darin liegt dann der Mißerfolg des Prozesses, der auf die Dauer den Erfolg mehr als bloß aufwiegt. Die Ersatzerscheinungen, die hier infolge der Triebunterdrückung auftreten, machen das aus, was wir als Nervosität, spezieller als Psychoneurosen (siehe eingangs) beschreiben. Die Neurotiker sind jene Klasse von Menschen, die es bei widerstrebender Organisation unter dem Einflusse der Kulturanforderungen zu einer nur scheinbaren und immer mehr mißglückenden Unterdrückung ihrer Triebe bringen, und die darum ihre Mitarbeiterschaft an den Kulturwerken nur mit großem Kräfteaufwand, unter innerer Verarmung, aufrechterhalten oder zeitweise als Kranke aussetzen müssen. Die Neurosen aber habe ich als das ›Negativ‹ der Perversionen bezeichnet, weil sich bei ihnen die perversen Regungen nach der Verdrängung aus dem Unbewußten des Seelischen äußern, weil sie dieselben Neigungen wie die positiv Perversen im ›verdrängten‹ Zustand enthalten.

Die Erfahrung lehrt, daß es für die meisten Menschen eine Grenze gibt, über die hinaus ihre Konstitution der Kulturanforderung nicht folgen kann. Alle, die edler sein wollen, als ihre Konstitution es ihnen gestattet, verfallen der Neurose; sie hätten sich wohler befunden, wenn es ihnen möglich geblieben wäre, schlechter zu sein. Die Einsicht, daß Perversion und Neurose sich wie positiv und negativ zueinander verhalten, findet oft eine unzweideutige Bekräftigung durch Beobachtung innerhalb der nämlichen Generation. Recht häufig ist von Geschwistern der Bruder ein sexuell Perverser, die Schwester, die mit dem schwächeren Sexualtrieb als Weib ausgestattet ist, eine Neurotika, deren Symptome aber dieselben Neigungen ausdrücken wie die Perversionen des sexuell aktiveren Bruders, und dementsprechend sind überhaupt in vielen Familien die Männer gesund, aber in sozial unerwünschtem Maße unmoralisch, die Frauen edel und überfeinert, aber — schwer nervös.

Es ist eine der offenkundigen sozialen Ungerechtigkeiten, wenn der kulturelle Standard von allen Personen die nämliche Führung des Sexuallebens fordert, die den einen dank ihrer Organisation mühelos gelingt, während sie den anderen die schwersten psychischen Opfer auferlegt, eine Ungerechtigkeit freilich, die zumeist durch Nichtbefolgung der Moralvorschriften vereitelt wird.

Wir haben unseren Betrachtungen bisher die Forderung der zweiten, von uns supponierten, Kulturstufe zugrunde gelegt, derzufolge jede sogenannte perverse Sexualbetätigung verpönt, der normal genannte Sexualverkehr hingegen frei gelassen wird. Wir haben gefunden, daß auch bei dieser Verteilung von sexueller Freiheit und Einschränkung eine Anzahl von Individuen als pervers beiseite geschoben, eine andere, die sich bemühen, nicht pervers zu sein, während sie es konstitutiv sein sollten, in die Nervosität gedrängt wird. Es ist nun leicht, den Erfolg vorherzusagen, der sich einstellen wird, wenn man die Sexualfreiheit weiter einschränkt und die Kulturforderung auf das Niveau der dritten Stufe erhöht, also jede andere Sexualbetätigung als die in legitimer Ehe verpönt. Die Zahl der Starken, die sich in offenen Gegensatz zur Kulturforderung stellen, wird in außerordentlichem Maße vermehrt werden, und ebenso die Zahl der Schwächeren, die sich in ihrem Konflikte zwischen dem Drängen der kulturellen Einflüsse und dem Widerstande ihrer Konstitution in neurotisches Kranksein — flüchten.

Setzen wir uns vor, drei hier entspringende Fragen zu beantworten: 1. welche Aufgabe die Kulturforderung der dritten Stufe an den einzelnen stellt, 2. ob die zugelassene legitime Sexualbefriedigung eine annehmbare Entschädigung für den sonstigen Verzicht zu bieten vermag, 3. in welchem Verhältnisse die etwaigen

Schädigungen durch diesen Verzicht zu dessen kulturellen Aus-
nützungen stehen.

Die Beantwortung der ersten Frage rührt an ein oftmals behan-
deltes, hier nicht zu erschöpfendes Problem, das der sexuellen Abstinenz. Was unsere dritte Kulturstufe von dem einzelnen fordert,
ist die Abstinenz bis zur Ehe für beide Geschlechter, die lebens-
lange Abstinenz für alle solche, die keine legitime Ehe eingehen.
Die allen Autoritäten genehme Behauptung, die sexuelle Abstinenz sei nicht schädlich und nicht gar schwer durchzuführen, ist
vielfach· auch von Ärzten vertreten worden. Man darf sagen, die
Aufgabe der Bewältigung einer so mächtigen Regung wie des
Sexualtriebes, anders als auf dem Wege der Befriedigung, ist eine,
die alle Kräfte eines Menschen in Anspruch nehmen kann. Die Bewältigung durch Sublimierung, durch Ablenkung der sexuellen
Triebkräfte vom sexuellen Ziele weg auf höhere kulturelle Ziele
gelingt einer Minderzahl, und wohl auch dieser nur zeitweilig, am
wenigsten leicht in der Lebenszeit feuriger Jugendkraft. Die meisten anderen werden neurotisch oder kommen sonst zu Schaden.
Die Erfahrung zeigt, daß die Mehrzahl der unsere Gesellschaft zu-
sammensetzenden Personen der Aufgabe der Abstinenz konstitutionell nicht gewachsen ist. Wer auch bei milderer Sexualeinschränkung erkrankt wäre, erkrankt unter den Anforderungen
unserer heutigen kulturellen Sexualmoral um so eher und um so
intensiver, denn gegen die Bedrohung des normalen Sexualstrebens durch fehlerhafte Anlagen und Entwicklungsstörungen kennen wir keine bessere Sicherung als die Sexualbefriedigung selbst.
Je mehr jemand zur Neurose disponiert ist, desto schlechter verträgt er die Abstinenz; die Partialtriebe, die sich der normalen
Entwicklung im oben niedergelegten Sinne entzogen haben, sind
nämlich auch gleichzeitig um soviel unhemmbarer geworden. Aber
auch diejenigen, welche bei den Anforderungen der zweiten Kulturstufe gesund geblieben wären, werden nun in großer Anzahl
der Neurose zugeführt. Denn der psychische Wert der Sexualbefriedigung erhöht sich mit ihrer Versagung; die gestaute Libido
wird nun in den Stand gesetzt, irgendeine der selten fehlenden
schwächeren Stellen im Aufbau der Vita sexualis auszuspüren, um
dort zur neurotischen Ersatzbefriedigung in Form krankhafter
Symptome durchzubrechen. Wer in die Bedingtheit nervöser Erkrankung einzudringen versteht, verschafft sich bald die Überzeugung, daß die Zunahme der nervösen Erkrankungen in unserer

Gesellschaft von der Steigerung der sexuellen Einschränkung herrührt.

Wir rücken dann der Frage näher, ob nicht der Sexualverkehr in legitimer Ehe eine volle Entschädigung für die Einschränkung vor der Ehe bieten kann. Das Material zur verneinenden Beantwortung dieser Frage drängt sich da so reichlich auf, daß uns die knappste Fassung zur Pflicht wird. Wir erinnern vor allem daran, daß unsere kulturelle Sexualmoral auch den sexuellen Verkehr in der Ehe selbst beschränkt, indem sie den Eheleuten den Zwang auferlegt, sich mit einer meist sehr geringen Anzahl von Kinderzeugungen zu begnügen. Infolge dieser Rücksicht gibt es befriedigenden Sexualverkehr in der Ehe nur durch einige Jahre, natürlich noch mit Abzug der zur Schonung der Frau aus hygienischen Gründen erforderten Zeiten. Nach diesen drei, vier oder fünf Jahren versagt die Ehe, insofern sie die Befriedigung der sexuellen Bedürfnisse versprochen hat; denn alle Mittel, die sich bisher zur Verhütung der Konzeption ergeben haben, verkümmern den sexuellen Genuß, stören die feinere Empfindlichkeit beider Teile oder wirken selbst direkt krankmachend; mit der Angst vor den Folgen des Geschlechtsverkehrs schwindet zuerst die körperliche Zärtlichkeit der Ehegatten füreinander, in weiterer Folge meist auch die seelische Zuneigung, die bestimmt war, das Erbe der anfänglichen stürmischen Leidenschaft zu übernehmen. Unter der seelischen Enttäuschung und körperlichen Entbehrung, die so das Schicksal der meisten Ehen wird, finden sich beide Teile auf den früheren Zustand vor der Ehe zurückversetzt, nur um eine Illusion verarmt und von neuem auf ihre Festigkeit, den Sexualtrieb zu beherrschen und abzulenken, angewiesen. Es soll nicht untersucht werden, inwieweit diese Aufgabe nun dem Manne im reiferen Lebensalter gelingt; erfahrungsgemäß bedient er sich nun recht häufig des Stückes Sexualfreiheit, welches ihm auch von der strengsten Sexualordnung, wenngleich nur stillschweigend und widerwillig, eingeräumt wird; die für den Mann in unserer Gesellschaft geltende ›doppelte‹ Sexualmoral ist das beste Eingeständnis, daß die Gesellschaft selbst, welche die Vorschriften erlassen hat, nicht an deren Durchführung glaubt. Die Erfahrung zeigt aber auch, daß die Frauen, denen als den eigentlichen Trägerinnen der Sexualinteressen des Menschen die Gabe der Sublimierung des Triebes nur in geringem Maße zugeteilt ist, denen als Ersatz des Sexualobjektes zwar der Säugling, aber nicht das heran-

wachsende Kind genügt, daß die Frauen, sage ich, unter den Enttäuschungen der Ehe an schweren und das Leben dauernd trüben-
den Neurosen erkranken. Die Ehe hat unter den heutigen kulturellen Bedingungen längst aufgehört, das Allheilmittel gegen die
nervösen Leiden des Weibes zu sein; und wenn wir Ärzte auch
noch immer in solchen Fällen zu ihr raten, so wissen wir doch, daß
im Gegenteil ein Mädchen recht gesund sein muß, um die Ehe zu
›vertragen‹, und raten unseren männlichen Klienten dringend ab,
ein bereits vor der Ehe nervöses Mädchen zur Frau zu nehmen.
Das Heilmittel gegen die aus der Ehe entspringende Nervosität
wäre vielmehr die eheliche Untreue; je strenger eine Frau erzogen
ist, je ernsthafter sie sich der Kulturforderung unterworfen hat,
desto mehr fürchtet sie aber diesen Ausweg, und im Konflikte
zwischen ihren Begierden und ihrem Pflichtgefühl sucht sie ihre
Zuflucht wiederum — in der Neurose. Nichts anderes schützt ihre
Tugend so sicher wie die Krankheit. Der eheliche Zustand, auf den
der Sexualtrieb des Kulturmenschen während seiner Jugend ver-
tröstet wurde, kann also die Anforderungen seiner eigenen Lebenszeit nicht decken; es ist keine Rede davon, daß er für den früheren Verzicht entschädigen könnte.

Auch wer diese Schädigungen durch die kulturelle Sexualmoral
zugibt, kann zur Beantwortung unserer dritten Frage geltend machen, daß der kulturelle Gewinn aus der so weit getriebenen Sexualeinschränkung diese Leiden, die in schwerer Ausprägung doch nur
eine Minderheit betreffen, wahrscheinlich mehr als bloß aufwiegt.
Ich erkläre mich für unfähig, Gewinn und Verlust hier richtig
gegeneinander abzuwägen, aber zur Einschätzung der Verlustseite
könnte ich noch allerlei anführen. Auf das vorhin gestreifte Thema
der Abstinenz zurückgreifend, muß ich behaupten, daß die Abstinenz noch andere Schädigungen bringt als die der Neurose, und
daß diese Neurosen meist nicht nach ihrer vollen Bedeutung ver-
anschlagt werden.

Die Verzögerung der Sexualentwicklung und Sexualbetätigung,
welche unsere Erziehung und Kultur anstrebt, ist zunächst gewiß
unschädlich; sie wird zur Notwendigkeit, wenn man in Betracht
zieht, in wie späten Jahren erst die jungen Leute gebildeter Stände
zu selbständiger Geltung und zum Erwerb zugelassen werden.
Man wird hier übrigens an den intimen Zusammenhang aller unserer kulturellen Institutionen und an die Schwierigkeit gemahnt,
ein Stück derselben ohne Rücksicht auf das Ganze abzuändern. Die

Abstinenz weit über das zwanzigste Jahr hinaus ist aber für den jungen Mann nicht mehr unbedenklich und führt zu anderen Schädigungen, auch wo sie nicht zur Nervosität führt. Man sagt zwar, der Kampf mit dem mächtigen Triebe und die dabei erforderliche Betonung aller ethischen und ästhetischen Mächte im Seelenleben ›stähle‹ den Charakter, und dies ist für einige besonders günstig organisierte Naturen richtig; zuzugeben ist auch, daß die in unserer Zeit so ausgeprägte Differenzierung der individuellen Charaktere erst mit der Sexualeinschränkung möglich geworden ist. Aber in der weitaus größeren Mehrheit der Fälle zehrt der Kampf gegen die Sinnlichkeit die verfügbare Energie des Charakters auf und dies gerade zu einer Zeit, in welcher der junge Mann all seiner Kräfte bedarf, um sich seinen Anteil und Platz in der Gesellschaft zu erobern. Das Verhältnis zwischen möglicher Sublimierung und notwendiger sexueller Betätigung schwankt natürlich sehr für die einzelnen Individuen und sogar für die verschiedenen Berufsarten. Ein abstinenter Künstler ist kaum recht möglich, ein abstinenter junger Gelehrter gewiß keine Seltenheit. Der letztere kann durch Enthaltsamkeit freie Kräfte für sein Studium gewinnen, beim ersteren wird wahrscheinlich seine künstlerische Leistung durch sein sexuelles Erleben mächtig angeregt werden. Im allgemeinen habe ich nicht den Eindruck gewonnen, daß die sexuelle Abstinenz energische, selbständige Männer der Tat oder originelle Denker, kühne Befreier und Reformer heranbilden helfe, weit häufiger brave Schwächlinge, welche später in die große Masse eintauchen, die den von starken Individuen gegebenen Impulsen widerstrebend zu folgen pflegt.

Daß der Sexualtrieb im ganzen sich eigenwillig und ungefügig benimmt, kommt auch in den Ergebnissen der Abstinenzbemühung zum Ausdruck. Die Kulturerziehung strebe etwa nur seine zeitweilige Unterdrückung bis zur Eheschließung an und beabsichtige ihn dann freizulassen, um sich seiner zu bedienen. Aber gegen den Trieb gelingen die extremen Beeinflussungen leichter noch als die Mäßigungen; die Unterdrückung ist sehr oft zu weit gegangen und hat das unerwünschte Resultat ergeben, daß der Sexualtrieb nach seiner Freilassung dauernd geschädigt erscheint. Darum ist oft volle Abstinenz während der Jugendzeit nicht die beste Vorbereitung für die Ehe beim jungen Manne. Die Frauen ahnen dies und ziehen unter ihren Bewerbern diejenigen vor, die sich schon bei anderen Frauen als Männer bewährt haben. Ganz besonders greifbar sind die Schädigungen, welche durch die strenge Forderung der Abstinenz bis zur Ehe am Wesen der Frau hervorgerufen werden. Die Erziehung nimmt die Aufgabe, die Sinnlichkeit des Mädchens bis zu seiner Verehelichung zu unterdrücken, offenbar nicht leicht, denn sie arbeitet mit den schärfsten Mitteln. Sie untersagt nicht nur den sexuellen Verkehr, setzt hohe Prämien auf die Erhaltung der weiblichen Unschuld, sondern sie entzieht das reifende weibliche Individuum auch der Versuchung, indem sie es in Unwissenheit über alles Tatsächliche der ihm bestimmten Rolle erhält und keine Liebesregung, die nicht zur Ehe führen kann, bei ihm duldet. Der Erfolg ist, daß die Mädchen, wenn ihnen das Verlieben plötzlich von den elterlichen Autoritäten gestattet wird, die psychische Leistung nicht zustande bringen und ihrer eigenen Gefühle unsicher in die Ehe gehen. Infolge der künstlichen Verzögerung der Liebesfunktion bereiten sie dem Manne, der all sein Begehren für sie aufgespart hat, nur Enttäuschungen; mit ihren seelischen Gefühlen hängen sie noch den Eltern an, deren Autorität die Sexualunterdrückung bei ihnen geschaffen hat, und im körperlichen Verhalten zeigen sie sich frigid, was jeden höherwertigen Sexualgenuß beim Manne verhindert. Ich weiß nicht, ob der Typus der anästhetischen Frau auch außerhalb der Kulturerziehung vorkommt, halte es aber für wahrscheinlich. Jedenfalls wird er durch die Erziehung geradezu gezüchtet, und diese Frauen, die ohne Lust empfangen, zeigen dann wenig Bereitwilligkeit, des öfteren mit Schmerzen zu gebären. So werden durch die Vorbereitung zur Ehe die Zwecke der Ehe selbst vereitelt; wenn dann die Entwicklungsverzögerung bei der Frau überwunden ist und auf der Höhe ihrer weiblichen Existenz die volle Liebesfähigkeit bei ihr erwacht, ist ihr Verhältnis zum Ehemanne längst verdorben; es bleibt ihr als Lohn für ihre bisherige Gefügigkeit die Wahl zwischen ungestilltem Sehnen, Untreue und Neurose.

Das sexuelle Verhalten eines Menschen ist oft *vorbildlich* für seine ganze sonstige Reaktionsweise in der Welt. Wer als Mann sein Sexualobjekt energisch erobert, dem trauen wir ähnliche rücksichtslose Energie auch in der Verfolgung anderer Ziele zu. Wer hingegen auf die Befriedigung seiner starken sexuellen Triebe aus allerlei Rücksichten verzichtet, der wird sich auch anderwärts im Leben eher konziliant und resigniert als tatkräftig benehmen. Eine spezielle Anwendung dieses Satzes von der Vorbildlichkeit des Sexuallebens für andere Funktionsausübung kann man leicht am ganzen Geschlechte der Frauen konstatieren. Die Erziehung versagt ihnen die intellektuelle Beschäftigung mit den Sexualproblemen, für die sie doch die größte Wißbegierde mitbringen, schreckt sie mit der Verurteilung, daß solche Wißbegierde unweiblich und Zeichen sündiger Veranlagung sei. Damit sind sie vom Denken überhaupt abgeschreckt, wird das Wissen für sie entwertet. Das Denkverbot greift über die sexuelle Sphäre hinaus, zum Teil infolge der unvermeidlichen Zusammenhänge, zum Teil automatisch, ganz ähnlich wie das religiöse Denkverbot bei Männern, das loyale bei braven Untertanen. Ich glaube nicht, daß der biologische Gegensatz zwischen intellektueller Arbeit und Geschlechtstätigkeit den ›physiologischen Schwachsinn‹ der Frau erklärt, wie *Moebius* es in seiner vielfach widersprochenen Schrift dargetan hat. Dagegen meine ich, daß die unzweifelhafte Tatsache der intellektuellen Inferiorität so vieler Frauen auf die zur Sexualunterdrückung erforderliche Denkhemmung zurückzuführen ist.

Man unterscheidet viel zu wenig strenge, wenn man die Frage der Abstinenz behandelt, zwei Formen derselben, die Enthaltung von jeder Sexualbetätigung überhaupt und die Enthaltung vom sexuellen Verkehr mit dem anderen Geschlechte. Vielen Personen, die sich der gelungenen Abstinenz rühmen, ist dieselbe nur mit Hilfe der Masturbation und ähnlicher Befriedigung möglich geworden, die an die autoerotischen Sexualtätigkeiten der früheren Kindheit anknüpfen. Aber gerade dieser Beziehung wegen sind diese Ersatzmittel zur sexuellen Befriedigung keineswegs harmlos; sie disponieren zu den zahlreichen Formen von Neurosen und Psychosen, für welche die Rückbildung des Sexuallebens zu seinen infantilen Formen die Bedingung ist. Die Masturbation entspricht auch keineswegs den idealen Anforderungen der kulturellen Sexualmoral und treibt darum die jungen Menschen in die nämlichen Konflikte mit dem Erziehungsideale, denen sie durch die Abstinenz entgehen wollten. Sie verdirbt ferner den Charakter durch *Verwöhnung* auf mehr als eine Weise, erstens, indem sie bedeutsame Ziele mühelos, auf bequemen Wegen, anstatt durch energische Kraftanstrengung erreichen lehrt, also nach dem Prinzipe der *sexuellen Vorbildlichkeit*, und zweitens, indem sie in den die Befriedigung begleitenden Phantasien das Sexualobjekt zu einer Vorzüglichkeit erhebt, die in der Realität nicht leicht wiedergefunden wird. Konnte doch ein geistreicher Schriftsteller (Karl

Kraus in der Wiener ›Fackel‹), den Spieß umdrehend, die Wahrheit in dem Zynismus aussprechen: Der Koitus ist nur ein ungenügendes Surrogat für die Onanie!

Die Strenge der Kulturforderung und die Schwierigkeit der Abstinenzaufgabe haben zusammengewirkt, um die Vermeidung der Vereinigung der Genitalien verschiedener Geschlechter zum Kerne der Abstinenz zu machen und andere Arten der sexuellen Betätigung zu begünstigen, die sozusagen einem Halbgehorsam gleichkommen. Seitdem der normale Sexualverkehr von der Moral — und wegen der Infektionsmöglichkeiten auch von der Hygiene — so unerbittlich verfolgt wird, haben die sogenannten perversen Arten des Verkehrs zwischen beiden Geschlechtern, bei denen andere Körperstellen die Rolle der Genitalien übernehmen, an sozialer Bedeutung unzweifelhaft zugenommen. Diese Bestätigungen können aber nicht so harmlos beurteilt werden wie analoge Überschreitungen im Liebesverkehre, sie sind ethisch verwerflich, da sie die Liebesbeziehungen zweier Menschen aus einer ernsten Sache zu einem bequemen Spiele ohne Gefahr und ohne seelische Beteiligung herabwürdigen. Als weitere Folge der Erschwerung des normalen Sexuallebens ist die Ausbreitung homosexueller Befriedigung anzuführen; zu all denen, die schon nach ihrer Organisation Homosexuelle sind oder in der Kindheit dazu wurden, kommt noch die große Anzahl jener hinzu, bei denen in reiferen Jahren wegen der Absperrung des Hauptstromes der Libido der homosexuelle Seitenarm breit geöffnet wird.

Alle diese unvermeidlichen und unbeabsichtigten Konsequenzen der Abstinenzforderung treffen in dem einen Gemeinsamen zusammen, daß sie die Vorbereitung für die Ehe gründlich verderben, die doch nach der Absicht der kulturellen Sexualmoral die alleinige Erbin der sexuellen Strebungen werden sollte. Alle die Männer, die infolge masturbatorischer oder perverser Sexualübung ihre Libido auf andere als die normalen Situationen und Bedingungen der Befriedigung eingestellt haben, entwickeln in der Ehe eine verminderte Potenz. Auch die Frauen, denen es nur durch ähnliche Hilfen möglich blieb, ihre Jungfräulichkeit zu bewahren, zeigen sich in der Ehe für den normalen Verkehr anästhetisch. Die mit herabgesetzter Liebesfähigkeit beider Teile begonnene Ehe verfällt dem Auflösungsprozesse nur noch rascher als eine andere. Infolge der geringen Potenz des Mannes wird die Frau nicht befriedigt, bleibt auch dann anästhetisch, wenn ihre aus der Erziehung mitgebrachte Disposition zur Frigidität durch mächtiges sexuelles Erleben überwindbar gewesen wäre. Ein solches Paar findet auch die Kinderverhütung schwieriger als ein gesundes, da die geschwächte Potenz des Mannes die Anwendung der Verhütungsmittel schlecht verträgt. In solcher Ratlosigkeit wird der sexuelle Verkehr als die Quelle aller Verlegenheiten bald aufgegeben und damit die Grundlage des Ehelebens verlassen.

Ich fordere alle Kundigen auf zu bestätigen, daß ich nicht übertreibe, sondern Verhältnisse schildere, die ebenso arg in beliebiger Häufigkeit zu beobachten sind. Es ist wirklich für den Uneingeweihten ganz unglaublich, wie selten sich normale Potenz beim Manne und wie häufig sich Frigidität bei der weiblichen Hälfte der Ehepaare findet, die unter der Herrschaft unserer kulturellen Sexualmoral stehen, mit welchen Entsagungen, oft für beide Teile, die Ehe verbunden ist und worauf das Eheleben, das so sehnsüchtig erstrebte Glück, sich einschränkt. Daß unter diesen Verhältnissen der Ausgang in Nervosität der nächstliegende ist, habe ich schon ausgeführt; ich will aber noch hinzusetzen, in welcher Weise eine solche Ehe auf die in ihr entsprungenen — einzigen oder wenig zahlreichen — Kinder fortwirkt. Es kommt da der Anschein einer erblichen Übertragung zustande, der sich bei schärferem Zusehen in die Wirkung mächtiger infantiler Eindrücke auflöst. Die von ihrem Manne unbefriedigte neurotische Frau ist als Mutter überzärtlich und überängstlich gegen das Kind, auf das sie ihr Liebesbedürfnis überträgt, und weckt in demselben die sexuelle Frühreife. Das schlechte Einverständnis zwischen den Eltern reizt dann das Gefühlsleben des Kindes auf, läßt es im zartesten Alter Liebe, Haß und Eifersucht intensiv empfinden. Die strenge Erziehung, die keinerlei Betätigung des so früh geweckten Sexuallebens duldet, stellt die unterdrückende Macht bei, und dieser Konflikt in diesem Alter enthält alles, was es zur Verursachung der lebenslangen Nervosität bedarf.

Ich komme nun auf meine frühere Behauptung zurück, daß man bei der Beurteilung der Neurosen zumeist nicht deren volle Bedeutung in Betracht zieht. Ich meine damit nicht die Unterschätzung dieser Zustände, die sich in leichtsinnigem Beiseiteschieben von seiten der Angehörigen und in großtuerischen Versicherungen von seiten der Ärzte äußert, einige Wochen Kaltwasserkur oder einige Monate Ruhe und Erholung könnten den Zustand beseitigen. Das sind nur mehr Meinungen von ganz unwissenden Ärzten und Laien, zumeist nur Reden, dazu bestimmt, den Leidenden einen kurzlebigen Trost zu bieten. Es ist vielmehr bekannt, daß eine chronische Neurose, auch wenn sie die Existenzfähigkeit nicht völlig aufhebt, eine schwere Lebensbelastung des Individuums vorstellt, etwa im Range einer Tuberkulose oder eines Herzfehlers. Auch könnte man sich damit abfinden, wenn die neurotischen Erkrankungen etwa nur eine Anzahl von immerhin schwächeren Individuen von der Kulturarbeit ausschließen und den anderen die Teilnahme daran um den Preis von bloß subjektiven Beschwerden gestatten würden. Ich möchte vielmehr auf den Gesichtspunkt aufmerksam machen, daß die Neurose, soweit sie reicht und bei wem immer sie sich findet, die Kulturabsicht zu vereiteln weiß und somit eigentlich die Arbeit der unterdrückten kulturfeindlichen Seelenkräfte besorgt, so daß die Gesellschaft nicht einen mit Opfern erkauften Gewinn, sondern gar keinen Gewinn verzeichnen darf, wenn sie die Gefügigkeit gegen ihre weitgehenden Vorschriften mit der Zunahme der Nervosität bezahlt. Gehen wir z. B. auf den so häufigen Fall einer Frau ein, die ihren Mann nicht liebt, weil sie nach den Bedingungen ihrer Eheschließung und den Erfahrungen ihres Ehelebens ihn zu lieben keinen Grund hat, die ihren Mann aber durchaus lieben möchte, weil dies allein dem Ideal der Ehe, zu dem sie erzogen wurde, entspricht. Sie wird dann alle Regungen in sich unterdrücken, die der Wahrheit Ausdruck geben wollen und ihrem Idealbestreben widersprechen, und wird besondere Mühe aufwenden, eine liebevolle, zärtliche und sorgsame Gattin zu spielen. Neurotische Erkrankung wird die Folge dieser Selbstunterdrückung sein, und diese Neurose wird binnen kurzer Zeit an dem ungeliebten Manne Rache genommen haben und bei ihm genausoviel Unbefriedigung und Sorge hervorrufen, als sich nur aus dem Eingeständnisse des wahren Sachverhaltes ergeben hätte. Dieses Beispiel ist für die Leistungen der Neurose geradezu typisch. Ein ähnliches Mißlingen der Kompensation beobachtet man auch nach der Unterdrückung anderer nicht direkt sexueller, kulturfeindlicher Regungen. Wer z. B. in der gewaltsamen Unterdrückung einer konstitutionellen Neigung zur Härte und Grausamkeit ein *Überguter* geworden ist, dem wird häufig dabei soviel an Energie entzogen, daß er nicht alles ausführt, was seinen Kompensationsregungen entspricht, und im ganzen doch eher weniger an Gutem leistet, als er ohne Unterdrückung zustande gebracht hätte.

Nehmen wir noch hinzu, daß mit der Einschränkung der sexuellen Betätigung bei einem Volke ganz allgemein eine Zunahme der Lebensängstlichkeit und der Todesangst einhergeht, welche die Genußfähigkeit der einzelnen stört und ihre Bereitwilligkeit, für irgendwelche Ziele den Tod auf sich zu nehmen, aufhebt, welche sich in der verminderten Neigung zur Kinderzeugung äußert, und dieses Volk oder diese Gruppe von Menschen vom Anteile an der Zukunft ausschließt, so darf man wohl die Frage aufwerfen, ob unsere ›kulturelle‹ Sexualmoral der Opfer wert ist, welche sie uns auferlegt, zumal, wenn man sich vom Hedonismus nicht genug frei gemacht hat, um nicht ein gewisses Maß von individueller Glücksbefriedigung unter die Ziele unserer Kulturentwicklung aufzunehmen. Es ist gewiß nicht Sache des Arztes, selbst mit Reformvorschlägen hervorzutreten; ich meinte aber, ich könnte die Dringlichkeit solcher unterstützen, wenn ich die *v. Ehrenfels*sche Darstellung der Schädigungen durch unsere ›kulturelle‹ Sexualmoral um den Hinweis auf deren Bedeutung für die Ausbreitung der modernen Nervosität erweitere.

Das Material, auf welches die nachstehende Zusammenstellung sich stützt, stammt aus mehreren Quellen. Erstens aus der unmittelbaren Beobachtung der Äußerungen und des Treibens der Kinder, zweitens aus den Mitteilungen erwachsener Neurotiker, die während einer psychoanalytischen Behandlung erzählen, was sie von ihrer Kinderzeit bewußt in Erinnerung haben, und zum dritten Anteile aus den Schlüssen, Konstruktionen und ins Bewußte übersetzten unbewußten Erinnerungen, die sich aus den Psychoanalysen mit Neurotikern ergeben.

Daß die erste dieser drei Quellen nicht für sich allein alles Wissenwerte geliefert hat, begründet sich durch das Verhalten der Erwachsenen gegen das kindliche Sexualleben. Man mutet den Kindern keine Sexualtätigkeit zu, gibt sich darum keine Mühe, eine solche zu beobachten, und unterdrückt anderseits die Äußerungen derselben, die der Aufmerksamkeit würdig wären. Die Gelegenheit, aus dieser lautersten und ergiebigsten Quelle zu schöpfen, ist daher eine recht eingeschränkte. Was aus den unbeeinflußten Mitteilungen Erwachsener über ihre bewußten Kindheitserinnerungen stammt, unterliegt höchstens der Einwendung der möglichen Verfälschung in der Rückschau, wird aber außerdem nach dem Gesichtspunkte zu werten sein, daß die Gewährspersonen später neurotisch geworden sind. Das Material der dritten Herkunft wird allen Anfechtungen unterliegen, die man gegen die Verläßlichkeit der Psychoanalyse und die Sicherheit der aus ihr gezogenen Schlüsse ins Feld zu führen pflegt; die Rechtfertigung dieses Urteils kann also hier nicht versucht werden; ich will nur versichern, daß derjenige, welcher die psychoanalytische Technik kennt und ausübt, ein weitgehendes Zutrauen zu ihren Ergebnissen gewinnt.

Für die Vollständigkeit meiner Resultate kann ich nicht einstehen, bloß für die Sorgfalt, mit der ich mich um ihre Gewinnung bemüht habe.

Eine schwierige Frage bleibt es, zu entscheiden, inwieweit man das, was hier von den Kindern im allgemeinen berichtet wird, von allen Kindern, das heißt von jedem einzelnen Kinde, voraussetzen darf. Erziehungsdruck und verschiedene Intensität des Sexualtriebes werden gewiß große individuelle Schwankungen im Sexualverhalten des Kindes ermöglichen, vor allem das zeitliche Auftreten kindlichen Sexualinteresses beeinflussen. Ich habe darum meine Darstellung nicht nach aufeinanderfolgenden Kindheitsepochen gegliedert, sondern in einem zusammengefaßt, was bei verschiedenen Kindern bald früher, bald später zur Geltung Es ist meine Überzeugung, daß sich doch kein Kind — kein vollsinniges wenigstens oder gar geistig begabtes — der Beschäftigung mit den sexuellen Problemen in den Jahren *vor* der Pubertät entziehen kann.

Ich denke nicht groß von dem Einwurfe, daß die Neurotiker eine besondere, durch degenerative Anlage ausgezeichnete Menschenklasse sind, aus deren Kinderleben auf die Kindheit anderer zu schließen untersagt sein müßte. Die Neurotiker sind Menschen wie andere auch, von den normalen nicht scharf abzugrenzen, in ihrer Kindheit nicht immer leicht von denjenigen, die später gesund bleiben, zu unterscheiden. Es ist eines der wertvollsten Ergebnisse unserer psychoanalytischen Untersuchungen, daß ihre Neurosen keinen besonderen, ihnen eigentümlichen und allein zukommenden psychischen Inhalt haben, sondern daß sie, wie C. G. Jung es ausdrückt, an denselben Komplexen erkranken, mit denen auch wir Gesunde kämpfen. Der Unterschied ist nur der, daß die Gesunden diese Komplexe zu bewältigen wissen ohne groben, praktisch nachweisbaren Schaden, während den Nervösen die Unterdrückung dieser Komplexe nur um den Preis von kostspieligen Ersatzbildungen gelingt, also praktisch mißlingt. Nervöse und Normale stehen einander in der Kindheit natürlich noch viel näher als im späteren Leben, so daß ich einen methodischen Fehler nicht darin erblicken kann, die Mitteilungen von Neurotikern über ihre Kindheit zu Analogieschlüssen über das normale Kindheitsleben zu verwerten. Da aber die späteren Neurotiker sehr häufig einen besonders starken Geschlechtstrieb und eine Neigung zur Frühreife, vorzeitiger Äußerung desselben, in ihrer Konstitution mitbringen, werden sie uns vieles von der infantilen Sexualbetätigung greller und deutlicher erkennen lassen, als unserer ohnedies stumpfen Beobachtungsgabe an anderen Kindern möglich wäre. Der wirkliche Wert dieser von erwachsenen Neurotikern herrührenden Mitteilungen wird sich allerdings erst abschätzen lassen, wenn man nach dem Vorgange von *Havelock Ellis* auch die Kindheitserinnerungen erwachsener Gesunder der Sammlung gewürdigt haben wird.

Infolge der Ungunst äußerer wie innerer Verhältnisse haben die nachstehenden Mitteilungen vorwiegend nur auf die Sexualentwicklung des einen Geschlechtes, des männlichen nämlich, Bezug. Der Wert einer Sammlung aber, wie ich sie hier versuche, braucht kein bloß deskriptiver zu sein. Die Kenntnis der infantilen Sexualtheorien, wie sie sich im kindlichen Denken gestalten, kann nach verschiedenen Richtungen interessant sein, überraschenderweise auch für das Verständnis der Mythen und Märchen. Unentbehrlich bleibt sie aber für die Auffassung der Neurosen selbst, innerhalb deren diese kindlichen Theorien noch in Geltung sind und einen bestimmenden Einfluß auf die Gestaltung der Symptome gewinnen.

Wenn wir unter Verzicht auf unsere Leiblichkeit als bloß denkende Wesen, etwa von einem anderen Planeten her, die Dinge dieser Erde frisch ins Auge fassen könnten, so würde vielleicht nichts anderes unserer Aufmerksamkeit mehr auffallen als die Existenz zweier Geschlechter unter den Menschen, die einander sonst so *ähnlich,* doch durch die äußerlichsten Anzeichen ihre Verschiedenheit betonen. Es scheint nun nicht, daß auch die Kinder diese Grundtatsache zum Ausgange ihrer Forschungen über sexuelle Probleme wählen. Da sie Vater und Mutter kennen, soweit sie sich ihres Lebens erinnern, nehmen sie deren Vorhandensein als eine weiter nicht zu untersuchende Realität hin, und ebenso verhält sich der Knabe gegen ein Schwesterchen, von dem er nur durch eine geringe Altersdifferenz von ein oder zwei Jahren getrennt ist. Der Wissensdrang der Kinder erwacht hier überhaupt nicht spontan, etwa infolge eines eingeborenen Kausalitätsbedürfnisses, sondern unter dem Stachel der sie beherrschenden eigensüchtigen Triebe, wenn sie — etwa nach Vollendung des zweiten Lebensjahres — von der Ankunft eines neuen Kindes betroffen werden. Diejenigen Kinder, deren Kinderstube nicht im Hause selbst eine solche Einquartierung empfängt, sind dann noch imstande, sich nach ihren Beobachtungen in anderen Häusern in diese Situation zu versetzen. Der selbst erfahrene oder mit Recht befürchtete Entgang an Fürsorge von seiten der Eltern, die Ahnung, allen Besitz von nun an für alle Zeiten mit dem Neuankömmling teilen zu müssen, wirken erweckend auf das Gefühlsleben des Kindes und verschärfend auf seine Denkfähigkeit. Das ältere Kind äußert unverhohlene Feindseligkeit gegen den Konkurrenten, die sich in unliebenswürdiger Beurteilung desselben, in Wünschen, daß ›der Storch ihn wieder mitnehmen möge‹ und dergleichen Luft macht und gelegentlich selbst zu kleinen Attentaten auf das hilflos in der Wiege Daliegende führt. Eine größere Altersdifferenz schwächt den Ausdruck dieser primären Feindseligkeit in der Regel ab; ebenso kann in etwas späteren Jahren, wenn Geschwister ausbleiben, der Wunsch nach einem Gespielen, wie das Kind ihn anderswo beobachten konnte, die Oberhand erhalten.

Unter der Anregung dieser Gefühle und Sorgen kommt das Kind nun zur Beschäftigung mit dem ersten, großartigen Problem des Lebens und stellt die Frage, *woher die Kinder kommen*, die wohl zuerst lautet, woher dieses einzelne störende Kind gekommen ist. Den Nachklang dieser ersten Rätselfrage glaubt man in unbestimmt vielen Rätseln des Mythus und der Sage zu vernehmen; die Frage selbst ist, wie alles Forschen, ein Produkt der Lebensnot, als ob dem Denken die Aufgabe gestellt würde, das Wiedereintreffen so gefürchteter Ereignisse zu verhüten. Nehmen wir indes an, daß sich das Denken des Kindes alsbald von seiner Anregung frei macht und als selbständiger Forschertrieb weiter arbeitet. Wo das Kind nicht bereits zu sehr eingeschüchtert ist, schlägt es früher oder später den nächsten Weg ein, Antwort von seinen Eltern und Pflegepersonen, die ihm die Quelle des Wissens bedeuten, zu verlangen. Dieser Weg geht aber fehl. Das Kind erhält entweder ausweichende Antwort oder einen Verweis für seine Wißbegierde oder wird mit jener mythologisch bedeutsamen Auskunft abgefertigt, die in deutschen Landen lautet: Der Storch bringe die Kinder, die er aus dem Wasser hole. Ich habe Grund anzunehmen, daß weit mehr Kinder, als die Eltern ahnen, mit dieser Lösung unzufrieden sind und ihr energische Zweifel entgegensetzen, die nur nicht immer offen eingestanden werden. Ich weiß von einem dreijährigen Knaben, der nach erhaltener Aufklärung zum Schrecken seiner Kinderfrau vermißt wurde und sich am Ufer des großen Schloßteiches wiederfand, wohin er geeilt war, um die Kinder im Wasser zu beobachten, von einem anderen, der seinem Unglauben keine andere als die zaghafte Aussprache gestatten konnte, er wisse es besser, nicht der Storch bringe die Kinder, sondern der — Fischreiher. Es scheint mir aus vielen Mitteilungen hervorzugehen, daß die Kinder der Storchtheorie den Glauben verweigern, von dieser ersten Täuschung und Abweisung an aber ein Mißtrauen gegen die Erwachsenen in sich nähren, die Ahnung von etwas Verbotenem gewinnen, das ihnen von den ›Großen‹ vorenthalten wird, und darum ihre weiteren Forschungen mit Geheimnis verhüllen. Sie haben dabei aber auch den ersten Anlaß eines ›psychischen Konflikts‹ erlebt, indem Meinungen, für die sie eine triebartige Bevorzugung empfinden, die aber den Großen nicht ›recht‹ sind, in Gegensatz zu anderen geraten, die durch die Autorität der ›Großen‹ gehalten werden, ohne ihnen selbst genehm zu sein. Aus diesem psychischen Konflikte kann bald eine ›psychische Spaltung‹ werden; die eine Meinung, mit der die Bravheit, aber auch die Sistierung des Nachdenkens verbunden ist, wird zur herrschenden bewußten; die andere, für die die Forscherarbeit unterdes neue Beweise erbracht hat, die nicht gelten sollen, zur unterdrückten, ›unbewußten‹. Der Kernkomplex der Neurose findet sich auf diese Weise konstituiert.

Ich habe kürzlich durch die Analyse eines fünfjährigen Knaben, die dessen Vater mit ihm angestellt und mir dann zur Veröffentlichung überlassen hat, den unwiderlegbaren Nachweis für eine Einsicht erhalten, auf deren Spur mich die Psychoanalysen Erwachsener längst geführt hatten. Ich weiß jetzt, daß die Graviditätsveränderung der Mutter den scharfen Augen des Kindes nicht entgeht, und daß dieses sehr wohl imstande ist, eine Weile nachher den richtigen Zusammenhang zwischen der Leibeszunahme der Mutter und dem Erscheinen des Kindes herzustellen. In dem erwähnten Falle war der Knabe dreieinhalb Jahre alt, als seine Schwester geboren wurde, und vierdreiviertel, als er sein besseres Wissen durch die unverkennbarsten Anspielungen erraten ließ. Diese frühzeitige Erkenntnis wird aber immer geheim gehalten und später im Zusammenhang mit den weiteren Schicksalen der kindlichen Sexualforschung verdrängt und vergessen.

Die ›Storchfabel‹ gehört also nicht zu den infantilen Sexualtheorien; es ist im Gegenteile die Beobachtung der Tiere, die ihr Sexualleben so wenig verhüllen, und denen sich das Kind so verwandt fühlt, die den Unglauben des Kindes bestärkt. Mit der Erkenntnis, das Kind wachse im Leibe der Mutter, die das Kind noch selbständig erwirbt, wäre es auf dem richtigen Wege, das Problem, an dem es zuerst seine Denkkraft erprobt, zu lösen. im weiteren Fortschreiten wird es aber gehemmt durch eine Unwissenheit, die sich nicht ersetzen läßt, und durch falsche Theorien, welche der Zustand der eigenen Sexualität ihm aufdrängt.

Diese falschen Sexualtheorien, die ich nun erörtern werde, haben alle einen sehr merkwürdigen Charakter. Obwohl sie in grotesker Weise fehlgehen, enthalten sie doch, jede von ihnen, ein Stück echter Wahrheit, in dieser Zusammensetzung analog den ›genial‹ geheißenen Lösungsversuchen Erwachsener an den für den Menschenverstand überschwierigen Weltproblemen. Das Richtige und Triftige an diesen Theorien erklärt sich durch deren Abkunft von den Komponenten des Sexualtriebes, die sich bereits im kindlichen Organismus regen; denn nicht psychische Willkür oder zufällige Eindrücke haben diese Annahmen entstehen lassen, sondern die Notwendigkeiten der psychosexuellen Konstitution, und darum können wir von typischen Sexualtheorien der Kinder sprechen, darum finden wir die nämlichen irrigen Meinungen bei allen Kindern, deren Sexualleben uns zugänglich wird.

Die erste dieser Theorien knüpft an die Vernachlässigung der Geschlechtsunterschiede an, die wir eingangs als kennzeichnend für das Kind hervorgehoben haben. Sie besteht darin, *allen Menschen, auch den weiblichen Personen, einen Penis zuzusprechen*, wie ihn der Knabe vom eigenen Körper kennt. Gerade in jener Sexualkonstitution, die wir als die ›normale‹ anerkennen müssen, ist der Penis schon in der Kindheit die leitende erogene Zone, das hauptsächlichste autoerotische Sexualobjekt, und seine Wertschätzung spiegelt sich logisch in dem Unvermögen, eine dem Ich ähnliche Persönlichkeit ohne diesen wesentlichen Bestandteil vorzustellen. Wenn der kleine Knabe das Genitale eines Schwesterchens zu Gesicht bekommt, so zeigen seine Äußerungen, daß sein Vorurteil bereits stark genug ist, um die Wahrnehmung zu beugen; er konstatiert nicht etwa das Fehlen des Gliedes, sondern sagt *regelmäßig*, wie tröstend und vermittelnd: der ... ist aber noch klein; nun wenn sie größer wird, wird er schon wachsen. Die Vorstellung des Weibes mit dem Penis kehrt noch spät in den Träumen des Erwachsenen wieder; in nächtlicher sexueller Erregung wirft er ein Weib nieder, entblößt es und bereitet sich zum Koitus, um dann beim Anblick des wohlausgebildeten Gliedes an Stelle der weiblichen Genitalien den Traum und die Erregung abzubrechen. Die zahlreichen Hermaphroditen des klassischen Altertums geben diese einst allgemeine infantile Vorstellung getreulich wieder; man kann beobachten, daß sie auf die meisten normalen Menschen nicht verletzend wirkt, während die wirklich von der

Natur zugelassenen hermaphroditischen Bildungen der Genitalien fast immer den größten Abscheu erregen.

Wenn sich diese Vorstellung des Weibes mit dem Penis bei dem Kinde ›fixiert‹, allen Einflüssen des späteren Lebens widersteht, und den Mann unfähig macht, bei seinem Sexualobjekt auf den Penis zu verzichten, so muß ein solches Individuum bei sonst normalem Sexualleben ein Homosexueller werden, seine Sexualobjekte unter den Männern suchen, die durch andere somatische und seelische Charaktere an das Weib erinnern. Das wirkliche Weib, wie es später erkannt wird, bleibt als Sexualobjekt unmöglich für ihn, da es des wesentlichen sexuellen Reizes entbehrt, ja im Zusammenhange mit einem anderen Eindruck des Kinderlebens kann es zum Abscheu für ihn werden. Das hauptsächlich von der Peniserregung beherrschte Kind hat sich gewöhnlich durch Reizung desselben mit der Hand Lust geschafft, ist von den Eltern oder Wartepersonen dabei ertappt und mit der Drohung, man werde ihm das Glied abschneiden, geschreckt worden. Die Wirkung dieser ›Kastrationsdrohung‹ ist im richtigen Verhältnisse zur Schätzung dieses Körperteiles eine ganz außerordentlich tiefgreifende und nachhaltige. Sagen und Mythen zeugen von dem Aufruhr des kindlichen Gefühlslebens, von dem Entsetzen, das sich an den Kastrationskomplex knüpft, der dann später auch entsprechend widerwillig vom Bewußtsein erinnert wird. An diese Drohung mahnt nun das später wahrgenommene, als verstümmelt aufgefaßte Genitale des Weibes und darum erweckt es beim Homosexuellen Grausen anstatt Lust. An dieser Reaktion kann nichts mehr geändert werden, wenn der Homosexuelle von der Wissenschaft erfährt, daß die kindliche Annahme, auch die Frau besitze einen Penis, doch nicht so irre geht. Die Anatomie hat die Klitoris innerhalb der weiblichen Schamspalte als das dem Penis homologe Organ erkannt, und die Physiologie der Sexualvorgänge hat hinzufügen können, daß dieser kleine und nicht mehr wachsende Penis sich in der Kindheit des Weibes tatsächlich wie ein echter und rechter Penis benimmt, daß er zum Sitz von Erregungen wird, die zu seiner Berührung veranlassen, daß seine Reizbarkeit der Sexualbetätigung des kleinen Mädchens männlichen Charakter verleiht, und daß es eines Verdrängungsschubes in den Pubertätsjahren bedarf, um durch Hinwegräumung dieser männnlichen Sexualität das Weib entstehen zu lassen. Wie nun viele Frauen in ihrer Sexualfunktion daran verkümmern, daß diese Klitoriserregbarkeit hartnäckig festgehalten wird, so daß sie im Koitusverkehr anästhetisch bleiben, oder daß die Verdrängung zu übermäßig erfolgt, so daß ihre Wirkung durch hysterische Ersatzbildung teilweise aufgehoben wird; dies alles gibt der infantilen Sexualtheorie, das Weib besitze wie der Mann einen Penis, nicht unrecht.

An dem kleinen Mädchen kann man mit Leichtigkeit beobachten, daß es die Schätzung des Bruders durchaus teilt. Es entwickelt ein großes Interesse für diesen Körperteil beim Knaben, das aber alsbald vom Neide kommandiert wird. Es fühlt sich benachteiligt, es macht Versuche, in solcher Stellung zu urinieren, wie es dem Knaben durch den Besitz des großen Penis ermöglicht wird, und wenn es den Wunsch äußert: Ich möchte lieber ein Bub sein, so wissen wir, welchem Mangel dieser Wunsch abhelfen soll.

Wenn das Kind den Andeutungen folgen könnte, die von der Erregung der Penis ausgehen, so würde es der Lösung seines Problems um ein Stück näher rücken. Daß das Kind im Leibe der Mutter wächst, ist offenbar nicht genug Erklärung. Wie kommt es hinein? Was gibt den Anstoß zu seiner Entwicklung? Daß der Vater etwas damit zu tun hat, ist wahrscheinlich; er erklärt ja, das Kind sei auch sein Kind.[1] Anderseits hat der Penis gewiß auch seinen Anteil an diesen nicht zu erratenden Vorgängen, er bezeugt es durch seine Miterregung bei all dieser Gedankenarbeit. Mit dieser Erregung sind Antriebe verbunden, die das Kind sich nicht zu deuten weiß, dunkle Impulse zu gewaltsamem Tun, zum Eindringen, Zerschlagen, Irgendwo-ein-Loch-Aufreißen. Aber wenn das Kind so auf dem besten Wege scheint, die Existenz der Scheide zu postulieren und dem Penis des Vaters ein solches Eindringen bei der Mutter zuzuschreiben als jenen Akt, durch den das Kind im Leibe der Mutter entsteht, so bricht an dieser Stelle doch die Forschung ratlos ab, denn ihr steht die Theorie im Wege, daß die Mutter einen Penis besitzt wie ein Mann, und die Existenz des Hohlraumes, der den Penis aufnimmt, bleibt für das Kind unentdeckt. Daß die Erfolglosigkeit der Denkbemühung dann ihre Verwerfung und ihr Vergessen erleichtert, wird man gern annehmen. Dieses Grübeln und Zweifeln wird aber vorbildlich für alle spätere Denkarbeit an Problemen, und der erste Mißerfolg wirkt für alle Zeiten lähmend fort.

Die Unkenntnis der Vagina ermöglicht dem Kinde auch die Überzeugung von der zweiten seiner Sexualtheorien. Wenn das Kind im Leibe der Mutter wächst und aus diesem entfernt wird, so kann dies nur auf dem einzig möglichen Wege der Darmöffnung geschehen. *Das Kind muß entleert werden wie ein Exkrement, ein Stuhlgang.* Wenn dieselbe Frage in späteren Kinderjahren Gegenstand des einsamen Nachdenkens oder der Besprechung zwischen zwei Kindern wird, so stellen sich wohl die Auskünfte ein, das Kind komme aus dem sich öffnenden Nabel, oder der Bauch werde aufgeschnitten und das Kind herausgenommen, wie es dem Wolfe im Märchen von Rotkäppchen geschieht. Diese Theorien werden laut ausgesprochen und später auch bewußt erinnert; sie enthalten nichts Anstößiges mehr. Dieselben Kinder haben dann völlig vergessen, daß sie in früheren Jahren an eine andere Geburtstheorie glaubten, welcher gegenwärtig die seither eingetretene Verdrängung der analen Sexualkomponente im Wege steht. Damals war der Stuhlgang etwas, wovon in der Kinderstube ohne Scheu gesprochen werden durfte, das Kind stand seinen konstitutionellen koprophilen Neigungen noch nicht so ferne; es war keine Degradation, so zur Welt zu kommen wie ein Haufen Kot, den der Ekel noch nicht verdammt hatte. Die Kloakentheorie, die für so viele Tiere ja zu Recht besteht, war die natürlichste und die einzige, die sich dem Kinde als wahrscheinlich aufdrängen konnte.

Dann war es aber nur konsequent, daß das Kind das schmerzliche Vorrecht des Weibes, Kinder zu gebären, nicht gelten ließ. Wenn die Kinder durch den After geboren werden, so kann der Mann ebensogut gebären wie das Weib. Der Knabe kann also auch phantasieren, daß er selbst Kinder bekommt, ohne daß wir ihn darum femininer Neigungen zu beschuldigen brauchen. Er betätigt dabei nur seine noch regsame Analerotik.

Wenn sich die Kloakentheorie der Geburt im Bewußtsein späterer Kinderjahre erhält, was gelegentlich vorkommt, so bringt sie auch eine allerdings nicht mehr ursprüngliche Lösung der Frage nach der Entstehung der Kinder mit sich. Es ist dann wie im Märchen. Man ißt etwas Bestimmtes und davon bekommt man ein Kind. Die Geisteskranke belebt diese infantile Geburtstheorie dann wieder. Die Maniaka etwa führt den besuchenden Arzt zu einem Häufchen Kot, das sie in einer Ecke ihrer Zelle abgesetzt hat, und sagt ihm lachend: Das ist das Kind, das ich heute geboren habe.

Die dritte der typischen Sexualtheorien ergibt sich den Kindern, wenn sie durch irgendeine der häuslichen Zufälligkeiten zu Zeugen des elterlichen Sexualverkers werden, über den sie dann doch nur sehr unvollständige Wahrnehmungen machen können. Welches Stück desselben dann immer in ihre Beobachtung fällt, ob die gegenseitige Lage der beiden Personen oder die Geräusche oder gewisse Nebenumstände, sie gelangen in allen Fällen zur nämlichen, wir können sagen *sadistischen Auffassung des Koitus*, sehen in ihm etwas, was der stärkere Teil dem schwächeren mit Gewalt antut, und vergleichen ihn, zumal die Knaben, mit einer Rauferei, wie sie sie aus ihrem Kinderverkehr kennen, und die ja auch der Beimengung sexueller Erregung nicht ermangelt. Ich habe nicht feststellen können, daß die Kinder diesen von ihnen beobachteten Vorgang zwischen den Eltern als das zur Lösung des Kinderproblems erforderliche Stück agnoszieren würden; öfter hatte es den Anschein, als würde diese Beziehung von den Kindern gerade darum verkannt, weil sie dem Liebesakte solche Deutung ins Gewalttätige gegeben haben. Aber diese Auffassung macht selbst den Eindruck einer Wiederkehr jenes dunkeln Impulses zur grausamen Betätigung, der sich beim ersten Nachdenken über das Rätsel, woher die Kinder kommen, an die Peniserregung knüpfte. Es ist auch die Möglichkeit nicht abzuleugnen, daß jener frühzeitige sadistische Impuls, der den Koitus beinahe hätte erraten lassen, selbst unter dem Einflusse dunkelster Erinnerungen an den Verkehr der Eltern aufgetreten ist, für die das Kind, als es noch in den ersten Lebensjahren das Schlafzimmer der Eltern teilte, das Material aufgenommen hatte, ohne es damals zu verwerten.[2]

Die sadistische Theorie des Koitus, die in ihrer Isoliertheit zur Irreführung wird, wo sie hätte Bestätigung bringen können, ist wiederum der Ausdruck einer der angeborenen sexuellen Komponenten, die bei dem einzelnen Kinde mehr oder minder stark ausgeprägt sein mag, und sie hat daher ein Stück weit recht, errät zum Teil das Wesen des Geschlechtsaktes und den ›Kampf der Geschlechter‹, der ihm vorhergeht. Nicht selten ist das Kind auch in der Lage, diese seine Auffassung durch akzidentelle Wahrnehmungen zu stützen, die es zum Teil richtig, zum anderen wieder falsch, ja gegensätzlich erfaßt. In vielen Ehen sträubt sich die Frau wirklich regelmäßig gegen die eheliche Umarmung, die ihr keine Lust und die Gefahr neuer Schwangerschaft bringt, und so mag die Mutter dem für schlafend gehaltenen (oder sich schlafend stellenden) Kinde einen Eindruck bieten, der gar nicht anders denn als ein Wehren gegen eine Gewalttat gedeutet werden kann. Andere Male noch gibt die ganze Ehe dem aufmerksamen Kinde das

Schauspiel eines unausgesetzten, in lauten Worten und unfreund-
lichen Gebärden sich äußernden Streites, wo dann das Kind sich
nicht zu wundern braucht, daß dieser Streit sich auch in die Nacht
fortsetzt und endlich durch dieselben Methoden ausgetragen wird,
die das Kind im Verkehre mit seinen Geschwistern oder Spiel-
genossen zu gebrauchen gewöhnt ist.

Als eine Bestätigung seiner Auffassung sieht das Kind es aber
auch an, wenn es Blutspuren im Bett oder an der Wäsche der Mutter entdeckt. Diese sind ihm ein Beweis dafür, daß in der Nacht
wieder ein solcher Überfall des Vaters auf die Mutter stattgefun-
den hat, während wir dieselbe frische Blutspur lieber als Anzeichen einer Pause im sexuellen Verkehr deuten werden. Manche
sonst unerklärliche ›Blutscheu‹ der Nervösen findet durch diesen
Zusammenhang ihre Aufklärung. Der Irrtum des Kindes deckt
wiederum ein Stückchen Wahrheit; unter gewissen, bekannten
Verhältnissen wird die Blutspur allerdings als Zeichen des ein-
geleiteten sexuellen Verkehres gewürdigt.

In loserem Zusammenhange mit dem unlösbaren Problem, woher die Kinder kommen, beschäftigt sich das Kind mit der Frage,
was das Wesen und der Inhalt des Zustandes sei, den man ›Verheiratetsein‹ heißt, und beantwortet diese Frage verschieden, je
nach dem Zusammentreffen von zufälligen Wahrnehmungen bei
den Eltern mit den eigenen noch lustbetonten Trieben. Nur, daß
es sich vom Verheiratetsein Lustbefriedigung verspricht und ein
Hinwegsetzen über die Scham vermutet, scheint allen diesen Beantwortungen gemeinsam. Die Auffassung, die ich am häufigsten
gefunden habe, lautet, daß ›*man vor einander uriniert*‹; eine Abänderung, die so klingt, als ob sie symbolisch ein Mehrwissen an-
deuten soll: daß *der Mann in den Topf der Frau uriniert*. Andere
Male wird der Sinn des Heiratens darin verlegt: *daß man einander
den Popo zeigt* (ohne sich zu schämen). In einem Falle, in dem es
der Erziehung gelungen war, die Sexualerfahrung besonders lange
aufzuschieben, kam das vierzehnjährige und bereits menstruierte
Mädchen über Anregung der Lektüre auf die Idee, das Verheiratetsein bestehe in einer ›*Mischung des Blutes*‹, und da die eigene
Schwester noch nicht die Periode hatte, versuchte die Lüsterne ein
Attentat auf eine Besucherin, welche gestanden hatte, eben zu
menstruieren, um sie zu dieser ›Blutvermischung‹ zu nötigen.

Die infantilen Meinungen über das Wesen der Ehe, die nicht
selten von der bewußten Erinnerung festgehalten werden, haben

für die Symptomatik späterer neurotischer Erkrankung große Bedeutung. Sie schaffen sich zunächst Ausdruck in Kinderspielen, in denen man das miteinander tut, was das Verheiratetsein ausmacht, und dann später einmal kann sich der Wunsch, verheiratet zu sein, die infantile Ausdrucksform wählen, um in einer zunächst unkenntlichen Phobie oder einem entsprechenden Symptom aufzutreten.*

Es wären dies die wichtigsten der typischen, in frühen Kindheitsjahren und spontan, nur unter dem Einflusse der sexuellen Triebkomponenten produzierten Sexualtheorien des Kindes. Ich weiß, daß ich weder die Vollständigkeit des Materials noch die Herstellung des lückenlosen Zusammenhanges mit dem sonstigen Kinderleben erreicht habe. Einzelne Nachträge kann ich hier noch anfügen, die sonst jeder Kundige vermißt hätte. So zum Beispiel die bedeutsame Theorie, daß man ein Kind durch einen Kuß bekommt, die wie selbstverständlich die Vorherrschaft der erogenen Mundzone verrät. Nach meiner Erfahrung ist diese Theorie ausschließlich feminin und wird als pathogen manchmal bei Mädchen angetroffen, bei denen die Sexualforschung in der Kindheit die stärksten Hemmungen erfahren hat. Eine meiner Patientinnen gelangte durch eine zufällige Wahrnehmung zur Theorie der ›Couvade‹, die bekanntlich bei manchen Völkern allgemeine Sitte ist und wahrscheinlich die Absicht hat, dem nie völlig zu besiegenden Zweifel an der Paternität zu widersprechen. Da ein etwas sonderbarer Onkel nach der Geburt seines Kindes tagelang zu Hause blieb und die Besucher im Schlafrock empfing, schloß sie, daß bei einer Geburt beide Eltern beteiligt seien und zu Bette gehen müßten.

Um das zehnte oder elfte Lebensjahr tritt die sexuelle Mitteilung an die Kinder heran. Ein Kind, welches in ungehemmteren sozialen Verhältnissen aufgewachsen ist oder sonst glücklichere Gelegenheit zur Beobachtung gefunden hat, teilt anderen mit, was es weiß, weil es sich dabei reif und überlegen empfinden kann. Was die Kinder so erfahren, ist meist das Richtige, das heißt, es wird ihnen die Existenz der Vagina und deren Bestimmung verraten, aber sonst sind diese Aufklärungen, die sie voneinander entlehnen, nicht selten mit Falschem vermengt, mit Überresten der älteren infantilen Sexualtheorien behaftet. Vollständig und zur

---

* Die für die spätere Neurose bedeutsamen Kinderspiele sind das ›Doktorspiel‹ und ›Papa-und-Mama‹-Spielen.

Lösung des uralten Problems ausreichend sind sie fast nie. Wie früher die Unkenntnis der Vagina, so hindert jetzt die des Samens die Einsicht in den Zusammenhang. Das Kind kann nicht erraten, daß aus dem männlichen Geschlechtsglied noch eine andere Substanz entleert wird als der Harn, und gelegentlich zeigt sich ein ›unschuldiges Mädchen‹ noch in der Brautnacht entrüstet darüber, daß der Mann ›in sie hineinuriniere‹. An diese Mitteilungen in den Jahren der Vorpubertät schließt sich nun ein neuer Aufschwung der kindlichen Sexualforschung; aber die Theorien, welche die Kinder jetzt schaffen, haben nicht mehr das typische und ursprüngliche Gepräge, das für die frühkindlichen, primären, charakteristisch war, solange die infantilen Sexualkomponenten ungehemmt und unverwandelt ihren Ausdruck in Theorien durchsetzen konnten. Die späteren Denkbemühungen zur Lösung der sexuellen Rätsel schienen mir die Sammlung nicht zu verlohnen, sie können auch auf pathogene Bedeutung wenig Anspruch mehr erheben. Ihre Mannigfaltigkeit ist natürlich in erster Linie von der Natur der erhaltenen Aufklärung abhängig; ihre Bedeutung liegt vielmehr darin, daß sie die unbewußt gewordenen Spuren jener ersten Periode des sexuellen Interesses wieder erwecken, so daß nicht selten masturbatorische Sexualbetätigung und ein Stück der Gefühlsablösung von den Eltern an sie anknüpft. Daher das verdammende Urteil der Erzieher, daß solche Aufklärung in diesen Jahren die Kinder ›verderbe‹.

Einige wenige Beispiele mögen zeigen, welche Elemente oft in diese späten Grübeleien der Kinder über das Sexualleben eingehen. Ein Mädchen hat von den Schulkolleginnen gehört, daß der Mann der Frau ein Ei gibt, welches sie in ihrem Leibe ausbrütet. Ein Knabe, der auch vom Ei gehört hat, identifiziert dieses ›Ei‹ mit dem vulgär ebenso benannten Hoden und zerbricht sich den Kopf darüber, wie denn der Inhalt des Hodensackes sich immer wieder erneuern kann. Die Aufklärungen reichen selten so weit, wesentliche Unsicherheiten über die Geschlechtsvorgänge zu verhüten. So können Mädchen zur Erwartung kommen, der Geschlechtsverkehr finde nur ein einzigesmal statt, dauere aber da sehr lange, vierundzwanzig Stunden, und von diesem einen Male kämen der Reihe nach alle Kinder. Man sollte meinen, dieses Kind habe Kenntnis von dem Fortpflanzungsvorgang bei gewissen Insekten gewonnen; aber diese Vermutung bestätigt sich nicht, die Theorie erscheint als eine selbständige Schöpfung. Andere Mädchen übersehen die Tragzeit, das Leben im Mutterleibe, und nehmen an, daß das Kind unmittelbar nach der Nacht des ersten Verkehrs zum Vorschein komme. Marcell *Prévost* hat diesen Jungmädchenirrtum in einer der ›Lettres de femmes‹ zu einer lustigen Geschichte verarbeitet. Schwer zu erschöpfen und vielleicht im allgemeinen nicht uninteressant ist das Thema dieser späten Sexualforschung der Kinder oder auf der kindlichen Stufe zurückgehaltenen Adoleszenten, aber es liegt meinem Interesse ferner, und ich muß nur noch hervorheben, daß dabei von den Kindern viel Unrechtes zutage gefördert wird, was dazu bestimmt ist, älterer, besserer, aber unbewußt gewordener und verdrängter Erkenntnis zu widersprechen.

Auch die Art, wie die Kinder sich gegen die ihnen zugehenden Mitteilungen verhalten, hat ihre Bedeutung. Bei manchen ist die Sexualverdrängung so weit gediehen, daß sie nichts anhören wollen, und diesen gelingt es auch, bis in späte Jahre unwissend zu bleiben, scheinbar unwissend wenigstens, bis in der Psychoanalyse der Neurotischen das aus früher Kindheit stammende Wissen zum Vorschein kommt. Ich weiß auch von zwei Knaben zwischen zehn und dreizehn Jahren, welche die sexuelle Aufklärung zwar anhörten, aber dem Gewährsmanne die ablehnende Antwort gaben: Es ist möglich, daß dein Vater und andere Leute so etwas tun, aber von meinem Vater weiß ich es gewiß, daß er es nie tun würde. Wie mannigfaltig immer dieses spätere Benehmen der Kinder gegen die Befriedigung der sexuellen Wißbegierde sein mag, für ihre ersten Kinderjahre dürfen wir ein durchaus gleichförmiges Verhalten annehmen und glauben, daß sie damals alle aufs eifrigste bestrebt waren zu erfahren, was die Eltern miteinander tun, woraus dann die Kinder werden.

DIE INFANTILE GENITALORGANISATION

(Eine Einschaltung in die Sexualtheorie)

Es ist recht bezeichnend für die Schwierigkeit der Forschungsarbeit in der Psychoanalyse, daß es möglich ist, allgemeine Züge und charakteristische Verhältnisse trotz unausgesetzter jahrzehntelanger Beobachtung zu übersehen, bis sie einem endlich einmal unverkennbar entgegentreten; eine solche Vernachlässigung auf dem Gebiet der infantilen Sexualentwicklung möchte ich durch die nachstehenden Bemerkungen gutmachen.

Den Lesern meiner ›Drei Abhandlungen zur Sexualtheorie‹ (1905) wird es bekannt sein, daß ich in den späteren Ausgaben dieser Schrift niemals eine Umarbeitung vorgenommen, sondern die ursprüngliche Anordnung gewahrt habe und den Fortschritten unserer Einsicht durch Einschaltungen und Abänderungen des Textes gerecht geworden bin. Dabei mag es oft vorgekommen sein, daß das Alte und das Neuere sich nicht gut zu einer widerspruchsfreien Einheit verschmelzen ließen. Anfänglich ruhte ja der Akzent auf der Darstellung der fundamentalen Verschiedenheit im Sexualleben der Kinder und der Erwachsenen, später drängten sich die *prägenitalen Organisationen* der Libido in den Vordergrund und die merkwürdige und folgenschwere Tatsache des *zweizeitigen Ansatzes* der Sexualentwicklung. Endlich nahm die infantile *Sexualforschung* unser Interesse in Anspruch, und von ihr aus ließ sich die weitgehende *Annäherung des Ausganges der kindlichen Sexualität* (um das fünfte Lebensjahr) an die Endgestaltung beim Erwachsenen erkennen. Dabei bin ich in der letzten Auflage der Sexualtheorie (1922) stehen geblieben.

Auf Seite 63 derselben* erwähne ich, daß »häufig oder regelmäßig bereits in den Kinderjahren eine Objektwahl vollzogen wird, wie wir sie als charakteristisch für die Entwicklungsphase der Pubertät hingestellt haben, in der Weise, daß sämtliche Sexualstrebungen die Richtung auf eine einzige Person nehmen, an der sie ihre Ziele erreichen wollen. Dies ist dann die größte Annäherung an die definitive Gestaltung des Sexuallebens nach der Pubertät, die in den Kinderjahren möglicht ist. Der Unterschied von letzterer liegt nur noch darin, daß die Zusammenfassung der

* [= Ges. Werke, Bd. V, S. 100. Vgl. S. 71 der vorliegenden Ausgabe.]

Partialtriebe und deren Unterordnung unter das Primat der Genitalien in der Kindheit nicht oder nur sehr unvollkommen durchgesetzt wird. Die Herstellung dieses Primats im Dienste der Fortpflanzung ist also die letzte Phase, welche die Sexualorganisation durchläuft.«

Mit dem Satz, das Primat der Genitalien sei in der frühinfantilen Periode nicht oder nur sehr unvollkommen durchgeführt, würde ich mich heute nicht mehr zufrieden geben. Die Annäherung des kindlichen Sexuallebens an das der Erwachsenen geht viel weiter und bezieht sich nicht nur auf das Zustandekommen einer Objektwahl. Wenn es auch nicht zu einer richtigen Zusammenfassung der Partialtriebe unter das Primat der Genitalien kommt, so gewinnt doch auf der Höhe des Entwicklungsvorganges der infantilen Sexualität das Interesse an den Genitalien und die Genitalbetätigung eine dominierende Bedeutung, die hinter der in der Reifezeit wenig zurücksteht. Der Hauptcharakter dieser ›infantilen Genitalorganisation‹ ist zugleich ihr Unterschied von der endgültigen Genitalorganisation der Erwachsenen. Er liegt darin, daß für beide Geschlechter nur *ein Genitale*, das männliche, eine Rolle spielt. Es besteht also nicht ein Genitalprimat, sondern ein Primat des *Phallus*.

Leider können wir diese Verhältnisse nur für das männliche Kind beschreiben, in die entsprechenden Vorgänge beim kleinen Mädchen fehlt uns die Einsicht. Der kleine Knabe nimmt sicherlich den Unterschied von Männern und Frauen wahr, aber er hat zunächst keinen Anlaß, ihn mit einer Verschiedenheit ihrer Genitalien zusammenzubringen. Es ist ihm natürlich, ein ähnliches Genitale, wie er es selbst besitzt, bei allen anderen Lebewesen, Menschen und Tieren, vorauszusetzen, ja wir wissen, daß er auch an unbelebten Dingen nach einem seinem Gliede analogen Gebilde forscht.* Dieser leicht erregte, veränderliche, an Empfindungen so reiche Körperteil beschäftigt das Interesse des Knaben in hohem Grade und stellt seinem Forschertrieb unausgesetzt neue Aufgaben. Er möchte ihn auch bei anderen Personen sehen, um ihn mit seinem eigenen zu vergleichen, er benimmt sich, als ob ihm vorschwebte, daß dieses Glied größer sein könnte und sollte; die

---

* Es ist übrigens merkwürdig, ein wie geringes Maß von Aufmerksamkeit der andere Teil des männlichen Genitales, das Säckchen mit seinen Einschlüssen, beim Kinde auf sich zieht. Aus den Analysen könnte man nicht erraten, daß noch etwas anderes als der Penis zum Genitale gehört.

treibende Kraft, welche dieser männliche Teil später in der Pubertät entfalten wird, äußert sich um diese Lebenszeit wesentlich als Forschungsdrang, als sexuelle Neugierde. Viele der Exhibitionen und Aggressionen, welche das Kind vornimmt und die man im späteren Alter unbedenklich als Äußerungen von Lüsternheit beurteilen würde, erweisen sich der Analyse als Experimente im Dienste der Sexualforschung angestellt.

Im Laufe dieser Untersuchungen gelangt das Kind zur Entdeckung, daß der Penis nicht ein Gemeingut aller ihm ähnlichen Wesen sei. Der zufällige Anblick der Genitalien einer kleinen Schwester oder Gespielin gibt hiezu den Anstoß; scharfsinnige Kinder haben schon vorher aus ihren Wahrnehmungen beim Urinieren der Mädchen, weil sie eine andere Stellung sehen und ein anderes Geräusch hören, den Verdacht geschöpft, daß hier etwas anders sei, und dann versucht, solche Beobachtungen in aufklärender Weise zu wiederholen. Es ist bekannt, wie sie auf die ersten Eindrücke des Penismangels reagieren. Sie leugnen diesen Mangel, glauben doch ein Glied zu sehen, beschönigen den Widerspruch zwischen Beobachtung und Vorurteil durch die Auskunft, es sei noch klein und werde erst wachsen, und kommen dann langsam zu dem affektiv bedeutsamen Schluß, es sei doch wenigstens vorhanden gewesen und dann weggenommen worden. Der Penismangel wird als Ergebnis einer Kastration erfaßt und das Kind steht nun vor der Aufgabe, sich mit der Beziehung der Kastration zu seiner eigenen Person auseinanderzusetzen. Die weiteren Entwicklungen sind zu sehr allgemein bekannt, als daß es notwendig wäre, sie hier zu wiederholen. Es scheint mir nur, *daß man die Bedeutung des Kastrationskomplexes erst richtig würdigen kann, wenn man seine Entstehung in der Phase des Phallusprimats mitberücksichtigt.**

Es ist auch bekannt, wieviel Herabwürdigung des Weibes, Grauen vor dem Weib, Disposition zur Homosexualität sich aus der endlichen Überzeugung von der Penislosigkeit des Weibes

---

* Es ist mit Recht darauf hingewiesen worden, daß das Kind die Vorstellung einer narzißtischen Schädigung durch Körperverlust aus dem Verlieren der Mutterbrust nach dem Saugen, aus der täglichen Abgabe des Fäzes, ja schon aus der Trennung vom Mutterleib bei der Geburt gewinnt. Von einem Kastrationskomplex sollte man aber doch erst sprechen, wenn sich diese Vorstellung eines Verlustes mit dem männlichen Genitale verknüpft hat.

ableitet. *Ferenczi* hat kürzlich mit vollem Recht das mythologische Symbol des Grauens, das Medusenhaupt, auf den Eindruck des penislosen weiblichen Genitales zurückgeführt.*

Doch darf man nicht glauben, daß das Kind seine Beobachtung, manche weiblichen Personen besitzen keinen Penis, so rasch und bereitwillig verallgemeinert; dem steht schon die Annahme, daß die Penislosigkeit die Folge der Kastration als einer Strafe sei, im Wege. Im Gegenteile, das Kind meint, nur unwürdige weibliche Personen, die sich wahrscheinlicher ähnlicher unerlaubter Regungen schuldig gemacht haben wie es selbst, hätten das Genitale eingebüßt. Respektierte Frauen aber wie die Mutter behalten den Penis noch lange. Weibsein fällt eben für das Kind noch nicht mit Penismangel zusammen.** Erst später, wenn das Kind die Probleme der Entstehung und Geburt der Kinder angreift und errät, daß nur Frauen Kinder gebären können, wird auch die Mutter des Penis verlustig und mitunter werden ganz komplizierte Theorien aufgebaut, die den Umtausch des Penis gegen ein Kind erklären sollen. Das weibliche Genitale scheint dabei niemals entdeckt zu werden. Wie wir wissen, lebt das Kind im Leib (Darm) der Mutter und wird durch den Darmausgang geboren. Mit diesen letzten Theorien greifen wir über die Zeitdauer der infantilen Sexualperiode hinaus.

Es ist nicht unwichtig, sich vorzuhalten, welche Wandlungen die uns geläufige geschlechtliche Polarität während der kindlichen Sexualentwicklung durchmacht. Ein erster Gegensatz wird mit der Objektwahl, die ja Subjekt und Objekt voraussetzt, eingeführt. Auf der Stufe der prägenitalen sadistisch-analen Organisation ist von männlich und weiblich noch nicht zu reden, der Gegensatz von *aktiv* und *passiv* ist der herrschende.*** Auf der nun folgenden

---

* Internationale Zeitschrift für Psychoanalyse, IX, 1923, Heft 1. Ich möchte hinzufügen, daß im Mythos das Genitale der Mutter gemeint ist. Athene, die das Medusenhaupt an ihrem Panzer trägt, wird eben dadurch das unnahbare Weib, dessen Anblick jeden Gedanken an sexuelle Annäherung erstickt.

** Aus der Analyse einer jungen Frau erfuhr ich, daß sie, die keinen Vater und mehrere Tanten hatte, bis weit in die Latenzzeit an dem Penis der Mutter und einiger Tanten festhielt. Eine schwachsinnige Tante aber hielt sie für kastriert, wie sie sich selbst empfand.

*** Siehe: Drei Abhandlungen zur Sexualtheorie, 5. Auflage, S. 62 [= Ges. Werke, Bd. V, S. 99 Vgl. S. 70 der vorliegenden Auswahl.]

Stufe der infantilen Genitalorganisation gibt es zwar ein *männlich*, aber kein weiblich; der Gegensatz lautet hier: *männliches Genitale* oder *kastriert*. Erst mit der Vollendung der Entwicklung zur Zeit der Pubertät fällt die sexuelle Polarität mit *männlich* und *weiblich* zusammen. Das Männliche faßt das Subjekt, die Aktivität und den Besitz des Penis zusammen, das Weibliche setzt das Objekt und die Passivität fort. Die Vagina wird nun als Herberge des Penis geschätzt, sie tritt das Erbe des Mutterleibes an.

EINIGE PSYCHISCHE FOLGEN DES ANATOMISCHEN
GESCHLECHTSUNTERSCHIEDS

Meine und meiner Schüler Arbeiten vertreten mit stetig wachsender Entschiedenheit die Forderung, daß die Analyse der Neurotiker auch die erste Kindheitsperiode, die Zeit der Frühblüte des Sexuallebens durchdringen müsse. Nur wenn man die ersten Äußerungen der mitgebrachten Triebkonstitution und die Wirkungen der frühesten Lebenseindrücke erforscht, kann man die Triebkräfte der späteren Neurose richtig erkennen und ist gesichert gegen die Irrtümer, zu denen man durch die Umbildungen und Überlagerungen der Reifezeit verlockt würde. Diese Forderung ist nicht nur theoretisch bedeutsam, sie hat auch praktische Wichtigkeit, denn sie scheidet unsere Bemühungen von der Arbeit solcher Ärzte, die, nur therapeutisch orientiert, sich eine Strecke weit analytischer Methoden bedienen. Solch eine Frühzeitanalyse ist langwierig, mühselig und stellt Ansprüche an Arzt und Patient, deren Erfüllung die Praxis nicht immer entgegenkommt. Sie führt ferner in Dunkelheiten, durch welche uns noch immer die Wegweiser fehlen. Ja, ich meine, man darf den Analytikern die Versicherung geben, daß ihrer wissenschaftlichen Arbeit die Gefahr, mechanisiert und damit uninteressant zu werden, auch für die nächsten Jahrzehnte nicht droht.

Im folgenden teile ich ein Ergebnis der analytischen Forschung mit, das sehr wichtig wäre, wenn es sich als allgemein gültig erweisen ließe. Warum schiebe ich die Veröffentlichung nicht auf, bis mir eine reichere Erfahrung diesen Nachweis, wenn er zu erbringen ist, geliefert hat? Weil in meinen Arbeitsbedingungen eine Veränderung eingetreten ist, deren Folgen ich nicht verleugnen kann. Früher einmal gehörte ich nicht zu denen, die eine vermeintliche Neuheit nicht eine Weile bei sich behalten können, bis sie Bekräftigung oder Berichtigung gefunden hat. Die ›Traumdeutung‹ und das ›Bruchstück einer Hysterieanalyse‹ (der Fall Dora) sind, wenn nicht durch neun Jahre nach dem Horazischen Rezept, so doch durch vier bis fünf Jahre von mir unterdrückt worden, ehe ich sie der Öffentlichkeit preisgab. Aber damals dehnte sich die Zeit unabsehbar vor mir aus — *oceans of time*, wie ein liebenswürdiger Dichter sagt — und das Material strömte mir so reichlich zu, daß ich mich der Erfahrungen kaum erwehren konnte. Auch war ich der einzige Arbeiter auf einem neuen Gebiet, meine Zurückhaltung brachte mir keine Gefahr und anderen keinen Schaden.

Das ist nun alles anders geworden. Die Zeit vor mir ist begrenzt, sie wird nicht mehr vollständig von der Arbeit ausgenützt; die Gelegenheiten, neue Erfahrungen zu machen, kommen also nicht so reichlich. Wenn ich etwas Neues zu sehen glaube, bleibt es mir unsicher, ob ich die Bestätigung abwarten kann. Auch ist alles bereits abgeschöpft, was an der Oberfläche dahintrieb; das übrige muß in langsamer Bemühung aus der Tiefe geholt werden. Endlich bin ich nicht mehr allein, eine Schar von eifrigen Mitarbeitern ist bereit, sich auch das Unfertige, unsicher Erkannte zunutze zu machen, ich darf ihnen den Anteil der Arbeit überlassen, den ich sonst selbst besorgt hätte. So fühle ich mich gerechtfertigt, diesmal etwas mitzuteilen, was dringend der Nachprüfung bedarf, ehe es in seinem Wert oder Unwert erkannt werden kann.

Wenn wir die ersten psychischen Gestaltungen des Sexuallebens beim Kinde untersuchten, nahmen wir regelmäßig das männliche Kind, den kleinen Knaben, zum Objekt. Beim kleinen Mädchen, meinten wir, müsse es ähnlich zugehen, aber doch in irgendeiner Weise anders. An welcher Stelle des Entwicklungsganges diese Verschiedenheit zu finden ist, das wollte sich nicht klar ergeben.

Die Situation des Ödipus-Komplexes ist die erste Station, die wir beim Knaben mit Sicherheit erkennen. Sie ist uns leicht verständlich, weil in ihr das Kind an demselben Objekt festhält, das es bereits in der vorhergehenden Säuglings- und Pflegeperiode mit seiner noch nicht genitalen Libido besetzt hatte. Auch daß es dabei den Vater als störenden Rivalen empfindet, den es beseitigen und ersetzen möchte, leitet sich glatt aus den realen Verhältnissen ab. Daß die Ödipus-Einstellung des Knaben der phallischen Phase angehört und an der Kastrationsangst, also am narzißtischen Interesse für das Genitale, zugrunde geht, habe ich an anderer Stelle* ausgeführt. Eine Erschwerung des Verständnisses ergibt sich aus der Komplikation, daß der Ödipus-Komplex selbst beim Knaben doppelsinnig angelegt ist, aktiv und passiv, der bisexuellen Anlage entsprechend. Der Knabe will auch als Liebesobjekt des

* Der Untergang des Ödipuskomplexes. [Ges. Werke, Bd. XIII, S. 393 bis 402.]

Vaters die Mutter ersetzen, was wir als feminine Einstellung bezeichnen.

An der Vorgeschichte des Ödipus-Komplexes beim Knaben ist uns noch lange nicht alles klar. Wir kennen aus ihr eine Identifizierung mit dem Vater zärtlicher Natur, welcher der Sinn der Rivalität bei der Mutter noch abgeht. Ein anderes Element dieser Vorzeit ist die, wie ich meine, nie ausbleibende masturbatorische Betätigung am Genitale, die frühkindliche Onanie, deren mehr oder minder gewalttätige Unterdrückung von seiten der Pflegepersonen den Kastrationskomplex aktiviert. Wir nehmen an, daß diese Onanie am Ödipus-Komplex hängt und die Abfuhr seiner Sexualerregung bedeutet. Ob sie von Anfang an diese Beziehung hat oder nicht vielmehr spontan als Organbetätigung auftritt und erst später den Anschluß an den Ödipuskomplex gewinnt, ist unsicher; die letztere Möglichkeit ist die weitaus wahrscheinlichere. Fraglich ist auch noch die Rolle des Bettnässens und seiner Abgewöhnung durch die Eingriffe der Erziehung. Wir bevorzugen die einfache Synthese, das fortgesetzte Bettnässen sei der Erfolg der Onanie, seine Unterdrückung werde vom Knaben wie eine Hemmung der Genitaltätigkeit, also im Sinne einer Kastrationsdrohung gewertet, aber ob wir damit jedesmal recht haben, steht dahin. Endlich läßt uns die Analyse schattenhaft erkennen, wie eine Belauschung des elterlichen Koitus in sehr früher Kinderzeit die erste sexuelle Erregung setzen und durch ihre nachträglichen Wirkungen der Ausgangspunkte für die ganze Sexualentwicklung werden kann. Die Onanie sowie die beiden Einstellungen des Ödipus-Komplexes knüpfen späterhin an den in der Folge gedeuteten Eindruck an. Allein wir können nicht annehmen, daß solche Koitusbeobachtungen ein regelmäßiges Vorkommnis sind, und stoßen hier mit dem Problem der ›Urphantasien‹ zusammen. So vieles ist also auch in der Vorgeschichte des Ödipus-Komplexes beim Knaben noch ungeklärt, harrt der Sichtung und der Entscheidung, ob immer der nämliche Hergang anzunehmen ist, oder ob nicht sehr verschiedenartige Vorstadien zum Treffpunkt der gleichen Endsituation führen.

Der Ödipus-Komplex des kleinen Mädchens birgt ein Problem mehr als der des Knaben. Die Mutter war anfänglich beiden das erste Objekt, wir haben uns nicht zu verwundern, wenn der Knabe es für den Ödipus-Komplex beibehält. Aber wie kommt das Mädchen dazu, es aufzugeben und dafür den Vater zum Objekt zu nehmen? In der Verfolgung dieser Frage habe ich einige Feststellungen machen können, die gerade auf die Vorgeschichte der Ödipus-Relation beim Mädchen Licht werfen können.

Jeder Analytiker hat die Frauen kennengelernt, die mit besonderer Intensität und Zähigkeit an ihrer Vaterbindung festhalten und an dem Wunsch, vom Vater ein Kind zu bekommen, in dem diese gipfelt. Man hat guten Grund anzunehmen, daß diese Wunschphantasie auch die Triebkraft ihrer infantilen Onanie war, und gewinnt leicht den Eindruck, hier vor einer elementaren, nicht weiter auflösbaren Tatsache des kindlichen Sexuallebens zu stehen. Eingehende Analyse gerade dieser Fälle zeigt aber etwas anderes, nämlich daß der Ödipus-Komplex hier eine lange Vorgeschichte hat und eine gewissermaßen sekundäre Bildung ist.

Nach einer Bemerkung des alten Kinderarztes *Lindner** entdeckt das Kind die lustspendende Genitalzone — Penis oder Klitoris — während des Wonnesaugens (Lutschens). Ich will es dahingestellt sein lassen, ob das Kind diese neugewonnene Lustquelle wirklich zum Ersatz für die kürzlich verlorene Brustwarze der Mutter nimmt, worauf spätere Phantasien (Fellatio) deuten mögen. Kurz, die Genitalzone wird irgendeinmal entdeckt und es scheint unberechtigt, den ersten Betätigungen an ihr einen psychischen Inhalt unterzulegen. Der nächste Schritt in der so beginnenden phallischen Phase ist aber nicht die Verknüpfung dieser Onanie mit den Objektbesetzungen des Ödipus-Komplexes, sondern eine folgenschwere Entdeckung, die dem kleinen Mädchen beschieden ist. Es bemerkt den auffällig sichtbaren, groß angelegten Penis eines Bruders oder Gespielen, erkennt ihn sofort als überlegenes Gegenstück seines eigenen, kleinen und versteckten Organs und ist von da an dem Penisneid verfallen.

Ein interessanter Gegensatz im Verhalten der beiden Geschlechter: Im analogen Falle, wenn der kleine Knabe die Genitalgegend des Mädchens zuerst erblickt, benimmt er sich unschlüssig, zunächst wenig interessiert; er sieht nichts, oder er verleugnet seine Wahrnehmung, schwächt sie ab, sucht nach Auskünften, um sie mit seiner Erwartung in Einklang zu bringen. Erst später, wenn eine Kastrationsdrohung auf ihn Einfluß gewonnen hat, wird

---

* Siehe: Drei Abhandlungen zur Sexualtheorie. [Ges. Werke, Bd. V, S. 80 f. Vgl. S. 54 f. der vorliegenden Ausgabe.]

diese Beobachtung für ihn bedeutungsvoll werden; ihre Erinnerung oder Erneuerung regt einen fürchterlichen Affektsturm in ihm an und unterwirft ihn dem Glauben an die Wirklichkeit der bisher verlachten Androhung. Zwei Reaktionen werden aus diesem Zusammentreffen hervorgehen, die sich fixieren können und dann jede einzeln oder beide vereint oder zusammen mit anderen Momenten sein Verhältnis zum Weib dauernd bestimmen werden: Abscheu vor dem verstümmelten Geschöpf oder triumphierende Geringschätzung desselben. Aber diese Entwicklungen gehören einer, wenn auch nicht weit entfernten Zukunft an.

Anders das kleine Mädchen. Sie ist im Nu fertig mit ihrem Urteil und ihrem Entschluß. Sie hat es gesehen, weiß, daß sie es nicht hat, und will es haben.*

An dieser Stelle zweigt der sogenannte Männlichkeitskomplex des Weibes ab, welcher der vorgezeichneten Entwicklung zur Weiblichkeit eventuell große Schwierigkeiten bereiten wird, wenn es nicht gelingt, ihn bald zu überwinden. Die Hoffnung, doch noch einmal einen Penis zu bekommen und dadurch dem Manne gleich zu werden, kann sich bis in unwahrscheinlich späte Zeiten erhalten und zum Motiv für sonderbare, sonst unverständliche Handlungen werden. Oder es tritt der Vorgang ein, den ich als *Verleugnung* bezeichnen möchte, der im kindlichen Seelenleben weder selten noch sehr gefährlich zu sein scheint, der aber beim Erwachsenen eine Psychose einleiten würde. Das Mädchen verweigert es, die Tatsache ihrer Kastration anzunehmen, versteift sich in der Überzeugung, daß sie doch einen Penis besitzt, und ist gezwungen, sich in der Folge so zu benehmen, als ob sie ein Mann wäre.

Die psychischen Folgen des Penisneides, soweit er nicht in der Reaktionsbildung des Männlichkeitskomplexes aufgeht, sind vielfältige und weittragende. Mit der Anerkennung seiner narzißtischen Wunde stellt sich — gleichsam als Narbe — ein Minderwertigkeitsgefühl beim Weibe her. Nachdem es den ersten Versuch,

---

* Hier ist der Anlaß, eine Behauptung zu berichtigen, die ich vor Jahren aufgestellt habe. Ich meinte, das Sexualinteresse der Kinder werde nicht wie das der Heranreifenden durch den Geschlechtsunterschied geweckt, sondern entzünde sich an dem Problem, woher die Kinder kommen. Das trifft also wenigstens für das Mädchen gewiß nicht zu. Beim Knaben wird es wohl das eine Mal so, das andere Mal anders zugehen können, oder bei beiden Geschlechtern werden die zufälligen Anlässe des Lebens darüber entscheiden.

seinen Penismangel als persönliche Strafe zu erklären, überwunden und die Allgemeinheit dieses Geschlechtscharakters erfaßt hat, beginnt es, die Geringschätzung des Mannes für das in einem entscheidenden Punkt verkürzte Geschlecht zu teilen und hält wenigstens in diesem Urteil an der eigenen Gleichstellung mit dem Manne fest.*

Auch wenn der Penisneid auf sein eigentliches Objekt verzichtet hat, hört er nicht auf zu existieren, er lebt in der Charaktereigenschaft der *Eifersucht* mit leichter Verschiebung fort. Gewiß ist die Eifersucht nicht allein einem Geschlecht eigen und begründet sich auf einer breiteren Basis, aber ich meine, daß sie doch im Seelenleben des Weibes eine weitaus größere Rolle spielt, weil sie aus der Quelle des abgelenkten Penisneides eine ungeheure Verstärkung bezieht. Ehe ich noch diese Ableitung der Eifersucht kannte, hatte ich für die bei Mädchen so häufige Onaniephantasie ›Ein Kind wird geschlagen‹ eine erste Phase konstruiert, in der sie die Bedeutung hat, ein anderes Kind, auf das man als Rivalen eifersüchtig ist, soll geschlagen werden.[2] Diese Phantasie scheint ein Relikt aus der phallischen Periode der Mädchen; die eigentümliche Starrheit, die mir an der monotonen Formel: Ein Kind wird geschlagen, auffiel, läßt wahrscheinlich noch eine besondere Deutung zu. Das Kind, das da geschlagen — geliebkost wird, mag im Grunde nichts anderes sein, als die Klitoris selbst, so daß die Aussage zu allertiefst das Eingeständnis der Masturbation enthält, die sich vom Anfang in der phallischen Phase bis in späte Zeiten an den Inhalt der Formel knüpft.

* Ich habe schon in meiner ersten kritischen Äußerung ›Zur Geschichte der psychoanalytischen Bewegung‹ (1913) erkannt, daß dies der Wahrheitskern der *Adler*schen Lehre ist, die kein Bedenken trägt, die ganze Welt aus diesem einen Punkte (Organminderwertigkeit — männlicher Protest — Abrücken von der weiblichen Linie) zu erklären und sich dabei rühmt, die Sexualität zugunsten des Machtstrebens ihrer Bedeutung beraubt zu haben! Das einzige ›minderwertige‹ Organ, das ohne Zweideutigkeit diesen Namen verdient, wäre also die Klitoris. Anderseits hört man, daß Analytiker sich rühmen, trotz jahrzehntelanger Bemühung nichts von der Existenz eines Kastrationskomplexes wahrgenommen zu haben. Man muß sich vor der Größe dieser Leistung in Bewunderung beugen, wenn es auch nur eine negative Leistung, ein Kunststück im Übersehen und Verkennen ist. Die beiden Lehren ergeben ein interessantes Gegensatzpaar: Hier keine Spur von einem Kastrationskomplex, dort nichts anderes als Folgen desselben.

Eine dritte Abfolge des Penisneides scheint die Lockerung des zärtlichen Verhältnisses zum Mutterobjekt. Man versteht den Zusammenhang nicht sehr gut, überzeugt sich aber, daß am Ende fast immer die Mutter für den Penismangel verantwortlich gemacht wird, die das Kind mit so ungenügender Ausrüstung in die Welt geschickt hat. Der historische Hergang ist oft der, daß bald nach der Entdeckung der Benachteiligung am Genitale Eifersucht gegen ein anderes Kind auftritt, das von der Mutter angeblich mehr geliebt wird, wodurch eine Motivierung für die Lösung von der Mutterbindung gewonnen ist. Dazu stimmt es dann, wenn dies von der Mutter bevorzugte Kind das erste Objekt der in Masturbation auslaufenden Schlagephantasie wird.

Eine andere überraschende Wirkung des Penisneides — oder der Entdeckung der Minderwertigkeit der Klitoris — ist gewiß die wichtigste von allen. Ich hatte oftmals vorher den Eindruck gewonnen, daß das Weib im allgemeinen die Masturbation schlechter verträgt als der Mannn, sich öfter gegen sie sträubt und außerstande ist, sich ihrer zu bedienen, wo der Mann unter gleichen Verhältnissen unbedenklich zu diesem Auskunftsmittel gegriffen hätte. Es ist begreiflich, daß die Erfahrung ungezählte Ausnahmen von diesem Satz aufweisen würde, wenn man ihn als Regel aufstellen wollte. Die Reaktionen der menschlichen Individuen beiderlei Geschlechts sind ja aus männlichen und weiblichen Zügen gemengt. Aber es blieb doch der Anschein übrig, daß der Natur des Weibes die Masturbation ferner liege, und man konnte zur Lösung des angenommenen Problems die Erwägung heranziehen, daß wenigstens die Masturbation an der Klitoris eine männliche Betätigung sei, und daß die Entfaltung der Weiblichkeit die Wegschaffung der Klitorissexualität zur Bedingung habe. Die Analysen der phallischen Vorzeit haben mich nun gelehrt, daß beim Mädchen bald nach den Anzeichen des Penisneides eine intensive Gegenströmung gegen die Onanie auftritt, die nicht allein auf den Einfluß der erziehenden Pflegeperson zurückgeführt werden kann. Diese Regung ist offenbar eine Vorbote jenes Verdrängungsschubes, der zur Zeit der Pubertät ein großes Stück der männlichen Sexualität beseitigen wird, um Raum für die Entwicklung der Weiblichkeit zu schaffen. Es mag sein, daß diese erste Opposition gegen die autoerotische Betätigung ihr Ziel nicht erreicht. So war es auch in den von mir analysierten Fällen. Der Konflikt setzte sich dann fort und das Mädchen tat damals wie später alles, um sich vom Zwang zur Onanie zu befreien. Manche späteren Äußerungen des Sexuallebens beim Weibe bleiben unverständlich, wenn man dies starke Motiv nicht erkennt.

Ich kann mir diese Auflehnung des kleinen Mädchens gegen die phallische Onanie nicht anders als durch die Annahme erklären, daß ihm diese lustbringende Betätigung durch ein nebenher gehendes Moment arg verleidet wird. Dieses Moment brauchte man dann nicht weit weg zu suchen; es müßte die mit dem Penisneid verknüpfte narzißtische Kränkung sein, die Mahnung, daß man es in diesem Punkte doch nicht mit dem Knaben aufnehmen kann und darum die Konkurrenz mit ihm am besten unterläßt. In solcher Weise drängt die Erkenntnis des anatomischen Geschlechtsunterschiedes das kleine Mädchen von der Männlichkeit und von der männlichen Onanie weg in neue Bahnen, die zur Entfaltung der Weiblichkeit führen.

Vom Ödipus-Komplex war bisher nicht die Rede, er hatte auch soweit keine Rolle gespielt. Nun aber gleitet die Libido des Mädchens — man kann nur sagen: längs der vorgezeichneten symbolischen Gleichung Penis = Kind — in eine neue Position. Es gibt den Wunsch nach dem Penis auf, um den Wunsch nach einem Kinde an die Stelle zu setzen, und nimmt *in dieser Absicht* den Vater zum Liebesobjekt. Die Mutter wird zum Objekt der Eifersucht, aus dem Mädchen ist ein kleines Weib geworden. Wenn ich einer vereinzelten analytischen Erhebung glauben darf, kann es in dieser neuen Situation zu körperlichen Sensationen kommen, die als vorzeitiges Erwachen des weiblichen Genitalapparates zu beurteilen sind. Wenn diese Vaterbindung später als verunglückt aufgegeben werden muß, kann sie in einer Vateridentifizierung weichen, mit der das Mädchen zum Männlichkeitskomplex zurückkehrt und sich eventuell an ihm fixiert.

Ich habe nun das Wesentliche gesagt, das ich zu sagen hatte, und mache halt, um das Ergebnis zu überblicken. Wir haben Einsicht in die Vorgeschichte des Ödipus-Komplexes beim Mädchen bekommen. Das Entsprechende beim Knaben ist ziemlich unbekannt. Beim Mädchen ist der Ödipus-Komplex eine sekundäre Bildung. Die Auswirkungen des Kastrationskomplexes gehen ihm vorher und bereiten ihn vor. Für das Verhältnis zwischen Ödipus- und Kastrationskomplex stellt sich ein fundamentaler Gegensatz der beiden Geschlechter her. *Während der Ödipus-Komplex des Knaben am Kastrationskomplex zugrunde geht*[3], *wird der des*

Mädchens durch den Kastrationskomplex ermöglicht und einge-leitet. Dieser Widerspruch erhält seine Aufklärung, wenn man erwägt, daß der Kastrationskomplex dabei immer im Sinne seines Inhaltes wirkt, hemmend und einschränkend für die Männlich-keit, befördernd auf die Weiblichkeit. Die Differenz in diesem Stück der Sexualentwicklung beim Mann und Weib ist eine be-greifliche Folge der anatomischen Verschiedenheit der Genitalien und der damit verknüpften psychischen Situation, sie entspricht dem Unterschied von vollzogener und bloß angedrohter Kastra-tion. Unser Ergebnis ist also im Grunde eine Selbstverständlich-keit, die man hätte vorhersehen können.

Indes der Ödipus-Komplex ist etwas so Bedeutsames, daß es auch nicht folgenlos bleiben kann, auf welche Weise man in ihn hineingeraten und von ihm losgekommen ist. Beim Knaben — so habe ich in der letzterwähnten Publikation ausgeführt, an die ich hier überhaupt anknüpfe — wird der Komplex nicht einfach ver-drängt, er zerschellt förmlich unter dem Schock der Kastrations-drohung. Seine libidinösen Besetzungen werden aufgegeben, de-sexualisiert und zum Teil sublimiert, seine Objekte dem Ich ein-verleibt, wo sie den Kern des Über-Ichs bilden und dieser Neufor-mation charakteristische Eigenschaften verleihen. Im normalen, besser gesagt: im idealen Falle besteht dann auch im Unbewußten kein Ödipus-Komplex mehr, das Über-Ich ist sein Erbe geworden. Da der Penis — im Sinne *Ferenczis* — seine außerordentlich hohe narzißtische Besetzung seiner organischen Bedeutung für die Fort-setzung der Art verdankt, kann man die Katastrophe des Ödipus-Komplexes — die Abwendung vom Inzest, die Einsetzung von Ge-wissen und Moral — als einen Sieg der Generation über das Indi-viduum auffassen. Ein interessanter Gesichtspunkt, wenn man er-wägt, daß die Neurose auf einem Sträuben des Ichs gegen den An-spruch der Sexualfunktion beruht. Aber das Verlassen des Stand-punktes der individuellen Psychologie führt zunächst nicht zur Klärung der verschlungenen Beziehungen.

Beim Mädchen entfällt das Motiv für die Zertrümmerung des Ödipus-Komplexes. Die Kastration hat ihre Wirkung bereits frü-her getan und diese bestand darin, das Kind in die Situation des Ödipus-Komplexes zu drängen. Dieser entgeht darum dem Schick-sal, das ihm beim Knaben bereitet wird, er kann langsam verlas-sen, durch Verdrängung erledigt werden, seine Wirkungen weit in das für das Weib normale Seelenleben verschieben. Man zögert es auszusprechen, kann sich aber doch der Idee nicht erwehren, daß das Niveau des sittlich Normalen für das Weib ein anderes wird. Das Über-Ich wird niemals so unerbittlich, so unpersönlich, so unabhängig von seinen affektiven Ursprüngen, wie wir es vom Manne fordern. Charakterzüge, die die Kritik seit jeher dem Weibe vorgehalten hat, daß es weniger Rechtsgefühl zeigt als der Mann, weniger Neigung zur Unterwerfung unter die großen Notwendigkeiten des Lebens, sich öfter in seinen Entscheidungen von zärtlichen und feindseligen Gefühlen leiten läßt, fänden in der oben abgeleiteten Modifikation der Über-Ichbildung eine ausreichende Begründung. Durch den Widerspruch der Feministen, die uns eine völlige Gleichstellung und Gleichschätzung der Geschlechter aufdrängen wollen, wird man sich in solchen Urteilen nicht beirren lassen, wohl aber bereitwillig zugestehen, daß auch die Mehrzahl der Männer weit hinter dem männlichen Ideal zurückbleibt, und daß alle menschlichen Individuen infolge ihrer bisexuellen Anlage und der gekreuzten Vererbung männliche und weibliche Charaktere in sich vereinigen, so daß die reine Männlichkeit und Weiblichkeit theoretische Konstruktionen bleiben mit ungesichertem Inhalt.

Ich bin geneigt, den hier vorgebrachten Ausführungen über die psychischen Folgen des anatomischen Geschlechtsunterschieds Wert beizulegen, aber ich weiß, daß diese Schätzung nur aufrechtzuhalten ist, wenn sich die an einer Handvoll Fällen gemachten Funde allgemein bestätigen und als typisch herausstellen. Sonst bliebe es eben ein Beitrag zur Kenntnis der mannigfaltigen Wege in der Entwicklung des Sexuallebens.

In den schätzenswerten und inhaltsreichen Arbeiten über den Männlichkeits- und Kastrationskomplex des Weibes von *Abraham* (Äußerungsformen des weiblichen Kastrationskomplexes, Int. Zschr. f. PsA., Bd. VII), *Horney* (Zur Genese des weiblichen Kastrationskomplexes, ebendort, Bd. IX), Helene *Deutsch* (Psychoanalyse der weiblichen Sexualfunktionen, Neue Arb. z. ärztl. PsA., Nr. V) findet sich vieles, was nahe an meine Darstellung rührt, nichts, was sich ganz mit ihr deckt, so daß ich diese Veröffentlichung auch in dieser Hinsicht rechtfertigen möchte.

I

In der Phase des normalen Ödipuskomplexes finden wir das Kind an den gegengeschlechtlichen Elternteil zärtlich gebunden, während im Verhältnis zum gleichgeschlechtlichen die Feindseligkeit vorwiegt. Es macht uns keine Schwierigkeiten, dieses Ergebnis für den Knaben abzuleiten. Die Mutter war sein erstes Liebesobjekt; sie bleibt es, mit der Verstärkung seiner verliebten Strebungen und der tieferen Einsicht in die Beziehung zwischen Vater und Mutter muß der Vater zum Rivalen werden. Anders für das kleine Mädchen. Ihr erstes Objekt war doch auch die Mutter; wie findet sie den Weg zum Vater? Wie, wann und warum macht sie sich von der Mutter los? Wir haben längst verstanden, die Entwicklung der weiblichen Sexualität werde durch die Aufgabe kompliziert, die ursprünglich leitende genitale Zone, die Klitoris, gegen eine neue, die Vagina, aufzugeben. Nun erscheint uns eine zweite solche Wandlung, der Umtausch des ursprünglichen Mutterobjekts gegen den Vater, nicht weniger charakteristisch und bedeutungsvoll für die Entwicklung des Weibes. In welcher Art die beiden Aufgaben miteinander verknüpft sind, können wir noch nicht erkennen.

Frauen mit starker Vaterbindung sind bekanntlich sehr häufig; sie brauchen auch keineswegs neurotisch zu sein. An solchen Frauen habe ich die Beobachtungen gemacht, über die ich hier berichte und die mich zu einer gewissen Auffassung der weiblichen Sexualität veranlaßt haben. Zwei Tatsachen sind mir da vor allem aufgefallen. Die erste war: wo eine besonders intensive Vaterbindung bestand, da hatte es nach dem Zeugnis der Analyse vorher eine Phase von ausschließlicher Mutterbindung gegeben von gleicher Intensität und Leidenschaftlichkeit. Die zweite Phase hatte bis auf den Wechsel des Objekts dem Liebesleben kaum einen neuen Zug hinzugefügt. Die primäre Mutterbeziehung war sehr reich und vielseitig ausgebaut gewesen.

Die zweite Tatsache lehrte, daß man auch die Zeitdauer dieser Mutterbindung stark unterschätzt hatte. Sie reichte in mehreren Fällen bis weit ins vierte, in einem bis ins fünfte Jahr, nahm also den bei weitem längeren Anteil der sexuellen Frühblüte ein. Ja, man mußte die Möglichkeit gelten lassen, daß eine Anzahl von weiblichen Wesen in der ursprünglichen Mutterbindung stecken bleibt und es niemals zu einer richtigen Wendung zum Manne bringt.

Die präödipale Phase des Weibes rückt hiemit zu einer Bedeutung auf, die wir ihr bisher nicht zugeschrieben haben.

Da sie für alle Fixierungen und Verdrängungen Raum hat, auf die wir die Entstehung der Neurosen zurückführen, scheint es erforderlich, die Allgemeinheit des Satzes, der Ödipuskomplex sei der Kern der Neurose, zurückzunehmen. Aber wer ein Sträuben gegen diese Korrektur verspürt, ist nicht genötigt, sie zu machen. Einerseits kann man dem Ödipuskomplex den weiteren Inhalt geben, daß er alle Beziehungen des Kindes zu beiden Eltern umfaßt, anderseits kann man den neuen Erfahrungen auch Rechnung tragen, indem man sagt, das Weib gelange zur normalen positiven Ödipussituation erst, nachdem es eine vom negativen Komplex beherrschte Vorzeit überwunden. Wirklich ist während dieser Phase der Vater für das Mädchen nicht viel anderes als ein lästiger Rivale, wenngleich die Feindseligkeit gegen ihn nie die für den Knaben charakteristische Höhe erreicht. Alle Erwartungen eines glatten Parallelismus zwischen männlicher und weiblicher Sexualentwicklung haben wir ja längst aufgegeben.

Die Einsicht in die präödipale Vorzeit des Mädchens wirkt als Überraschung, ähnlich wie auf anderem Gebiet die Aufdeckung der minoisch-mykenischen Kultur hinter der griechischen.

Alles auf dem Gebiet dieser ersten Mutterbindung erschien mir so schwer analytisch zu erfassen, so altersgrau, schattenhaft, kaum wiederbelebbar, als ob es einer besonders unerbittlichen Verdrängung erlegen wäre. Vielleicht kam dieser Eindruck aber davon, daß die Frauen in der Analyse bei mir an der nämlichen Vaterbindung festhalten konnten, zu der sie sich aus der in Rede stehenden Vorzeit geflüchtet hatten. Es scheint wirklich, daß weibliche Analytiker, wie Jeanne *Lampl-de Groot* und Helene *Deutsch*, diese Tatbestände leichter und deutlicher wahrnehmen konnten, weil ihnen bei ihren Gewährspersonen die Übertragung auf einen geeigneten Mutterersatz zu Hilfe kam. Ich habe es auch nicht dahin gebracht, einen Fall vollkommen zu durchschauen, beschränke mich daher auf die Mitteilung der allgemeinsten Ergebnisse und führe nur wenige Proben aus meinen neuen Einsichten an. Dahin gehört, daß diese Phase der Mutterbindung eine besonders intime Beziehung zur Ätiologie der Hysterie vermuten läßt, was nicht überraschen kann, wenn man erwägt, daß beide, die Phase wie die Neurose, zu den besonderen Charakteren der Weiblichkeit gehören, ferner auch, daß man in dieser Mutterabhängigkeit den Keim der späteren Paranoia des Weibes findet.[1] Denn dies scheint die überraschende, aber regelmäßig angetroffene Angst, von der Mutter umgebracht (aufgefressen?) zu werden, wohl zu sein. Es liegt nahe, anzunehmen, daß diese Angst einer Feindseligkeit entspricht, die sich im Kind gegen die Mutter infolge der vielfachen Einschränkungen der Erziehung und Körperpflege entwickelt, und daß der Mechanismus der Projektion durch die Frühzeit der psychischen Organisation begünstigt wird.

II

Ich habe die beiden Tatsachen vorangestellt, die mir als neu aufgefallen sind, daß die starke Vaterabhängigkeit des Weibes nur das Erbe einer ebenso starken Mutterbindung antritt und daß diese frühere Phase durch eine unerwartet lange Zeitdauer angehalten hat. Nun will ich zurückgreifen, um diese Ergebnisse in das uns bekanntgewordene Bild der weiblichen Sexualentwicklung einzureihen, wobei Wiederholungen nicht zu vermeiden sein werden. Die fortlaufende Vergleichung mit den Verhältnissen beim Manne kann unserer Darstellung nur förderlich sein.

Zunächst ist es unverkennbar, daß die für die menschliche Anlage behauptete Bisexualität beim Weib viel deutlicher hervortritt als beim Mann. Der Mann hat doch nur eine leitende Geschlechtszone, ein Geschlechtsorgan, während das Weib deren zwei besitzt: die eigentlich weibliche Vagina und die dem männlichen Glied analoge Klitoris. Wir halten uns für berechtigt anzunehmen, daß die Vagina durch lange Jahre so gut wie nicht vorhanden ist, vielleicht erst zur Zeit der Pubertät Empfindungen liefert. In letzter Zeit mehren sich allerdings die Stimmen der Beobachter, die vaginale Regungen auch in diese frühen Jahre verlegen. Das Wesentliche, was also an Genitalität in der Kindheit vorgeht, muß sich beim Weibe an der Klitoris abspielen. Das Geschlechtsleben des Weibes zerfällt regelmäßig in zwei Phasen, von denen die erste männlichen Charakter hat; erst die zweite ist die spezifisch weibliche. In der weiblichen Entwicklung gibt es so einen Prozeß der Überführung der einen Phase in die andere, dem beim Manne nichts analog ist. Eine weitere Komplikation entsteht daraus, daß sich die Funktion der virilen Klitoris in das spätere weibliche Geschlechtsleben fortsetzt in einer sehr wechselnden und gewiß nicht befriedigend verstandenen Weise. Natürlich wissen wir nicht, wie sich diese Besonderheiten des Weibes biologisch begründen; noch weniger können wir ihnen teleologische Absicht unterlegen.

Parallel dieser ersten großen Differenz läuft die andere auf dem Gebiet der Objektfindung. Beim Manne wird die Mutter zum ersten Liebesobjekt infolge des Einflusses von Nahrungszufuhr und Körperpflege, und sie bleibt es, bis sie durch ein ihr wesensähnliches oder von ihr abgeleitetes ersetzt wird. Auch beim Weib muß die Mutter das erste Objekt sein. Die Urbedingungen der Objektwahl sind ja für alle Kinder gleich. Aber am Ende der Entwicklung soll der Mann-Vater das neue Liebesobjekt geworden sein, d. h., dem Geschlechtswechsel des Weibes muß ein Wechsel im Geschlecht des Objekts entsprechen. Als neue Aufgaben der Forschung entstehen hier die Fragen, auf welchen Wegen diese Wandlung vor sich geht, wie gründlich oder unvollkommen sie vollzogen wird, welche verschiedenen Möglichkeiten sich bei dieser Entwicklung ergeben.

Wir haben auch bereits erkannt, daß eine weitere Differenz der Geschlechter sich auf das Verhältnis zum Ödipuskomplex bezieht. Unser Eindruck ist hier, daß unsere Aussagen über den Ödipuskomplex in voller Strenge nur für das männliche Kind passen, und daß wir recht daran haben, den Namen Elektrakomplex abzulehnen, der die Analogie im Verhalten beider Geschlechter betonen will. Die schicksalhafte Beziehung von gleichzeitiger Liebe zu dem einen und Rivalitätshaß gegen den anderen Elternteil stellt sich nur für das männliche Kind her. Bei diesem ist es dann die Entdeckung der Kastrationsmöglichkeit, wie sie durch den Anblick des weiblichen Genitales erwiesen wird, die die Umbildung des Ödipuskomplexes erzwingt, die Schaffung des Über-Ichs herbeiführt und so all die Vorgänge einleitet, die auf die Einreihung des Einzelwesens in die Kulturgemeinschaft abzielen. Nach der Verinnerlichung der Vaterinstanz zum Über-Ich ist die weitere Aufgabe zu lösen, dies letztere von den Personen abzulösen, die es ursprünglich seelisch vertreten hat. Auf diesem merkwürdigen Entwicklungsweg ist gerade das narzißtische Genitalinteresse, das an der Erhaltung des Penis, zur Einschränkung der infantilen Sexualität gewendet worden.

Beim Manne erübrigt vom Einfluß des Kastrationskomplexes auch ein Maß von Geringschätzung für das als kastriert erkannte Weib. Aus dieser entwickelt sich im Extrem eine Hemmung der Objektwahl und bei Unterstützung durch organische Faktoren ausschließliche Homosexualität. Ganz anders sind die Wirkungen des Kastrationskomplexes beim Weib. Das Weib anerkennt die Tatsache seiner Kastration und damit auch die Überlegenheit des Mannes und seine eigene Minderwertigkeit, aber es sträubt sich auch gegen diesen unliebsamen Sachverhalt. Aus dieser zwiespältigen Einstellung leiten sich drei Entwicklungsrichtungen ab. Die erste führt zur allgemeinen Abwendung von der Sexualität. Das kleine Weib, durch den Vergleich mit dem Knaben geschreckt, wird mit seiner Klitoris unzufrieden, verzichtet auf seine phallische Betätigung und damit auf die Sexualität überhaupt wie auf ein gutes Stück seiner Männlichkeit auf anderen Gebieten. Die zweite Richtung hält in trotziger Selbstbehauptung an der bedrohten Männlichkeit fest; die Hoffnung, noch einmal einen Penis zu bekommen, bleibt bis in unglaublich späte Zeiten aufrecht, wird zum Lebenszweck erhoben, und die Phantasie, trotz alledem ein Mann zu sein, bleibt oft gestaltend für lange Lebensperioden. Auch dieser »Männlichkeitskomplex« des Weibes kann in manifest homosexuelle Objektwahl ausgehen. Erst eine dritte, recht umwegige Entwicklung mündet in die normal weibliche Endgestaltung aus, die den Vater als Objekt nimmt und so die weibliche Form des Ödipuskomplexes findet. Der Ödipuskomplex ist also beim Weib das Endergebnis einer längeren Entwicklung, er wird durch den Einfluß der Kastration nicht zerstört, sondern durch ihn geschaffen, er entgeht den starken feindlichen Einflüssen, die beim Mann zerstörend auf ihn einwirken, ja er wird allzuhäufig vom Weib überhaupt nicht überwunden. Darum sind auch die kulturellen Ergebnisse seines Zerfalls geringfügiger und weniger belangreich. Man geht wahrscheinlich nicht fehl, wenn man aussagt, daß dieser Unterschied in der gegenseitigen Beziehung von Ödipus- und Kastrationskomplex den Charakter des Weibes als soziales Wesen prägt.*

* Man kann vorhersehen, daß die Feministen unter den Männern, aber auch unsere weiblichen Analytiker mit diesen Ausführungen nicht einverstanden sein werden. Sie dürften kaum die Einwendung zurückhalten, solche Lehren stammen aus dem ›Männlichkeitskomplex‹ des Mannes und sollen dazu dienen, seiner angeborenen Neigung zur Herabset-

Die Phase der ausschließlichen Mutterbindung, die *präödipal* genannt werden kann, beansprucht also beim Weib eine weitaus größere Bedeutung, als ihr beim Mann zukommen kann. Viele Erscheinungen des weiblichen Sexuallebens, die früher dem Verständnis nicht recht zugänglich waren, finden in der Zurückführung auf sie ihre volle Aufklärung. Wir haben z. B. längst bemerkt, daß viele Frauen, die ihren Mann nach dem Vatervorbild gewählt oder ihn an die Vaterstelle gesetzt haben, doch in der Ehe an ihm ihr schlechtes Verhältnis zur Mutter wiederholen. Er sollte die Vaterbeziehung erben und in Wirklichkeit erbt er die Mutterbeziehung. Das versteht man leicht als einen naheliegenden Fall von Regression. Die Mutterbeziehung war die ursprüngliche, auf sie war die Vaterbindung aufgebaut, und nun kommt in der Ehe das Ursprüngliche aus der Verdrängung zum Vorschein. Die Überschreibung affektiver Bindungen vom Mutter- auf das Vaterobjekt bildete ja den Hauptinhalt der zum Weibtum führenden Entwicklung.

Wenn wir bei so vielen Frauen den Eindruck bekommen, daß ihre Reifezeit vom Kampf mit dem Ehemann ausgefüllt wird, wie ihre Jugend im Kampf mit der Mutter verbracht wurde, so werden wir im Licht der vorstehenden Bemerkungen den Schluß ziehen, daß deren feindselige Einstellung zur Mutter nicht eine Folge der Rivalität des Ödipuskomplexes ist, sondern aus der Phase vorher stammt und in der Ödipussituation nur Verstärkung und Verwendung erfahren hat. So wird es auch durch direkte analytische Untersuchung bestätigt. Unser Interesse muß sich den Mechanismen zuwenden, die bei der Abwendung von dem so intensiv und ausschließlich geliebten Mutterobjekt wirksam geworden sind. Wir sind darauf vorbereitet, nicht ein einziges solches Moment, sondern eine ganze Reihe von solchen Momenten zu finden, die zum gleichen Endziel zusammenwirken.

Unter ihnen treten einige hervor, die durch die Verhältnisse der infantilen Sexualität überhaupt bedingt sind, also in gleicher

zung und Unterdrückung des Weibes eine theoretische Rechtfertigung zu schaffen. Allein eine solche psychoanalytische Argumentation mahnt in diesem Falle, wie so häufig, an den berühmten ›Stock mit zwei Enden‹ *Dostojewskis*. Die Gegner werden es ihrerseits begreiflich finden, daß das Geschlecht der Frauen nicht annehmen will, was der heiß begehrten Gleichstellung mit dem Mann zu widersprechen scheint. Die agonale Verwendung der Analyse führt offenbar nicht zur Entscheidung.

Weise für das Liebesleben des Knaben gelten. In erster Linie ist hier die Eifersucht auf andere Personen zu nennen, auf Geschwister, Rivalen, neben denen auch der Vater Platz findet. Die kindliche Liebe ist maßlos, verlangt Ausschließlichkeit, gibt sich nicht mit Anteilen zufrieden. Ein zweiter Charakter ist aber, daß diese Liebe auch eigentlich ziellos, einer vollen Befriedigung unfähig ist, und wesentlich darum ist sie dazu verurteilt, in Enttäuschung auszugehen und einer feindlichen Einstellung Platz zu machen. In späteren Lebenszeiten kann das Ausbleiben einer Endbefriedigung einen anderen Ausgang begünstigen. Dies Moment mag wie bei den zielgehemmten Liebesbeziehungen die ungestörte Fortdauer der Libidobesetzung versichern, aber im Drang der Entwicklungsvorgänge ereignet es sich regelmäßig, daß die Libido die unbefriedigende Position verläßt, um eine neue aufzusuchen.

Ein anderes weit mehr spezifisches Motiv zur Abwendung von der Mutter ergibt sich aus der Wirkung des Kastrationskomplexes auf das penislose Geschöpf. Irgendeinmal macht das kleine Mädchen die Entdeckung seiner organischen Minderwertigkeit, natürlich früher und leichter, wenn es Brüder hat oder andere Knaben in der Nähe sind. Wir haben schon gehört, welche drei Richtungen sich dann voneinander scheiden: a) die zur Einstellung des ganzen Sexuallebens; b) die zur trotzigen Überbetonung der Männlichkeit; c) die Ansätze zur endgültigen Weiblichkeit. Genauere Zeitangaben zu machen und typische Verlaufsweisen festzulegen, ist hier nicht leicht. Schon der Zeitpunkt der Entdeckung der Kastration ist wechselnd, manche andere Momente scheinen inkonstant und vom Zufall abhängig. Der Zustand der eigenen phallischen Betätigung kommt in Betracht, ebenso ob diese entdeckt wird oder nicht, und welches Maß von Verhinderung nach der Entdeckung erlebt wird.

Die eigene phallische Betätigung, Masturbation an der Klitoris, wird vom kleinen Mädchen meist spontan gefunden, ist gewiß zunächst phantasielos. Dem Einfluß der Körperpflege an ihrer Erweckung wird durch die so häufige Phantasie Rechnung getragen, die Mutter, Amme oder Kinderfrau zur Verführerin macht. Ob die Onanie der Mädchen seltener und von Anfang an weniger energisch ist als die der Knaben, bleibt dahingestellt; es wäre wohl möglich. Auch wirkliche Verführung ist häufig genug, sie geht entweder von anderen Kindern oder von Pflegepersonen aus, die das Kind beschwichtigen, einschläfern oder von sich abhängig machen wollen. Wo Verführung einwirkt, stört sie regelmäßig den natürlichen Ablauf der Entwicklungsvorgänge; oft hinterläßt sie weitgehende und andauernde Konsequenzen.

Das Verbot der Masturbation wird, wie wir gehört haben, zum Anlaß, sie aufzugeben, aber auch zum Motiv der Auflehnung gegen die verbietende Person, also die Mutter oder den Mutterersatz, der später regelmäßig mit ihr verschmilzt. Die trotzige Behauptung der Masturbation scheint den Weg zur Männlichkeit zu eröffnen. Auch wo es dem Kind nicht gelungen ist, die Masturbation zu unterdrücken, zeigt sich die Wirkung des anscheinend machtlosen Verbots in seinem späteren Bestreben, sich mit allen Opfern von der ihm verleideten Befriedigung frei zu machen. Noch die Objektwahl des reifen Mädchens kann von dieser festgehaltenen Absicht beinflußt werden. Der Groll wegen der Behinderung in der freien sexuellen Betätigung spielt eine große Rolle in der Ablösung von der Mutter. Dasselbe Motiv wird auch nach der Pubertät wieder zur Wirkung kommen, wenn die Mutter ihre Pflicht erkennt, die Keuschheit der Tochter zu behüten. Wir werden natürlich nicht daran vergessen, daß die Mutter der Masturbation des Knaben in gleicher Weise entgegentritt und somit auch ihm ein starkes Motiv zur Auflehnung schafft.

Wenn das kleine Mädchen durch den Anblick eines männlichen Genitales seinen eigenen Defekt erfährt, nimmt sie die unerwünschte Belehrung nicht ohne Zögern und ohne Sträuben an. Wie wir gehört haben, wird die Erwartung, auch einmal ein solches Genitale zu bekommen, hartnäckig festgehalten, und der Wunsch danach überlebt die Hoffnung noch um lange Zeit. In allen Fällen hält das Kind die Kastration zunächst nur für ein individuelles Mißgeschick, erst später dehnt es dieselbe auch auf einzelne Kinder, endlich auf einzelne Erwachsene aus. Mit der Einsicht in die Allgemeinheit dieses negativen Charakters stellt sich eine große Entwertung der Weiblichkeit, also auch der Mutter, her.

Es ist sehr wohl möglich, daß die vorstehende Schilderung, wie sich das kleine Mädchen gegen den Eindruck der Kastration und das Verbot der Onanie verhält, dem Leser einen verworrenen und widerspruchsvollen Eindruck macht. Das ist nicht ganz die Schuld des Autors. In Wirklichkeit ist eine allgemein zutreffende Darstellung kaum möglich. Bei verschiedenen Individuen findet man die verschiedensten Reaktionen, bei demselben Individuum bestehen die entgegengesetzten Einstellungen nebeneinander. Mit dem ersten Eingreifen des Verbots ist der Konflikt da, der von nun an die Entwicklung der Sexualfunktion begleiten wird. Es bedeutet auch eine besondere Erschwerung der Einsicht, daß man so große Mühe hat, die seelischen Vorgänge dieser ersten Phase von späteren zu unterscheiden, durch die sie überdeckt und für die Erinnerung entstellt werden. So wird z. B. später einmal die Tatsache der Kastration als Strafe für die onanistische Betätigung aufgefaßt, deren Ausführung aber dem Vater zugeschoben, was beides gewiß nicht ursprünglich sein kann. Auch der Knabe befürchtet die Kastration regelmäßig von seiten des Vaters, obwohl auch bei ihm die Drohung zumeist von der Mutter ausgeht.

Wie dem auch sein mag, am Ende dieser ersten Phase der Mutterbindung taucht als das stärkste Motiv zur Abwendung von der Mutter der Vorwurf auf, daß sie dem Kind kein richtiges Genitale mitgegeben, d. h. es als Weib geboren hat. Nicht ohne Überraschung vernimmt man einen anderen Vorwurf, der etwas weniger weit zurückgreift: die Mutter hat dem Kind zu wenig Milch gegeben, es nicht lange genug genährt. Das mag in unseren kulturellen Verhältnissen recht oft zutreffen, aber gewiß nicht so oft, als es in der Analyse behauptet wird. Es scheint vielmehr, als sei diese Anklage ein Ausdruck der allgemeinen Unzufriedenheit der Kinder, die unter den kulturellen Bedingungen der Monogamie nach sechs bis neun Monaten der Mutterbrust entwöhnt werden, während die primitive Mutter sich zwei bis drei Jahre lang ausschließlich ihrem Kinde widmet, als wären unsere Kinder für immer ungesättigt geblieben, als hätten sie nie lange genug an der Mutterbrust gesogen. Ich bin aber nicht sicher, ob man nicht bei der Analyse von Kindern, die so lange gesäugt worden sind wie die Kinder der Primitiven, auf dieselbe Klage stoßen würde. So groß ist die Gier der kindlichen Libido! Überblickt man die ganze Reihe der Motivierungen, welche die Analyse für die Abwendung von der Mutter aufdeckt, daß sie es unterlassen hat, das Mädchen mit dem einzig richtigen Genitale auszustatten, daß sie es ungenügend ernährt hat, es gezwungen hat, die Mutterliebe mit anderen zu teilen, daß sie nie alle Liebeserwartungen erfüllt, und endlich, daß sie die eigene Sexualbetätigung zuerst angeregt und dann verboten hat, so scheinen sie alle zur Rechtfertigung der endlichen Feindseligkeit unzureichend. Die einen von ihnen sind unvermeidliche Abfolgen aus der Natur der infantilen Sexualität, die anderen nehmen sich aus wie später zurechtgemachte Rationalisierungen der unverstandenen Gefühlswandlung. Vielleicht geht es eher so zu, daß die Mutterbindung zugrunde gehen muß, gerade darum, weil sie die erste und so intensiv ist, ähnlich wie man es so oft an den ersten, in stärkster Verliebtheit geschlossenen Ehen der jungen Frauen beobachten kann. Hier wie dort würde die Liebeseinstellung an den unausweichlichen Enttäuschungen und an der Anhäufung der Anlässe zur Aggression scheitern. Zweite Ehen gehen in der Regel weit besser aus.

Wir können nicht so weit gehen zu behaupten, daß die Ambivalenz der Gefühlsbesetzungen ein allgemeingültiges psychologisches Gesetz ist, daß es überhaupt unmöglich ist, große Liebe für eine Person zu empfinden, ohne daß sich ein vielleicht ebenso großer Haß hinzugesellt oder umgekehrt. Dem Normalen und Erwachsenen gelingt es ohne Zweifel, beide Einstellungen voneinander zu sondern, sein Liebesobjekt nicht zu hassen und seinen Feind nicht auch lieben zu müssen. Aber das scheint das Ergebnis späterer Entwicklungen. In den ersten Phasen des Liebeslebens ist offenbar die Ambivalenz das Regelrechte. Bei vielen Menschen bleibt dieser archaische Zug über das ganze Leben erhalten, für die Zwangsneurotiker ist es charakteristisch, daß in ihren Objektbeziehungen Liebe und Haß einander die Waage halten. Auch für die Primitiven dürfen wir das Vorwiegen der Ambivalenz behaupten. Die intensive Bindung des kleinen Mädchens an seine Mutter müßte also eine stark ambivalente sein und unter der Mithilfe der anderen Momente gerade durch diese Ambivalenz zur Abwendung von ihr gedrängt werden, also wiederum infolge eines allgemeinen Charakters der infantilen Sexualität.

Gegen diesen Erklärungsversuch erhebt sich sofort die Frage: Wie wird es aber den Knaben möglich, ihre gewiß nicht weniger intensive Mutterbindung unangefochten festzuhalten? Ebenso rasch ist die Antwort bereit: Weil es ihnen ermöglicht ist, ihre Ambivalenz gegen die Mutter zu erledigen, indem sie all ihre feindseligen Gefühle beim Vater unterbringen. Aber erstens soll man diese Antwort nicht geben, ehe man die präödipale Phase der Knaben eingehend studiert hat, und zweitens ist es wahrscheinlich überhaupt vorsichtiger, sich einzugestehen, daß man diese Vorgänge, die man eben kennengelernt hat, noch gar nicht gut durchschaut.

III

Eine weitere Frage lautet: Was verlangt das kleine Mädchen von der Mutter? Welcher Art sind seine Sexualziele in jener Zeit der ausschließlichen Mutterbindung? Die Antwort, die man aus dem analytischen Material entnimmt, stimmt ganz mit unseren Erwartungen überein. Die Sexualziele des Mädchens bei der Mutter sind aktiver wie passiver Natur, und sie werden durch die Libidophasen bestimmt, die das Kind durchläuft. Das Verhältnis der Aktivität zur Passivität verdient hier unser besonderes Interesse. Es ist leicht zu beobachten, daß auf jedem Gebiet des seelischen Erlebens, nicht nur auf dem der Sexualität, ein passiv empfangener Eindruck beim Kind die Tendenz zu einer aktiven Reaktion hervorruft. Es versucht, das selbst zu machen, was vorhin an oder mit ihm gemacht worden ist. Es ist das ein Stück der Bewältigungsarbeit an der Außenwelt, die ihm auferlegt ist, und kann selbst dazu führen, daß es sich um die Wiederholung solcher Eindrücke bemüht, die es wegen ihres peinlichen Inhalts zu vermeiden Anlaß hätte. Auch das Kinderspiel wird in den Dienst dieser Absicht gestellt, ein passives Erlebnis durch eine aktive Handlung zu ergänzen und es gleichsam auf diese Art aufzuheben. Wenn der Doktor dem sich sträubenden Kind den Mund geöffnet hat, um ihm in den Hals zu schauen, so wird nach seinem Fortgehen das Kind den Doktor spielen und die gewalttätige Prozedur an einem kleinen Geschwisterchen wiederholen, das ebenso hilflos gegen es ist, wie es selbst gegen den Doktor war. Eine Auflehnung gegen die Passivität und eine Bevorzugung der aktiven Rolle ist dabei unverkennbar. Nicht bei allen Kindern wird diese Schwenkung von der Passivität zur Aktivität gleich regelmäßig und energisch ausfallen, bei manchen mag sie ausbleiben. Aus diesem Verhalten des Kindes mag man einen Schluß auf die relative Stärke der Männlichkeit und Weiblichkeit ziehen, die das Kind in seiner Sexualität an den Tag legen wird.

Die ersten sexuellen und sexuell mitbetonten Erlebnisse des Kindes bei der Mutter sind natürlich passiver Natur. Es wird von ihr gesäugt, gefüttert, gereinigt, gekleidet und zu allen Verrichtungen angewiesen. Ein Teil der Libido des Kindes bleibt an diesen Erfahrungen haften und genießt die mit ihnen verbundenen Befriedigungen, ein anderer Teil versucht sich an ihrer Umwendung zur Aktivität. An der Mutterbrust wird zuerst das Gesäugtwerden durch das aktive Saugen abgelöst. In den anderen Beziehungen begnügt sich das Kind entweder mit der Selbständigkeit, d. h. mit dem Erfolg, daß es selbst ausführt, was bisher mit ihm geschehen ist, oder mit aktiver Wiederholung seiner passiven Erlebnisse im Spiel, oder es macht wirklich die Mutter zum Objekt, gegen das es als tätiges Subjekt auftritt. Das letztere, was auf dem Gebiet der eigentlichen Betätigung vor sich geht, erschien mir lange Zeit hindurch unglaublich, bis die Erfahrung jeden Zweifel daran widerlegte.

Man hört selten davon, daß das kleine Mädchen die Mutter waschen, ankleiden oder zur Verrichtung ihrer exkrementellen Bedürfnisse mahnen will. Es sagt zwar gelegentlich: jetzt wollen wir spielen, daß ich die Mutter bin und du das Kind, — aber zumeist erfüllt es sich diese aktiven Wünsche in indirekter Weise im Spiel mit der Puppe, in dem es selbst die Mutter darstellt wie die Puppe das Kind. Die Bevorzugung des Spiels mit der Puppe beim Mädchen im Gegensatz zum Knaben wird gewöhnlich als Zeichen der früh erwachten Weiblichkeit aufgefaßt. Nicht mit Unrecht, allein man soll nicht übersehen, daß es die Aktivität der Weiblichkeit ist, die sich hier äußert, und daß diese Vorliebe des Mädchens wahrscheinlich die Ausschließlichkeit der Bindung an die Mutter bei voller Vernachlässigung des Vaterobjekts bezeugt.

Die so überraschende sexuelle Aktivität des Mädchens gegen die Mutter äußert sich der Zeitfolge nach in oralen, sadistischen und endlich selbst phallischen, auf die Mutter gerichteten Strebungen. Die Einzelheiten sind hier schwer zu berichten, denn es handelt sich häufig um dunkle Triebregungen, die das Kind nicht psychisch erfassen konnte zur Zeit, da sie vorfielen, die darum erst eine nachträgliche Interpretation erfahren haben und dann in der Analyse in Ausdrucksweisen auftreten, die ihnen ursprünglich gewiß nicht zukamen. Mitunter begegnen sie uns als Übertragungen auf das spätere Vaterobjekt, wo sie nicht hingehören und das Verständnis empfindlich stören. Die aggressiven oralen und sadistischen Wünsche findet man in der Form, in welche sie durch frühzeitige Verdrängung genötigt werden, als Angst, von der Mutter umgebracht zu werden, die ihrerseits den Todeswunsch gegen die Mutter, wenn er bewußt wird, rechtfertigt. Wie oft diese Angst vor der Mutter sich an eine unbewußte Feindseligkeit der Mutter anlehnt, die das Kind errät, läßt sich nicht angeben. (Die Angst, gefressen zu werden, habe ich bisher nur bei Männern gefunden, sie wird auf den Vater bezogen, ist aber wahrscheinlich das Verwandlungsprodukt der auf die Mutter gerichteten oralen Aggression. Man will die Mutter auffressen, von der man sich genährt hat; beim Vater fehlt für diesen Wunsch der nächste Anlaß.)

Die weiblichen Personen mit starker Mutterbindung, an denen ich die präödipale Phase studieren konnte, haben übereinstimmend berichtet, daß sie den Klystieren und Darmeingießungen, die die Mutter bei ihnen vornahm, größten Widerstand entgegenzusetzen und mit Angst und Wutgeschrei darauf zu reagieren pflegten. Dies kann wohl ein sehr häufiges oder selbst regelmäßiges Verhalten der Kinder sein. Die Einsicht in die Begründung dieses besonders heftigen Sträubens gewann ich erst durch eine Bemerkung von Ruth *Mack Brunswick,* die sich gleichzeitig mit den nämlichen Problemen beschäftigte, sie möchte den Wutausbruch nach dem Klysma dem Orgasmus nach genitaler Reizung vergleichen. Die Angst dabei wäre als Umsetzung der rege gemachten Aggressionslust zu verstehen. Ich meine, daß es wirklich so ist und daß auf der sadistisch-analen Stufe die intensive passive Reizung der Darmzone durch einen Ausbruch von Aggressionslust beantwortet wird, die sich direkt als Wut oder infolge ihrer Unterdrückung als Angst kundgibt. Diese Reaktion scheint in späteren Jahren zu versiegen.

Unter den passiven Regungen der phallischen Phase hebt sich hervor, daß das Mädchen regelmäßig die Mutter als Verführerin beschuldigt, weil sie die ersten oder doch die stärksten genitalen Empfindungen bei den Vornahmen der Reinigung und Körperpflege durch die Mutter (oder die sie vertretende Pflegeperson) verspüren mußte. Daß das Kind diese Empfindungen gerne mag und die Mutter auffordert, sie durch wiederholte Berührung und Reibung zu verstärken, ist mir oft von Müttern als Beobachtung an ihren zwei- bis dreijährigen Töchterchen mitgeteilt worden. Ich mache die Tatsache, daß die Mutter dem Kind so unvermeidlich die phallische Phase eröffnet, dafür verantwortlich, daß in den Phantasien späterer Jahre so regelmäßig der Vater als der sexuelle Verführer erscheint. Mit der Abwendung von der Mutter ist auch die Einführung ins Geschlechtsleben auf den Vater überschrieben worden.

In der phallischen Phase kommen endlich auch intensive aktive Wunschregungen gegen die Mutter zustande. Die Sexualbetätigung dieser Zeit gipfelt in der Masturbation an der Klitoris, dabei wird wahrscheinlich die Mutter vorgestellt, aber ob es das Kind zur Vorstellung eines Sexualziels bringt und welches dies Ziel ist, ist aus meiner Erfahrung nicht zu erraten. Erst wenn alle Interessen des Kindes durch die Ankunft eines Geschwisterchens einen neuen Antrieb erhalten haben, läßt sich ein solches Ziel klar erkennen. Das kleine Mädchen will der Mutter dies neue Kind gemacht haben, ganz so wie der Knabe, und auch seine Reaktion auf dies Ereignis und sein Benehmen gegen das Kind ist dasselbe. Das klingt ja absurd genug, aber vielleicht nur darum, weil es uns so ungewohnt klingt.

Die Abwendung von der Mutter ist ein höchst bedeutsamer Schritt auf dem Entwicklungsweg des Mädchens, sie ist mehr als ein bloßer Objektwechsel. Wir haben ihren Hergang und die Häufung ihrer vorgeblichen Motivierungen bereits beschrieben, nun fügen wir hinzu, daß Hand in Hand mit ihr ein starkes Absinken der aktiven und ein Anstieg der passiven Sexualregungen zu beobachten ist. Gewiß sind die aktiven Strebungen stärker von der Versagung betroffen worden, sie haben sich als durchaus unausführbar erwiesen und werden darum auch leichter von der Libido verlassen, aber auch auf Seite der passiven Strebungen hat es an Enttäuschungen nicht gefehlt. Häufig wird mit der Abwendung von der Mutter auch die klitoridische Masturbation eingestellt, oft genug wird mit der Verdrängung der bisherigen Männlichkeit des kleinen Mädchens ein gutes Stück ihres Sexualstrebens überhaupt dauernd geschädigt. Der Übergang zum Vaterobjekt wird mit Hilfe der passiven Strebungen vollzogen, soweit diese dem Umsturz entgangen sind. Der Weg zur Entwicklung der Weiblichkeit ist nun dem Mädchen freigegeben, insoferne er nicht durch die Reste der überwundenen präödipalen Mutterbindung eingeengt ist.

Überblickt man nun das hier beschriebene Stück der weiblichen Sexualentwicklung, so kann man ein bestimmtes Urteil über das Ganze der Weiblichkeit nicht zurückdrängen. Man hat die nämlichen libidinösen Kräfte wirksam gefunden wie beim männlichen Kind, konnte sich überzeugen, daß sie eine Zeitlang hier wie dort dieselben Wege einschlagen und zu den gleichen Ergebnissen kommen.

Es sind dann biologische Faktoren, die sie von ihren anfänglichen Zielen ablenken und selbst aktive, in jedem Sinne männliche Strebungen in die Bahnen der Weiblichkeit leiten. Da wir die Zurückführung der Sexualerregung auf die Wirkung bestimmter chemischer Stoffe nicht abweisen können, liegt zuerst die Erwartung nahe, daß uns die Biochemie eines Tages einen Stoff darstellen wird, dessen Gegenwart die männliche, und einen, der die weibliche Sexualerregung hervorruft. Aber diese Hoffnung scheint nicht weniger naiv als die andere, heute glücklich überwundene, unter dem Mikroskop die Erreger von Hysterie, Zwangsneurose, Melancholie usw. gesondert aufzufinden.

Es muß auch in der Sexualchemie etwas komplizierter zugehen. Für die Psychologie ist es aber gleichgültig, ob es einen einzigen sexuell erregenden Stoff im Körper gibt oder deren zwei oder eine Unzahl davon. Die Psychoanalyse lehrt uns, mit einer einzigen Libido auszukommen, die allerdings aktive und passive Ziele, also Befriedigungsarten, kennt. In diesem Gegensatz, vor allem in der Existenz von Libidostrebungen mit passiven Zielen, ist der Rest des Problems enthalten.

IV

Wenn man die analytische Literatur unseres Gegenstandes einsieht, überzeugt man sich, daß alles, was ich hier ausgeführt habe, dort bereits gegeben ist. Es wäre unnötig gewesen, diese Arbeit zu veröffentlichen, wenn nicht auf einem so schwer zugänglichen Gebiet jeder Bericht über eigene Erfahrungen und persönliche Auffassungen wertvoll sein könnte. Auch habe ich manches schärfer gefaßt und sorgfältiger isoliert. In einigen der anderen Abhandlungen wird die Darstellung unübersichtlich infolge der gleichzeitigen Erörterung der Probleme des Über-Ichs und des Schuldgefühls. Dem bin ich ausgewichen, ich habe bei der Beschreibung der verschiedenen Ausgänge dieser Entwicklungsphase auch nicht die Komplikationen behandelt, die sich ergeben, wenn das Kind infolge der Enttäuschung am Vater zur aufgelassenen Mutterbindung zurückkehrt oder nun im Laufe des Lebens wiederholt von einer Einstellung zur anderen herüberwechselt. Aber gerade weil meine Arbeit nur ein Beitrag ist unter anderen, darf ich mir eine eingehende Würdigung der Literatur ersparen und kann mich darauf beschränken, bedeutsamere Übereinstimmungen mit einigen und wichtigere Abweichungen von anderen dieser Arbeiten hervorzuheben.

In die eigentlich noch unübertroffene Schilderung *Abrahams* der ›Äußerungsformen des weiblichen Kastrationskomplexes‹ (Internat. Zeitschr. f. PsA., VII, 1921) möchte man gerne das Moment der anfänglich ausschließlichen Mutterbindung eingefügt wissen. Der wichtigen Arbeit von Jeanne[2] *Lampl-de Groot*[3] muß ich in den wesentlichen Punkten zustimmen. Hier wird die volle Identität der präödipalen Phase bei Knaben und Mädchen erkannt, die sexuelle (phallische) Aktivität des Mädchens gegen die Mutter behauptet und durch Beobachtungen erwiesen. Die Abwendung von der Mutter wird auf den Einfluß der zur Kenntnis genommenen Kastration zurückgeführt, die das Kind dazu nötigt, das Sexualobjekt und damit auch oft die Onanie aufzugeben, für die ganze Entwicklung die Formel geprägt, daß das Mädchen eine Phase des ›negativen‹ Ödipuskomplexes durchmacht, ehe sie in den positiven eintreten kann. Eine Unzulänglichkeit dieser Arbeit finde ich darin, daß sie die Abwendung von der Mutter als bloßen Objektwechsel darstellt und nicht darauf eingeht, daß sie sich unter den deutlichsten Zeichen von Feindseligkeit vollzieht. Diese Feindseligkeit findet volle Würdigung in der letzten Arbeit von Helene *Deutsch* (Der feminine Masochismus und seine Beziehung zur Frigidität, Internat. Zeitschr. f. PsA., XVI, 1930), woselbst auch die phallische Aktivität des Mädchens und die Intensität seiner Mutterbindung anerkannt werden. H. *Deutsch* gibt auch an, daß die Wendung zum Vater auf dem Weg der (bereits bei der Mutter rege gewordenen) passiven Strebungen geschieht. In ihrem früher (1925) veröffentlichten Buch ›Psychoanalyse der weiblichen Sexualfunktionen‹ hatte die Autorin sich von der Anwendung des Ödipusschemas auch auf die präödipale Phase noch nicht frei gemacht und darum die phallische Aktivität des Mädchens als Identifizierung mit dem Vater gedeutet.

Fenichel (Zur prägenitalen Vorgeschichte des Ödipuskomplexes, Internat. Zeitschr. f. PsA., XVI, 1930) betont mit Recht die Schwierigkeit, zu erkennen, was von dem in der Analyse erhobenen Material unveränderter Inhalt der präödipalen Phase und was daran regressiv (oder anders) entstellt ist. Er anerkennt die phallische Aktivität des Mädchens nach Jeanne *Lampl-de Groot* nicht, verwahrt sich auch gegen die von Melanie *Klein* (Frühstadien des Ödipuskonfliktes, Internat. Zeitschr. f. PsA., XIV, 1928 u. a. a. O.) vorgenommene ›Vorverlegung‹ des Ödipuskomplexes, dessen Beginn sie schon in den Anfang des zweiten Lebensjahres versetzt.

Diese Zeitbestimmung, die notwendigerweise auch die Auffassung aller anderen Verhältnisse der Entwicklung verändert, deckt sich in der Tat nicht mit den Ergebnissen der Analyse an Erwachsenen und ist besonders unvereinbar mit meinen Befunden von der langen Andauer der präödipalen Mutterbindung der Mädchen. Einen Weg zur Milderung dieses Widerspruches weist die Bemerkung, daß wir auf diesem Gebiet noch nicht zu unterscheiden vermögen, was durch biologische Gesetze starr festgelegt und was unter dem Einfluß akzidentellen Erlebens beweglich und veränderlich ist. Wie es von der Wirkung der Verführung längst bekannt ist, können auch andere Momente, der Zeitpunkt der Geburt von Geschwistern, der Zeitpunkt der Entdeckung des Geschlechtsunterschieds, die direkte Beobachtung des Geschlechtsverkehrs, das werbende oder abweisende Benehmen der Eltern u. a., eine Beschleunigung und Reifung der kindlichen Sexualentwicklung herbeiführen.

Bei manchen Autoren zeigt sich die Neigung, die Bedeutung der ersten ursprünglichen Libidoregungen des Kindes zugunsten späterer Entwicklungsvorgänge herabzudrücken, so daß jenen — extrem ausgedrückt — die Rolle verbliebe, nur gewisse Richtungen anzugeben, während die Intensitäten, welche diese Wege einschlagen, von späteren Regressionen und Reaktionsbildungen bestritten werden. So z. B. wenn *K. Horney* (Flucht aus der Weiblichkeit, Internat. Zeitschr. f. PsA., XII, 1926) meint, daß der primäre Penisneid des Mädchens von uns weit überschätzt wird, während die Intensität des später entfalteten Männlichkeitsstrebens einem sekundären Penisneid zuzuschreiben ist, der zur Abwehr der weiblichen Regungen, speziell der weiblichen Bindung an den Vater, gebraucht wird. Das entspricht nicht meinen Eindrücken. So sicher die Tatsache späterer Verstärkungen durch Regression und Reaktionsbildung ist, so schwierig es auch sein mag, die relative Abschätzung der zusammenströmenden Libidokomponenten vorzunehmen, so meine ich doch, wir sollen nicht übersehen, daß jenen ersten Libidoregungen eine Intensität eigen ist, die allen späteren überlegen bleibt, eigentlich inkommensurabel genannt werden darf. Es ist gewiß richtig, daß zwischen der Vaterbindung und dem Männlichkeitskomplex eine Gegensätzlichkeit besteht, — es ist der allgemeine Gegensatz zwischen Aktivität und Passivität, Männlichkeit und Weiblichkeit, — aber es gibt uns kein Recht anzunehmen, nur das eine sei primär, das andere verdanke seine

Stärke nur der Abwehr. Und wenn die Abwehr gegen die Weiblichkeit so energisch ausfällt, woher kann sie sonst ihre Kraft beziehen als aus dem Männlichkeitsstreben, das seinen ersten Ausdruck im Penisneid des Kindes gefunden hat und darum nach ihm benannt zu werden verdient?

Ein ähnlicher Einwand ergibt sich gegen die Auffassung von *Jones* (Die erste Entwicklung der weiblichen Sexualität, Internat. Zeitschr. f. PsA., XIV, 1928), nach der das phallische Stadium bei Mädchen eher eine sekundäre Schutzreaktion sein soll als ein wirkliches Entwicklungsstadium. Das entspricht weder den dynamischen noch den zeitlichen Verhältnissen.

ANMERKUNGEN

Drei Abhandlungen zur Sexualtheorie

1. Die in der ersten Abhandlung enthaltenen Angaben sind aus den bekannten Publikationen von *v. Krafft-Ebing, Moll, Moebius, Havelock Ellis, v. Schrenck-Notzing, Löwenfeld, Eulenburg, I. Bloch, M. Hirschfeld* und aus den Arbeiten in dem vom letzteren herausgegebenen ›Jahrbuch für sexuelle Zwischenstufen‹ geschöpft. Da an diesen Stellen auch die übrige Literatur des Themas aufgeführt ist, habe ich mir detaillierte Nachweise ersparen können. — Die durch psychoanalytische Untersuchung Invertierter gewonnenen Einsichten ruhen auf Mitteilungen von *I. Sadger* und auf eigener Erfahrung.

2. Vergleiche über diese Schwierigkeiten sowie über Versuche, die Verhältniszahl der Invertierten zu eruieren, die Arbeit von *M. Hirschfeld* im ›Jahrbuch für sexuelle Zwischenstufen‹, 1904.

3. Vergleiche die letzten ausführlichen Darstellungen des somatischen Hermaphroditismus: *Taruffi*, Hermaphroditismus und Zeugungsfähigkeit. Deutsche Ausgabe von *R. Teuscher*, 1903, und die Arbeiten von *Neugebauer* in mehreren Bänden des ›Jahrbuches für sexuelle Zwischenstufen‹.

4. *J. Halban*, Die Entstehung der Geschlechtscharaktere. Archiv für Gynäkologie. Bd. 70, 1903. Siehe dort auch die Literatur des Gegenstandes.

5. Der erste, der zur Erklärung der Inversion die Bisexualität herangezogen, soll (nach einem Literaturbericht im sechsten Band des Jahrbuches für sexuelle Zwischenstufen) *E. Gley* gewesen sein, der einen Aufsatz (Les abérrations de l'instinct sexuel) schon im Jänner 1884 in der ›Revue philosophique‹ veröffentlichte. — Es ist übrigens bemerkenswert, daß die Mehrzahl der Autoren, welche die Inversion auf Bisexualität zurückführen, dieses Moment nicht allein für die Invertierten, sondern für alle Normalgewordenen zur Geltung bringen und folgerichtig die Inversion als das Ergebnis einer Entwicklungsstörung auffassen. So bereits *Chevalier* (Inversion sexuelle, 1893). *Krafft-Ebing* (Zur Erklärung der konträren Sexualempfindung. Jahrbücher für Psychiatrie und Neurologie, XIII. Bd.) spricht davon, daß eine Fülle von Beobachtungen bestehen, »aus denen sich mindestens die virtuelle Fortexistenz dieses zweiten Zentrums (des unterlegenen Geschlechtes) ergibt.« Ein *Dr. Arduin* (Die Frauenfrage und die sexuellen Zwischenstufen) stellt im zweiten Band des Jahrbuches für sexuelle Zwischenstufen 1900 die Behauptung auf: »daß in jedem Menschen männliche und weibliche Elemente vorhanden

sind (vgl. dieses Jahrbuch, Bd. I, 1899: ›Die objektive Diagnose der
Homosexualität‹ von *Dr. M. Hirschfeld*, S. 8–9 u. f.), nur – der Ge-
schlechtszugehörigkeit entsprechend – die einen verhältnismäßig
stärker entwickelt als die anderen, soweit es sich um heterosexuelle
Personen handelt . . .« – Für *G. Herman* (Genesis, das Gesetz der Zeu-
gung, IX. Bd., Libido und Mania, 1903) steht es fest, »daß in jedem
Weibe männliche, in jedem Manne weibliche Keime und Eigenschaf-
ten enthalten sind« usw. – 1906 hat dann *W. Fließ* (›Der Ablauf des
Lebens‹) einen Eigentumsanspruch auf die Idee der Bisexualität (im
Sinne einer *Zweigeschlechtigkeit*) erhoben. – In nicht fachlichen
Kreisen wird die Aufstellung der menschlichen Bisexualität als eine
Leistung des jung verstorbenen Philosophen *O. Weininger* betrach-
tet, der diese Idee zur Grundlage eines ziemlich unbesonnenen
Buches (Geschlecht und Charakter, 1903) genommen hat. Die oben
stehenden Nachweise mögen zeigen, wie wenig begründet dieser An-
spruch ist.

6. Eines der mit den frühesten Kindheitserinnerungen verknüpften Probleme habe ich in einem Aufsatze ›Über Deckerinnerungen‹ (Mo-
natsschrift für Psychiatrie und Neurologie, VI, 1899) zu lösen versucht. [Vgl. ›Zur Psychopathologie des Alltagslebens‹, IV. Kap. Ges.
Werke, Bd. IV, S. 51–60, Fischer Bücherei 68.]

7. Im Jahrbuch für Kinderheilkunde, N. F., XIV. 1879.

8. Vgl. hierzu die sehr reichhaltige, aber meist in den Gesichtspunkten
unorientierte Literatur über Onanie, z. B. *Rohleder*, Die Masturbation, 1899, ferner das II. Heft der ›Diskussionen der Wiener Psychoanalytischen Vereinigung‹, ›Die Onanie‹, Wiesbaden 1912.

9. Vgl. die Aufsätze ›Charakter und Analerotik‹ und ›Über Triebum-
setzungen insbesondere der Analerotik‹ [Ges. Werke, Bd. VII, S. 201
bis 209, und X, S. 402–410].

10. *Havelock Ellis* bringt in einem Anhang zu seiner Studie über das
›Geschlechtsgefühl‹ (1903) eine Anzahl autobiographischer Berichte
von später vorwiegend normal gebliebenen Personen über ihre ersten
geschlechtlichen Regungen in der Kindheit und die Anlässe derselben. Diese Berichte leiden natürlich an dem Mangel, daß sie die durch
die infantile Amnesie verdeckte, prähistorische Vorzeit des Geschlechtslebens nicht enthalten, welche nur durch Psychoanalyse bei
einem neurotisch gewordenen Individuum ergänzt werden kann. Dieselben sind aber trotzdem in mehr als einer Einsicht wertvoll, und
Erkundigungen der gleichen Art haben mich zu der im Text erwähnten Modifikation meiner ätiologischen Annahmen bestimmt.

11. Vgl. einen Versuch zur Lösung dieses Problems in den einleitenden
Bemerkungen meines Aufsatzes ›Das ökonomische Problem des Ma-
sochismus‹ (1924). [Intern. Zeitschr. f. Psychoanalyse, X; Ges. Werke,
Bd. XIII, S. 369–383.]

12. Siehe meine 1905 erschienene Studie ›*Der Witz und seine Beziehung zum Unbewußten*‹, [Ges. Werke, Bd. VI, Fischer Bücherei 139]. Die durch die Witztechnik gewonnene ›Vorlust‹ wird dazu verwendet, eine größere Lust durch die Aufhebung innerer Hemmungen frei zu machen.

13. S. Zur Einführung des Narzißmus, Jahrbuch für Psychoanalyse VI, 1913, [Ges. Werke, Bd. X, S. 138–170]. — Der Terminus ›Narzißmus‹ ist nicht, wie dort irrtümlich angegeben, von *Naecke*, sondern von *H. Ellis* geschaffen worden.

14. Vergleiche die Ausführungen über das unvermeidliche Verhängnis in der Ödipusfabel [›Traumdeutung‹, 8. Auflage, S. 181, Ges. Werke, Bd. II/III].

15. Siehe meinen Aufsatz ›Über einen besonderen Typus der Objektwahl beim Manne‹, 1910 [Ges. Werke, Bd. VIII, S. 66–77].

16. Es ist hier der Ort, auf eine gewiß phantastische, aber überaus geistreiche Schrift von *Ferenczi* (Versuch einer Genitaltheorie, 1924) hinzuweisen, in der das Geschlechtsleben der höheren Tiere aus ihrer biologischen Entwicklungsgeschichte abgeleitet wird.

Zur sexuellen Aufklärung der Kinder

1. *Multatuli*-Briefe, herausgegeben von *W. Spohr*, 1906, Bd. I, S. 26.

2. *[Zusatz 1924:]* Über die spätere neurotische Erkrankung und Herstellung dieses ›kleinen Hans‹ siehe ›Analyse der Phobie eines fünfjährigen Knaben‹ im VII. Band der Gesamtausgabe [S. 241–377].

3. *E. Eckstein*, Die Sexualfrage in der Erziehung des Kindes. 1904.

Die ›kulturelle‹ Sexualmoral und die moderne Nervosität

1. Grenzfragen des Nerven- und Seelenlebens, herausgegeben von *L. Löwenfeld*, LVI, Wiesbaden 1907.

2. Sexualethik, S. 32 ff.

3. a. a. O. S. 35.

4. Über die wachsende Nervosität unserer Zeit. 1893.

5. Die Pathologie und Therapie der Neurasthenie. 1896.

6. Nervosität und neurasthenische Zustände, 1895, p. 11. (In *Nothnagels* Handbuch der spez. Pathologie und Therapie.)

7. Sammlung kleiner Schriften zur Neurosenlehre. Wien 1906. (4. Aufl., 1922.) [Ges. Werke, Bd. I.]

Über infantile Sexualtheorien

1. Vgl. hiezu die Analyse des fünfjährigen Knaben im Jahrbuch für psychoanalytische und psychopathologische Forschungen. 1. Halbbd. 1909. [Ges. Werke, Bd. VII, S. 241–377.]

2. In dem 1794 veröffentlichten, autobiographischen Buche ›Monsieur Nicolas‹ bestätigt *Restif de la Brétonna* dieses sadistische Mißverständnis des Koitus in der Erzählung eines Eindruckes aus seinem vierten Lebensjahr.

Einige psychische Folgen des anatomischen Geschlechtsunterschieds

1. Der Untergang des Ödipuskomplexes. [Ges. Werke, Bd. XIII, S. 393 bis 402.]
2. ›Ein Kind wird geschlagen‹. [Ges. Werke, Bd. XII, S. 195–226.]
3. Siehe: ›Der Untergang des Ödipus-Komplexes‹. [Ges. Werke, Bd. XIII, S. 393–402.]

Über die weibliche Sexualität

1. In dem bekannten Fall von *Ruth Mack Brunswick* (Die Analyse eines Eifersuchtswahnes. Int. Zeitschr. f. Psychoanalyse XIV, 1928) geht die Affektion direkt aus der präödipalen (Schwester-) Fixierung hervor.
2. Nach dem Wunsch der Autorin korrigierte ich so ihren Namen, der in der Zeitschrift als A. L. de Gr. angeführt ist.
3. Zur Entwicklungsgeschichte des Ödipuskomplexes der Frau. Internat. Zeitschr. f. Psychoanalyse, XIII, 1927.

Nachwort

Freuds Sexualtheorie und die notwendige Aufklärung der Erwachsenen

Nach Entdeckung der Wirkung eines »Gegenwillens« in der Hysterie, d. h. der Wirksamkeit abgewehrter, vom bewußten Wissen ausgeschlossener Wünsche, nach Erforschung der Traumentstehung als eines sinnhaft determinierten seelischen Geschehens, waren die »Drei Abhandlungen« der nächste Schritt S. Freuds zur Aufklärung eines bisher unzureichend verstandenen seelischen Verhaltens, der Psychoneurosen. Die Erscheinungsjahre der Studien über Hysterie, 1895, der Traumdeutung, 1900, und der Drei Abhandlungen, 1905, markieren die Epoche im Schaffen Freuds, in der er in zunehmender Vereinsamung die Fundamente der Psychoanalyse legte, haltbare Fundamente, die den weiteren Aufbau der Lehre trugen und uns heute so wegweisend geblieben sind wie zur Zeit ihres Erscheinens.

In einer Epoche, in der sich die fortschreitende Aufklärung der Naturvorgänge in großer Breite und in raschem Fluß vollzieht, ist solche Beständigkeit die seltene Ausnahme. Nun wird aber gerade die Behauptung, daß Freuds Analyse der Entwicklungsprozesse der Sexualität zutreffend sei, nach wie vor bestritten. Freud selbst bedarf kaum eines Kommentars. Die ganze Fülle seiner Ideen, die er mit so großer Sprachkraft vermittelt hat, wird sich vielleicht nur dem erschließen, der diese Gedanken zur Basis seiner eigenen Arbeit gewählt hat. Da sich diese Auswahl von Arbeiten zur Sexualtheorie aber an einen größeren Kreis interessierter Leser wendet, mag es nützlich sein, in einem Nachwort einiges vom Verhältnis dieser Ideen zu den Vorstellungen und Werten, nach denen sich unsere Gesellschaft orientiert, zu skizzieren.

Freud erkannte, daß die reife, den Geschlechtspartner suchende Sexualität bis zu diesem Augenblick, in dem sie diese bedeutende Rolle im Leben des Menschen erlangt, biologische Vorformen, eine lange prägenitale Entwicklung durchlaufen hat. Die Vielfalt kulturspezifischer sexueller Zeremonielle, die unabsehbare Verschiedenheit der Ausdrucksformen der geschlechtlichen Triebäußerungen in den Individuen, beruhte also nach seiner Auffassung nicht nur auf der unbekannten konstitutionellen, erbvermittelten Verschiedenheit der Anlagefaktoren, sondern auf einer Entwicklung dieser Anlage unter dem Einfluß des Gruppenverhaltens. Der Blick auf diese Zweiheit von biologischen Reifungsschritten und Umweltreaktionen auf sie, die ihnen günstig oder hemmend begegnen, macht erst das Verständnis der normalen wie der dissoziierten Entwicklung beim einzelnen aus. Die Abbremsung der fortschreitenden Vereinheitlichung sexueller Befriedigungen im »Primat der Genitalität« durch traumatische Ereignisse oder traumatisierende Dauerbeeinflussung gab den Schlüssel für die Erklärung krankhafter Zustände der verschiedensten Art.

Was wir seither zu sehen gelernt haben, ist nicht, daß die Annahmen Freuds einseitig waren, wie oft behauptet wurde, sondern daß die Auswirkungen viel weiter reichen, als Freuds vorsichtige, auf seinen Beobachtungen an Psychoneurosen gewonnene Einsichten zeigten. Vor allem konnten die ihm folgenden Forscher beobachten, daß die Ausdrucksweisen gehemmter Sexualentwicklung, also die krankhaften Symptome, sich mit den Wandlungen der Gesellschaftsstrukturen und Lebensbedingungen dauernd umformen. Die Hypothese, die am Beginn stand, mußte deshalb nicht geändert werden: daß nämlich bestimmten »affektbesetzten Vorgängen, Wünschen und Strebungen«, denen im Lauf der leibseelischen Entwicklung »der Zugang zur Erledigung durch bewußtseinsfähige psychische Tätigkeit versagt worden ist«, nur noch der Weg zur krankhaften, störenden Äußerung offenbleibt. Für eine geschwürige Dickdarmerkrankung (Colitis ulcerosa), für einen hartnäckigen Kopfschmerz oder ein Ekzem gilt die genau gleiche Formel wie für eine hysterische Gehstörung, »daß im Zustand des Unbewußten zurückgehaltene Gedankenbildungen nach einem ihrem Affektwert gemäßen Ausdruck, einer Abfuhr streben.«

Durch die in den »Drei Abhandlungen« erstmals gebotene Zusammenschau der Entwicklungsebenen der Sexualfunktionen ist klargeworden, wie vielfältig eine normale Geschlechtsreifung auf die Befriedigung der mit den erogenen Zonen verbundenen Organsysteme angewiesen ist und wie sehr diese, beginnend mit den ersten Stufen der zwischenmenschlichen Beziehungen von verstehender Mitmenschlichkeit abhängt.

Bei der biologischen Bedeutsamkeit der Sexualität für die Erhaltung der Art ist es schwer zu verstehen, wie die Annahme Freuds, der Sexualtrieb steuere den »einzig konstanten Anteil« im Geschehen der Neurosen bei und sei ihre »wichtigste Energiequelle«, solche Ablehnung finden konnte. Zwar ist es verständlich, daß die elementare Abhängigkeit von Triebbedürfnissen, die unser nach Freiheit strebendes Ich zu spüren bekommt, zur Auflehnung reizt — wie sie die Askese übt — oder zu der philiströsen Selbsttäuschung verführt, die Bindung sei gar nicht so zwingend. Weniger entschuldbar ist es, wenn solche Äußerungen sich in wissenschaftlichem Zusammenhang finden; wo dies geschieht, weisen sie auf die Fortdauer jener »Denkabschreckung« hin, die als kulturelles moralisches Klima immer der Forschung die Grenzen abstecken möchte. Dies kann nicht dazu verführen, die bedeutende Aufgabe — Denkaufgabe — zu unterschätzen, unsere »ethischen Pflichten« aus dem Stand unseres Wissens immer wieder neu zu begründen. Freuds Forschung hat idealistische, realitätsleugnende Vorstellungen über die menschliche Kindheit zerstört. Er hat eine Angst vor Wünschen wiederbelebt, die in uns allen weckbar ist und die ein Mechanismus des Selbstschutzes mit Vergessenheit deckt. Wie wirkt aber das Verdrängte nach? Um diese Konsequenz geht es. Man wird an große Beispiele der Geschichte erinnert. Der Beweis der Seefahrer für die Annahme, die Erde sei eine Kugel, hängt mit dem Martyrium zusammen, das alsbald fernen Völkern und Rassen bereitet wurde; die Absage an den Unsterblichkeitsglauben der Seele mit den erfindungsreichsten Techniken, jenen, der nicht der neuen Ideologie sich fügt, zu quälen, zu demütigen oder bedenkenlos zu vernichten. Jede Erschütterung der *patterns of behaviour*, des Verhaltensstils, durch eine Zerstörung der Glaubensannahmen, die ein solches Verhalten begründet haben, erweckt eine notdürftig gezähmte Phantasie zu den wirrsten und lieblosesten Ausschweifungen und gibt den Freipaß zu gewissenloser Triebbefriedigung. Sollten diesmal die konservativen Kräfte der Gesellschaft die neuen Erkenntnisse deshalb mit solchem Abscheu von sich gewiesen haben, weil sie die Entwicklung des Selbstgefühles erhellen könnten, des Selbstgefühles, das soviel unterdrückende Härte gerecht erscheinen läßt? Ob man es als Zufall ansehen, ob man einen Bedingungszusammenhang vermuten möchte, jedenfalls erschien Freuds Entdeckung am Vorabend einer Kette von Durchbrüchen des Vernichtungstriebes; und sollten sie nichts mit den »prähistorischen« Schicksalen des Menschen in seiner Kindheit zu tun haben?

Der Fortschritt der menschlichen Geschichte scheint an Opfer geknüpft. Wer nicht zur fatalistischen Hinnahme solcher Wiederholung des Gleichen bereit ist auch nicht sich damit zu trösten vermag, daß jede dieser Eruptionen und Zerstörungen einen winzigen bleibenden Zuwachs an Schuldeinsicht und Milderung der Sitten mit sich bringt, muß sich die Frage stellen, was dem Selbstvernichtungtrieb immer wieder solche Übermacht über den »ewigen Eros« zuspricht. »Die Schicksalsfrage der Menschheit scheint mir zu sein, ob und in welchem Maße es ihrer Kulturentwicklung gelingen wird, der Störung des Zusammenlebens durch den menschlichen Aggressions- und Selbstvernichtungtrieb Herr zu werden ... Die Menschen haben es jetzt in der Beherrschung der Naturkräfte so weit gebracht, daß sie es mit deren Hilfe leicht haben, einander bis auf den letzten Mann auszurotten. Sie wissen das, daher ein gut Stück ihrer gegenwärtigen Unruhe, ihres Unglücks, ihrer Angststimmung.* So Freud, fünfundzwanzig Jahre nach seinen Einsichten in die Entwicklungsphasen der menschlichen Sexualität. Hängt nicht Unglück und Angst vor neuem Unglück mit der relativ stärkeren Schwächung zusammen, die den sexuellen Triebkräften im Verhältnis zu den aggressiven in unserer Zivilisation widerfährt? Dies sei nicht als sentimentale Klage verstanden. Vielmehr scheint der Entwurf einer Sexualtheorie, wie sie Freud in den »Drei Abhandlungen« gab, die Erkenntnisvoraussetzung zur Umkehr dieses Kräfteverhältnisses geschaffen zu haben.

Solange Sexualität mit genitalen Triebäußerungen gleichgesetzt werden konnte und Aggression im Motiv der Sündenbekämpfung ihre gewissensberuhigte Entspannung in der Verfolgung sexueller Triebstrebungen finden mochte, war das Gleichgewicht zwischen den elementaren Triebstrebungen unheilvoll gestört. Die Aufgabe des Ichs, also einer auf das Bewußtwerden hinstrebenden seelischen Tätigkeit, erstreckt sich auf beide Bereiche, den der Sexualität und den des Bemächtigungtriebes. Es kann nicht übersehen werden, daß die Vorformen der reifen Sexualität mit moralischer Billigung — d. h. hier ohne Kenntnis der wirklichen Zusammenhänge — oft ein so erschreckendes Ausmaß von Aggression, uneinfühlender Grausamkeit trifft, deren das schwache Ich sich nicht zu erwehren vermag, daß ihre späteren Äußerungen nicht mehr ins Bewußtsein gelangen, nicht mehr menschliche Züge annehmen können. Wenn man zu sehen gelernt hat, welchen alle Erlebnisbereiche des Kulturmenschen durchwirkenden Einfluß die Libido

* S. Freud, Das Unbehagen in der Kultur. Fischer Bücherei 47, S. 128 f.

besitzt, wird man nicht mehr erstaunt sein, daß die Unduldsamkeit, die das Kind erfährt, nicht allein das spätere Verhalten in der geschlechtlichen Liebe, sondern in ungezählten mitmenschlichen und mitweltlichen Situationen jener sympathetischen Qualität entbehrt, die Eros nur dann zu erwirken vermag, wenn ihm die Zugänge zum Ich, zu seiner Gestaltung in bewußter Einsicht nicht verwehrt sind.

Was also die Angst lindern könnte, wäre ein Verständnis des Menschen für die Wandlungsschritte und -möglichkeiten seiner Triebkräfte, die es ihm erspart, ihnen blinder ausgeliefert zu sein, als es seine Natur fordern würde. Das Verständnis der kulturabhängigen Natur des Menschen darf dem der anorganischen und organischen Welt nicht nachstehen, wenn die befürchteten Katastrophen der Zukunft nicht Ereignis werden sollen. Die Forderung nach Friedfertigkeit ist gewiß angesichts der in Waffen starrenden Welt so beherzigenswert wie je; aber sie hat etwas von den Forderungen des Asketen an sich, dieser bösen Welt den Rücken zu kehren. Sie scheint machtlos gegen das Schwergewicht der »Verhältnisse«. Man möchte den Einfluß der Psychologie nicht überschätzen — schon weil der von Selbstgewißheit und Erfolg strotzende gesunde Menschenverstand ihr die Rolle des Hofnarren zuweist. In dieser leidlichen Gedankenfreiheit entsteht trotzdem die Frage, ob der Verzicht auf Waffen, das heißt auf tödliche Fehlleistungen, nicht dann erreichbarer wäre, wenn das, was wir seit Freud wissen, in die Reihe der Erkenntnisse von Naturgesetzlichkeiten einbezogen würde. Genügen wir in den Phasen der größten Abhängigkeit und Verwundbarkeit des Menschen, in seiner Kindheit, den Bedingungen seiner Biologie, welche die Kultur umschließt, nicht, so hat dies unvermeidbare Folgen. Sie mögen gerade noch erträglich gewesen sein — die Art ist nicht erloschen —, solange sie mit bescheidenen Techniken der Lebensfristung und nicht mit der Technologie koexistierten, die als unablässig wachsende Prothese sich der Aggression dienstbarer erweist als dem Eros. Wenn in diesem Moment der Geschichte, während der Kindheit der Menschen, der Libido die Wege zum denkenden Ich in der Erziehung verlegt werden, wenn also ihren vielgestaltigen Bedürfnissen der »Zugang zur Erledigung durch bewußtseinsfähige psychische Tätigkeit versagt wird«, dann bedeutet das eine unausbleibliche Schwächung der einenden und reziprok eine Stärkung der destruktiven Tendenzen. Die Entscheidung darüber fällt in den Erfahrungen der ersten Lebensjahre, die Folgen zeigen sich dann, wenn der so geschwächte Mensch, vom Zwang der Kindheit befreit, zu handeln beginnt. Oder genauer daran, wie er handeln *kann* und welcher Behandlung er künftig zugänglich ist.

Das klingt nach »pädagogischer Provinz«, wenn nicht nach Provinzialismus der Perspektiven; jedenfalls dann, wenn man dem Glauben anhängt, daß Männer die Geschichte machen und daß ihre Einsicht, ihr Charakter die Weltläufte bestimmten, und die Kinderstube dem Zufall zurechnet und es dabei belassen will. Gegen diese Auffassung, daß Männer das Schicksal für Nationen auslösen können, wird man kaum streiten können. Die kritische Anmerkung wäre nur die, daß auch jene Protagonisten des Weltgeschehens ihre eigene Lebensgeschichte aufweisen, die sie mit ihrem Charakter in das Spiel der Mächtigen einbringen. Und diese Vorgeschichte bleibt gerade bei ihnen keine Sache ohne geschichtliche Bedeutung.

Zwar deckt der Mantel des Vergessens und Verdrängens die meisten der erschütternden und unser Wesen bestimmenden Erfahrungen unserer Kindheit, aber heißt das, daß sie nicht gewesen sind? »Es ergab sich, was Dichter und Menschenkenner immer behauptet hatten, daß die Eindrücke dieser frühen Lebensperiode, obwohl sie meist der Amnesie verfallen, unvertilgbare Spuren in der Entwicklung des Individuums zurücklassen, insbesondere, daß sie die Disposition für spätere neurotische Erkrankungen festlegen.* Steckt man die Hoffnung wieder auf das erreichbare Feld jenes kleineren Umkreises zurück, in dem wir Alltagsmenschen durch unser Handeln an der Geschichte teilhaben, so bleibt genug zu tun, indem wir Wissen über den Menschen, das uns verfügbar geworden ist, aufgreifen, uns als Erzieher weniger vorurteilsbefangen bewähren, also nicht Gleiches mit Gleichem vergelten. Wie schwer gerade diese Ablösung von Meinungen ist, in denen wir erzogen wurden, wird der Kenner der Lebensgeschichte Freuds nicht unterschätzen. Der Teil seines Werkes, der in diesem Band dem Leser vorgelegt wird, führt ihn an Erkenntnisse, deren Bedeutung für das künftige Wohl und Wehe offen zutage liegt — auch wenn die Beschränkung auf den klinischen Beobachtungsbereich das nicht unmittelbar verrät.

Freud behandelt in den vorliegenden Essays die menschliche Sexualität. Sie erstreckt sich über einen Zeitraum von fünfund-

* S. Freud, Selbstdarstellung. Ges. Werke XIV, S. 58.

zwanzig Jahren. Wer den spätesten Beitrag »Über weibliche Sexualität« gelesen hat, wird dabei erfahren, wie sehr sich Freuds Vorstellungen über die Komplexheit der sexuellen Entwicklung bereichert haben, wie er aber dennoch die einmal erkannten Zusammenhänge festhalten konnte. Es könnte das Buch dem unvorbereiteten Leser die Vorstellung bestätigen, die er als Vulgärmeinung oft genug gehört haben mag: Psychoanalyse sei der Beschäftigung mit dem Sexuellen, nun ganz im gängigen Sprachgebrauch, gleichzusetzen. Ein Urteil wird nur fällen können, wer das Werk Freuds in seiner ganzen Breite und die psychoanalytische Literatur, die von ihm ihren Ausgang genommen hat, kennt. Es kann nicht die Rede davon sein, daß Psychoanalyse in einer einseitigen Sexualtheorie die Erklärung menschlichen Wesens und Verhaltens sieht. Tatsächlich hat sie eine psychische Instanzenlehre (Es, Über-Ich, Ich), eine »Metapsychologie«, d. h. eine Erklärungsform psychischer Vorgänge entworfen, die es möglich machen soll, diese nach ihren »dynamischen, topischen und ökonomischen Beziehungen zu beschreiben«. Die drei Begriffe »dynamisch, topisch, ökonomisch« beziehen sich dabei auf die Bedingungen, nach denen seelisches Geschehen sich vollzieht, in Freuds Worten, auf den »seelischen Apparat«. Man hat auch aus diesem Analogiegebrauch des Wortes »Apparat« einen weiteren Einwand gegen Freud hergeleitet: er sei Mechanist, Materialist. Er ist ebenso schief wie der des Pansexualismus. Richtig ist, daß Freud einem strengen Determinismus anhing — darin also mit allen anderen Naturforschern die Grundhypothese teilte, daß alles natürliche Geschehen Bedingungen entstamme. Man kann diese Hypothese für seelische Vorgänge ablehnen, aber man kann dann keinen Anspruch auf methodische Erklärung dieser Vorgänge erheben. Freud erhob diesen Anspruch im vollen Bewußtsein der Tatsache, daß unsere Modellvorstellungen und Erklärungen immer nur Teileinsichten gewähren. Die Analyse der leib-seelischen Geschlechtsreifung im Feld der affektiven mitmenschlichen Beziehungen ist *ein* Inhalt psychoanalytischer Forschung. Es kann nicht der Versuch gemacht werden, ihn hier auf das Ganze der dynamischen Entwicklungspsychologie zu beziehen, die Freud auf dem Wege der psychoanalytischen Methode in einem langen Leben begründet hat. Der Hinweis muß genügen, daß die psychoanalytische Forschung bei der Untersuchung hysterischer Symptome begonnen hat und bei diesen auf die Entwicklungshemmung des Geschlechtslebens stieß, und daß die Beobachtungen die außerordentliche Wandelbarkeit elementarer Triebäußerungen und ihren Anteil an den entlegenst erscheinenden Charakteräußerungen erwies. Man kann sich weigern, durch das Mikroskop zu blicken — man kann Forschungsmethoden ablehnen, aber man sollte diese Weigerung begründen können.

Freud sprach nicht von der Sexualität der Tiere, er untersuchte die des Menschen als eines Wesens der Natur. Das brachte ihn mit ebenso glaubensgesicherten, d. h. vorurteilsgesicherten Anschauungen in Konflikt wie vor ihm die Erforscher der Erde als eines Himmelskörpers unter unzähligen anderen. Wer also heute seine Abhandlungen über die menschlichen Sexualäußerungen und über die kulturelle Einschätzung, die sie erfahren, liest, tut es schon nicht mehr vom gleichen zeitgeschichtlichen Standort aus wie Freud. Nach den Stimmen, die laut werden, zu schließen, hat sich seither zwar eine Wandlung in der Gesellschaft zugetragen. Sie tabuiert die genitale Geschlechtlichkeit weniger als zu Beginn des Jahrhunderts. Es hat sich aber kaum ein tieferes Verständnis für die prägenitalen Vorstufen der Sexualität entwickelt. Vielleicht, so könnte man folgern, hängt aber gerade jene zeitgenössische sexuelle »Befreiung«, die oft die Merkmale der Selbstbezogenheit mehr als die einer befriedigenden und befreienden Partnerbeziehung verrät, mit den prägenitalen Schicksalen zusammen, die diese Menschen getroffen haben, mit der affektiven Distanzerweiterung in der Primärgruppe der Familie, die in und seit Freuds Lebenszeit auf eine rapide sich veränderte sozio-ökonomische Gesellschaftsstruktur bezogen ist.

Der Habitus der moralischen Wertsetzungen, die sich auf eine natürliche Herkunft des Menschen berufen, hat sich aber nicht mit gleicher Geschwindigkeit geändert, und die Erweiterung unserer Naturerkenntnisse in sich aufgenommen. Es mag dabei angefügt werden, daß die Praxis neuer pseudosäkularisierter Ideologien einen Glaubensgehorsam fordert, der den Anspruch im Alter und durch die Umstände gemäßigter Kirchen so weit übertrifft, daß eine Repetition mittelalterlicher Dunkelheit bevorzustehen droht. Dementsprechend sind sich das Verdikt der römisch-katholischen Kirche mit dem Verbot der östlichen Machthaber der Sache nach einig, daß die Art der Erforschung des Menschen, die Freud betrieben hat, schädlich für die ihrer Seelsorge überantworteten Individuen sei.

Erkenntnisse, die den Menschen neue Freiheit über sich selbst, neue Möglichkeiten der Kritik bestehender und die Sozialstruktur stützender Vorurteile verheißen, steht nicht der Weg widerstandsloser Ausbreitung offen. Das galt, an der Wegstrecke der Geschichte gemessen, vor kurzem noch für die uns heute selbstverständlichsten Einsichten in die Physiologie unseres Leibes und gilt zur Zeit für die Psychologie, die den Bedingungen unseres Handelns, Denkens, Urteilens nachgeht und dabei auf die Einflüsse von Vorurteilen, realitätsverleugnenden Abwehrhaltungen stößt und deren Herkunft aufklärt. Durch die nachprüfbaren Beobachtungen der ersten Naturforscher der Neuzeit wurde der geltende Glaube über die Welt zum Aberglauben. Vom Glauben her gesehen, der so entwertet wurde, nahm sich das als Sakrileg aus. Freuds nachprüfbare Beobachtungen über die Phasen der Sexualentwicklung und ihre Bedeutung für die spätere Charakterentwicklung des Menschen waren eine Provokation, deren Stärke man heute nur noch in Nachwirkungen spürt. Sie trafen eine kollektive Vorurteilshaltung der gesellschaftsbestimmenden Bürgerschicht; sie mag heute zum Teil aufgegeben sein. Aber das hat beachtenswerterweise nicht dazu geführt, daß die Psychoanalyse annehmbarer geworden wäre. Das, was ursprünglich provozierend wirkte, hat die tiefere und länger wirkende Ablehnung verdeckt. Sie liegt in der, wie es heißt, Verkürzung des Menschen auf ein Triebwesen, im Postulat einer durchgängigen Determiniertheit seelischen Geschehens, im Versuch einer Rückführung späterer, oft scheinbar, oft wirklich distanzierterer Erscheinungen auf unverändert gebliebene Einstellungen, Befriedigungswünsche unserer Triebnatur.

In der Behauptung, die Psychoanalyse »verkürze« den Menschen auf ein triebreguliertes Wesen, steckt eine willkürliche Entstellung. Den Forscher, der die Bedeutung des Blutes als Träger der unerläßlichsten Stoffe zur Aufrechterhaltung des Lebens erkennt und immer neue Beobachtungen dafür anführt, kann man kaum mit dem Vorwurf treffen, er erkläre »alles« mit den physiologischen Funktionen des Blutes. Er erklärt nicht alles, aber *ein* unerläßliches Geschehen im Ganzen der biologischen Ordnung. So sollte man Freuds Bemühung um das Verständnis der sexuellen Lebensäußerungen beim Menschen auffassen. Wie sich der Anatom oder Physiologe nichts von seinen Beobachtungen abhandeln lassen konnte, weil diese den überlieferten Auffassungen vom menschlichen Leib widersprachen, so kann sich der psychologische Forscher nicht einem Veto der Theologen oder Philosophen beugen, die vom Menschen, perspektivistisch, eine andere Ansicht besitzen. Der Psychologe sieht vielmehr, wie im Zustand großer Ohnmacht der Phantasie die Aufgabe zufällt, die Lage umzudeuten; die »Verkehrung ins Gegenteil« — also die Selbstumdeutung des allseits triebunsicheren Menschen, der von der ehernen Herrschaft arteigentümlicher Verhaltensformen (besonders auf dem Gebiet der Sexualität) ausgenommen, dafür der Hilfe seiner Artgenossen viel länger überantwortet ist, die Selbstumdeutung in ein Wesen hoher Omnipotenz und Freiheit hilft ihm die Realangst zu beschwichtigen, der sich oft genug eine neurotische Angst beigesellt, welche der Gleichsetzung von Phantasie und Wirklichkeit entstammt. Man wird kaum in der Annahme fehlgehen, daß diese irrationalen Ängste es sind, die den Widerstand gegen die Psychoanalyse tiefer begründen als ihre Sexualtheorien. Und zwar richtet sich die Ablehnung gegen die Methode, schrittweise das seelische Geschehen zu begleiten und damit die Bedingungen hinter der Fassade bewußter Motivation zu verfolgen. Was die Psychoanalyse für viele so abstoßend macht, ist mit einem Wort nicht ihre Beschäftigung mit dem durch Scham, Ekel und Konvention geschützten Bereich sexuellen Handelns und Phantasierens, sondern ihre Konsequenz, jene inneren »Überzeugungen«, »Gewißheiten« zu untersuchen, die unser Tun zu rechtfertigen scheinen. Sie ist weniger verhaßt, weil sie die Zügel eines inneren Gewissensterrors lockert, wo sie ihm begegnet, sondern weil sie Einsicht und Verantwortung fordert, wo bisher ein ungenaues Gefühl unser Verhalten zu rechtfertigen vermochte. Ihr größeres Wissen stellt größere Ansprüche an das Ich. So paradox es dem klingen mag, der nur von Ferne von ihr hörte, sie ist unbequem, weil sie die Moral von den Forderungen der äußeren Autoritäten lösen und dem Verantwortungsbereich des Ich, der Selbstverantwortung übertragen will.

Es sind immer die *Methoden* eines neuen Verstehens, die den entscheidenden, den anhaltenden Widerstand erwecken; denn an sie sind die praktischen Konsequenzen geknüpft. Die Verketzerung der ersten Naturforscher der Neuzeit war durchaus auch politisch zu verstehen. Mit ihren Befunden tasteten sie nicht nur die Weltordnung des Glaubens, sondern die auf dieser Weltordnung beruhende Wertordnung, die Sozialordnung an. Als dann die industriellen Revolutionen kamen, waren sie in der Tat zugleich soziale. Die psychologische Revolution, die Freud einleitete, ist eine in dieser Reihe, welche durch die Naturforschung ermöglicht wurden. Insofern sie aber nicht mehr die Objektwelt, sondern unmittelbar den Menschen zum Inhalt hat, zeigt sich eine Richtungsänderung an. Die Frage ist durchaus offen, welchen Gebrauch die Menschen vom Wissen machen werden, das sich ihnen durch Freuds Entdeckungen eröffnete. Immerhin ist das eine klar: wo immer der Mensch und wem immer gegenüber er gefügig gemacht werden soll, es stehen ihm die Widerstandsmöglichkeiten offen, seiner eigenen Haltung und ihrer Motive besser ansichtig werden zu können. Das kann ihn nur stärken, selbst und gerade dort, wo er mit den Mitteln der Psychologie geführt und verführt werden soll.

Zu unserem wissenschaftsbestimmten Zeitalter gehört es, daß seine tiefsten Wandlungen nicht von leidenschaftlichen Auflehnungen und ihren Programmen ausgehen, sondern von Fragestellungen, denen Forscher sich gegenüber sahen und die sie mit ihren Mitteln ein Stück weit zu klären vermochten. Dokumente solcher Neuigkeit sind Freuds Schriften. Sie veränderten unsere Kenntnis vom Menschen. Die Wirkung, die von ihnen ausgeht, hat sich nicht erschöpft. Sie wird so lange andauern, wie im Menschen der Wunsch fühlbar bleibt, zur Wirklichkeit zu finden, ihr mehr zu vertrauen als den phantastischen Entstellungen, deren wir fähig sind.

Alexander Mitscherlich

Register

Register

BIBLIOGRAPHIE

Die bibliographischen Angaben verweisen auf Jahr und Ort der Erst-
veröffentlichung sowohl in deutscher als auch in englischer Sprache.

Drei Abhandlungen zur Sexualtheorie
Dtsch.: 1905 Im Verlag Franz Deuticke, Leipzig und Wien.
Engl.: 1910 Übersetzt von A. A. Brill. Nervous and Mental Disease
Monograph Series, No. 7, New York.

Zur sexuellen Aufklärung der Kinder
Dtsch.: 1907 In: ›Soziale Medicin und Hygiene‹, Bd. II.
Engl.: 1924 Übersetzt von E. B. M. Herford. In: ›Collected Papers‹,
Vol. II. The International Psycho-Analytical Library,
No. 8; The Hogarth Press, London.

Die ›kulturelle‹ Sexualmoral und die moderne Nervosität
Dtsch.: 1908 In: ›Sexualprobleme‹ der Zeitschrift ›Mutterschutz‹,
neue Folge, IV. Jahrgang.
Engl.: 1924 Übersetzt von E. B. M. Herford und E. Colburn Mayne.
The International Psycho-Analytical Library, No. 8;
The Hogarth Press, London.

Über infantile Sexualtheorien
Dtsch.: 1908 In: ›Sexualprobleme‹ der Zeitschrift ›Mutterschutz‹,
neue Folge, IX. Jahrgang.
Engl.: 1924 Übersetzt von Douglas Bryan. In: ›Collected Papers‹,
Vol. II, The International Psycho-Analytical Library,
No. 8; The Hogarth Press, London.

Die infantile Genitalorganisation
Dtsch.: 1923 Internationale Zeitschrift für Psychoanalyse, Bd. IX.
Engl.: 1924 International Journal of Psycho-Analysis, V, und
Collected Papers, Vol. II, International Psycho-Ana-
lytical Library, No. 8. The Hogarth Press, London.
Übersetzt v. Joan Rivière.

Einige psychische Folgen des anatomischen Geschlechtsunterschieds
Dtsch.: 1925 In: ›Int. Zeitschrift für Psychoanalyse‹, Band XI.
Engl.: 1927 In: ›The International Journal of Psycho-Analysis‹,
Vol. VIII, S. 133–142.

Über die weibliche Sexualität
Dtsch.: 1931 In: ›Int. Zeitschrift für Psychoanalyse‹, Band XVII.
Engl.: 1932 Übersetzt von James Strachey; in: ›The International
Journal of Psycho-Analysis‹, Vol. XIII, S. 281–297.

Sigmund Freud

FISCHER
TASCHENBÜCHER